HOGE EISEN, WARE LIEFDE

Hoge eisen, ware liefde

De opkomst van een nieuw gezinsideaal in Nederland

GABRIËL VAN DEN BRINK

uitgeverij
SWP

N I Z W Jeugd

1e druk december 1997 (ISBN 90 5050 553 8)
2e druk augustus 2000 (ISBN 90 5050 553 8)
3e druk september 2001 (ISBN 90 5050 553 8)
4e druk april 2005

Deze studie werd uitgevoerd in opdracht van het Nederlands Instituut voor Zorg en Welzijn / NIZW te Utrecht

Hoge eisen, ware liefde
De opkomst van een nieuw gezinsideaal in Nederland
Gabriël van den Brink

ISBN 90 8560 021 9
NUR 740

INHOUDSOPGAVE

DANKWOORD

INLEIDING   11
    1 *Plotselinge belangstelling*   12
    2 *Deskundigen verdeeld*   16
    3 *Bronnen*   20
    4 *Methode*   23
    5 *Opzet van het boek*   26

DEEL I   GEZINSGESCHIEDENIS   29
    1.1 Demografisch-economische ontwikkeling   30
      1 *Erosie van het huwelijk*   31
      2 *Kleiner huishouden*   38
      3 *Het gezin voorbij?*   42
      4 *Kosten van kinderen*   45
      5 *Tekort aan tijd*   52

    1.2 Sociaal-culturele ontwikkeling   57
      1 *Van bevel naar onderhandeling*   58
      2 *Gezin als netwerk*   65
      3 *Seksuele bevrijding*   67
      4 *Verwachtingen van partners*   71
      5 *Betekenis van kinderen*   79

DEEL II   TYPOLOGIE   89
   2.1 Gezinsculturen   90
       1   *Twee dimensies*   90
       2   *Bevel of onderhandeling*   93
       3   *Relatie of institutie*   95
       4   *Een nieuw gezinstype*   99
       5   *Het vierde type*   101

   2.2 Moderne verschijnselen   104
       1   *Sociale klasse*   105
       2   *Opleiding*   108
       3   *Levensvormen*   112
       4   *Stabiliteit en flexibiliteit*   116
       5   *Communicatie als cultus*   119

DEEL III VOORUITZICHTEN   127
   3.1 Demografisch - economisch: meer marktwerking   128
       1   *Medische technologie*   130
       2   *Jongeren als consument*   134
       3   *Werkende vrouwen*   137
       4   *Eisen aan werknemers*   140
       5   *Een druk bestaan*   143

   3.2 Sociaal - cultureel: toenemende selectie   146
       1   *De huwelijksmarkt*   147
       2   *Gedrag op school*   150
       3   *Invloed van de media*   153
       4   *Gevolgen van kennis*   155
       5   *Cultureel kapitaal*   158

DEEL IV PROBLEMEN   167
   4.1 Vijf knelpunten   168
       1   *Marginale gezinnen*   169
       2   *Kindermishandeling*   172
       3   *Jeugdcriminaliteit*   176
       4   *Allochtone gezinnen*   179
       5   *Sociale erosie*   183

4.2 Achterliggende mechanismen van sociale uitsluiting 186
    1 Meer problemen? *187*
    2 Draaglast en draagkracht *190*
    3 Sociale erfelijkheid *193*
    4 Verbroken netwerken *196*
    5 Naar een tweedeling? *200*

DEEL V SLOT 207
5.1 Wat te doen? 208
    1 Betere voorzieningen *208*
    2 Eerder signaleren *211*
    3 Professionalisering als gevaar *213*
    4 Sociale vaardigheden *217*
    5 Actiever opvoeden *220*

5.2 Een nieuw beschavingsoffensief 223
    1 Belang van het gezin *224*
    2 Winnaars en verliezers *228*
    3 Familiaal kapitaal *232*
    4 Het nieuwe ideaal *236*
    5 Een beschavingsoffensief (?) *240*

NOTEN 245

GERAAGDPLEEGDE LITERATUUR 255

BIJLAGE 267

DANKWOORD

Ofschoon dit boek door de welwillende medewerking van diverse instanties en personen totstandgekomen is, wil ik een aantal van hen met name dankzeggen.

Dat geldt in de eerste plaats voor het Nederlands Instituut voor Zorg en Welzijn (NIZW). Dit heeft mij niet alleen de eervolle opdracht tot dit onderzoek verstrekt, maar ook voldoende middelen om het te kunnen uitvoeren.

In de tweede plaats ben ik dank verschuldigd aan degenen met wie ik over hun inzichten en ervaringen gesproken heb. Dat zijn in alfabetische volgorde dr. P. van den Akker, prof. H. Baartman, prof. M. du Bois-Reymond, prof. C. Brinkgreve, prof. J. van Doorne-Huiskes, Th. van Dijk, prof. J. Gerris, prof. E. van Hall, drs. D. van den Heuvel, prof. J. Hermanns, drs. D. Hoogcarspel, drs. F. Hoebee, C. Kaaij, C. Komduur, dr. A. Lieboer, ir. M. Malmberg, D. Muriloff, F. Niamut, J. Peijnenburg, mr. A. Penning, dr. F. van Poppel, mr. A. Quick-Schuyt, drs. B. Rensen en drs. M. van Schaijk. Het belang van de gesprekken met prof. M. du Bois-Reymond en prof. C. Brinkgreve reikte verder dan een specifieke thematiek. Hun gedachten over de modernisering van het gezinsleven respectievelijk sociale erfenissen waren bepalend voor de opzet van dit boek in zijn geheel.

In de derde plaats dank ik degenen die hebben deelgenomen aan de begeleiding van mijn onderzoek. Kees Bakker, Wiebe Blauw, Theo Engelen, Jos van der Lans, Peter van Lieshout, Hans van der Loo en Dorien Pessers waren bereid alle hoofdstukken in een eerste versie van hun commentaren te voorzien. Aan de even enthousiaste als intelligente wijze waarop zij hun rol gespeeld hebben, denk ik met veel plezier terug.

In de vierde plaats noem ik de instanties die mij van cruciale informatie hebben voorzien, waaronder het Centraal Bureau voor de Statistiek (CBS), het Sociaal en Cultureel Planbureau (SCP), het Nationaal Instituut voor Budgetvoorlichting (NIBUD) en de Nederlandse Gezinsraad (NGR) in de persoon van de heer P. Cuyvers. Voorts dank ik de Amsterdamse School voor Sociaal-wetenschappelijk Onderzoek die mij gedurende een jaar gastvrijheid heeft verleend.

Last but not least gaat mijn erkentelijkheid uit naar Bernadette Klasen die bij het uitwerken van de interviews behulpzaam is geweest.

Leiden, september 1997
Gabriël van den Brink

INLEIDING

De wegen van de geschiedenis zijn wonderlijk. Nog maar twee decennia terug was men in brede kring van mening dat het gezin een conservatief, ja zelfs autoritair karakter had. Het was een repressieve instelling die de ontplooiing van vrouwen en kinderen, zo niet van elk mens belemmerde. Vandaag lijkt deze opvatting vervangen door haar tegendeel. Het gezin wordt weer positief gewaardeerd. Bovendien hoort men – niet zelden uit de mond van degenen die in hun jeugd het gezin als leefvorm verwierpen – steeds vaker een bezorgd geluid. Velen zijn ervan overtuigd dat het moderne gezinsleven voor omvangrijke problemen staat.

Een van degenen die deze overtuiging zijn toegedaan is David Popenoe. Op grond van zijn onderzoek naar het gezinsleven in een ontwikkelde samenleving als Zweden meent hij dat het klassieke gezin in verval verkeert. Hij wijst bijvoorbeeld op het feit dat de huidige gezinnen erg klein van omvang zijn, waardoor kinderen weinig broertjes of zusjes hebben. Ook zou men steeds minder gezamenlijke activiteiten ondernemen. Het contact met opa of oma neemt af terwijl men neven, nichtjes en andere verwanten nog maar zelden ziet. De omgeving is, vooral in grote steden, uitgesproken vijandig voor kinderen, waardoor ze ernstig in hun bewegingsvrijheid beperkt zijn. Verder gaan steeds meer kinderen gebukt onder de angst dat hun ouders zullen scheiden, terwijl de omgang met hen toch al spaarzaam is doordat beide ouders buitenshuis werken. De eigen rituelen en routines van het gezin komen nauwelijks tot ontwikkeling en waarden die voor het gezinsleven belangrijk zijn – zorg voor elkaar of het delen van ervaringen – worden in het openbare leven niet onderhouden, laat staan gestimuleerd. Dit alles leidt ertoe dat het gezin als maatschappelijk instituut aan alle kanten wordt verzwakt.[1]

Het is te gemakkelijk een empirisch onderbouwde visie als die van Popenoe lichtvaardig ter zijde te schuiven. Zij wordt intuïtief door tallozen gedeeld. Maar tegelijk is duidelijk dat het gevoel van 'crisis' op diverse wijzen kan worden opgevat. Volgens één interpretatie wordt het gezin door een aantal historische processen inderdaad in zijn voortbestaan bedreigd. Volgens een andere interpretatie heeft het gezin wel vaker periodes van ernstige turbulentie doorstaan. In zijn meest elementaire vorm – vader, moeder, kinderen – blijkt het uiterst taai te zijn. Het bezit een onverwacht vermogen tot aanpassing en duikt vrijwel overal ter wereld en in vele tijdvakken van de geschiedenis in een of andere gedaante op. Op grond hiervan menen sommige auteurs dat het gezin van alle tijden is. Tussen deze twee extreme interpretaties (teloorgang versus duurzaamheid) bevinden zich talrijke schakeringen. Men bedenke bovendien dat waarschuwingen over de 'teloorgang van het gezin' de afgelopen twee eeuwen telkens opklonken wanneer de samenleving een relatief snelle verandering onderging. In die zin lijken die geluiden eerder het symptoom van een ruimere bezorgdheid die vervolgens op de gezinnen wordt geprojecteerd.

1 Plotselinge belangstelling

De groeiende belangstelling voor het gezinsleven staat niet op zichzelf. In de Verenigde Staten is de strijd om 'family values' al eerder losgebrand en heeft het thema zelfs een voorname rol bij de verkiezingen van 1992 gespeeld. Daarbij viel op dat zowel democraten als conservatieven zich opwierpen als de verdedigers van het gezin. Men kon dus verwachten dat het thema vroeg of laat ook bij ons weer zou aanslaan. Maar dat gebeurde op een bijzondere manier, waarbij de politieke constellatie van het paarse kabinet een voorname rol speelde. Voor het eerst sinds vele decennia werd er een regering zonder confessionele politici gevormd. Het gevolg was een sterk op individualisering en flexibilisering gerichte sociaal-liberale politiek, waarbij een thema als 'gezinswaarden' nauwelijks een rol speelde. Het CDA voerde weliswaar oppositie maar wist niet goed hoe dat moest en het wierp zich zeker niet als voorvechter van de gezinnen op.

Niettemin beseften sommigen dat er een nieuwe thematiek in aantocht was. Eind 1994 publiceerde *Elsevier* bijvoorbeeld een omslagartikel over de waarde van het gezinsleven. Men had ook kritiek op de politiek en schreef: 'Hoewel de overgrote meerderheid van de Nederlanders nog steeds in gezinsverband woont of wil gaan wonen, wil de overheid van deze manier van leven niets meer weten en er zeker geen beleid op afstemmen.' Verder klaagde men over het feit dat er voor ouders die beiden werken vrijwel niets geregeld is. Zaken als kinderopvang, ouderschapsverlof, de afstemming van schooltijden, zorgverlof en naschoolse opvang zijn in Nederland nodeloos ingewikkeld en maken het vrijwel onmogelijk om twee betaalde banen te combineren met een gezinsleven. Ten slotte wees men op het feit dat de paar voorzieningen waar het gezin juist wél van profiteert – zoals kinderbijslag, huursubsidies, studiefinanciering of medische voorzieningen voor kinderen – langzaam maar zeker worden afgebroken. 'Het wachten is nu op de eerste in Den Haag die *Leve het moderne gezin* durft te zeggen!', aldus *Elsevier*.[2]

Het zal na deze oproep nog meer dan een halfjaar duren voordat het signaal in kringen van het cda wordt opgepakt. Bovendien zijn een paar andere instanties de politici net vóór. Zo organiseren de Nederlandse Gezinsraad en het Centraal Bureau voor de Statistiek eind augustus 1995 een congres over de toekomst van het gezin. Op grond van gedegen onderzoek betogen verschillende deskundigen dat de tendens tot 'individualisering' op gezichtsbedrog berust. Van alle Nederlanders woont het overgrote deel (79 procent) nog altijd in een gezin en dat zal ook in het jaar 2010 zo zijn. De publiciteit rond dit congres is blijkbaar goed geregisseerd want het 'nieuws' dat er nog steeds gezinnen zijn, dendert in alle bladen na. De koppen houden het midden tussen verbazing en opluchting. HUWELIJK EN GEZIN TELLEN NOG VOLOP MEE, aldus *de Volkskrant*. *Nrc Handelsblad* schrijft: MORELE PANIEK OVER ATOMISERING IS ONNODIG. De *Arnhemse Courant* kopt met GEZIN BLIJFT HOEKSTEEN VAN DE SAMENLEVING, een kop die ook in de *Apeldoornse Courant*, het *Gelders Dagblad*, het *Deventer Dagblad*, de *Twentsche Courant* en het *Dagblad Tubantia* verschijnt. En boven een artikel in de *IJmuider Courant* staat: MEESTE NEDERLANDERS WONEN IN EEN GEZIN. BEWERINGEN OVER UITEENVALLEN SAMENLEVING KLOPPEN NIET. Inzichten die onder sociologen en demografen al langer bestonden, lijken daarmee voor het eerst door te dringen tot het bredere publiek.[3]

Of het cda zich nu door deze krantenkoppen heeft laten inspireren dan wel door bepaalde voorstellen die een kleine partij als het GPV al eerder had gedaan, is niet helemaal duidelijk. Een feit is dat Enneüs Heerma als fractievoorzitter een paar weken later bij de Algemene Beschouwingen pleit voor het instellen van een ministerie voor Gezinszaken. Ook op andere wijzen vraagt het CDA meer aandacht voor familie en gezin. Zo wil men 100 miljoen gulden méér uitgeven dan het kabinet voor gezinnen met kinderen die langdurig in de bijstand zitten, 50 miljoen extra voor kinderbijslag en nog eens 50 miljoen extra voor kleinere klassen in het basisonderwijs. De genoemde bedragen klinken vertrouwd, maar verrassend is dat het CDA een nieuwe opvatting van het gezin op tafel legt. Heerma blijkt alle leefvormen die op duurzaamheid en verantwoordelijkheid berusten als een gezin te zien.[4] Dat roept zowel instemming als verbazing op. Zijn voorstel voor een ministerie voor Gezinszaken wordt wat lacherig van de hand gewezen.

Begin oktober 1995 komt er een kentering. De eerste die het voor Heerma opneemt is VVD-fractieleider Bolkestein. Hij vindt dat Heerma's voorstellen ten onrechte belachelijk gemaakt zijn. Zelf acht hij het bijbrengen van algemeen aanvaarde normen van groot belang. Zowel de ouders als de school hebben daarbij een centrale taak. Vervolgens wordt Heerma te hulp geschoten door minister Sorgdrager (D66). Zij maakt zich ernstige zorgen over het toenemen van de jeugdcriminaliteit en meent dat de individualisering te grote vormen aanneemt. Verder zegt ze dat er in het gezin vaak te weinig aandacht voor kinderen bestaat.[5] Behalve van politici krijgt Heerma nu eveneens steun uit wetenschappelijke hoek. Tijdens een lezing aan de Landbouw Universiteit te Wageningen bepleit ook Kees de Hoog – alom erkend als specialist op dit gebied – een ministerie voor Gezinszaken. Volgens hem is het gezin de afgelopen decennia stelselmatig in de hoek gedrukt, zowel door burgerij als door politici. En ten slotte pleit Peter Cuyvers van de Nederlandse Gezinsraad voor een herziening van de sociale zekerheid. Er zou een 'duaal stelsel' moeten komen, gebaseerd op het onderscheid tussen leefeenheden met en zonder kinderen.[6]

Het voorgaande speelt zich af binnen het bestek van één week tijd. Hierna komt het debat pas goed op gang. Er verschijnen tientallen artikelen in dag- en weekbladen waarbij het thema 'gezinsleven' vanuit de diverse hoeken wordt belicht. De Telegraaf tamboereert op 'de aantasting van het gezag, de chaos van onze samenleving, de drugs-problematiek, de ontkerkelijking, de algehele verloedering, ook wel individualisering genoemd...'[7] Anderen menen dat gezinnen met meer dan twee kinderen relatief veel energie gebruiken of vragen zich vertwijfeld af waarom er nog altijd stopcontacten zonder kinder-beveiliging in de handel zijn.[8] De voorzitter van de Emancipatieraad is boos op Bolkestein wegens zijn steun voor het CDA en verklaart dat zij niet terug wil naar de morele repressie van de verzuilde maatschappij.[9] De minister van Sociale Zaken acht het CDA-voorstel overbodig want 'er is maar één minister van Familiezaken en dat ben ík'.[10] Men maakt vergelijkingen met Duitsland waar al tientallen jaren een departement voor Gezinszaken bestaat dat bovendien over een ruim budget beschikt.[11] Ook de bisschoppen laten iets van zich horen. Zij vinden dat een kind behoort op te groeien in een gezin en beschouwen dat als een van God gegeven ordening.[12]

Sommige bladen gaan dieper op de problemen in. Met name NRC Handelsblad, de Volkskrant, Intermediair en Trouw publiceren reporta-ges over het moderne gezinsleven en laten diverse specialisten aan het woord.[13] Het gaat dan al lang niet meer om politieke voorstellen alléén, maar evengoed om de vraag hoe men dit vraagstuk zó lang over het hoofd heeft kunnen zien.[14] In dat verband krijgen ook de media de nodige kritiek. Zij zagen het gezin slechts als 'een relict van kleinbur-gerlijk Nederland waaruit een ondraaglijke spruitjesgeur opstijgt'.[15] Met name de Amsterdamse grachtengordel zou een grove minachting voor het leven van de gewone mensen aan de dag leggen. Men klaagt erover dat de meest extreme varianten telkens op tv komen terwijl er voor de gezinnen nooit aandacht is ('Wanneer besteden al die Sonja's-en-Tinekes eindelijk eens aandacht aan een normáál gezin?').[16] Zelfs politici geven nu toe dat ze zich verkeken hebben op de zaak – een zó massale respons hadden ze niet verwacht. In een interview met De Gelderlander zegt Heerma bijvoorbeeld: 'Ik wist dat ik een taboe aan-sneed. Maar de samenleving reageerde dit keer wel volstrekt anders dan die ene vierkante kilometer in Den Haag. Het verschil bleek nu wel erg duidelijk.'[17] Aldus werd het gezin van een 'achterhaald idee' tot een item dat boven aan de politieke agenda stond.[18]

Het is veelzeggend – maar tegen deze achtergrond niet onbegrij-pelijk – dat koningin Beatrix in haar kersttoespraak van 1995 veel aandacht besteedde aan het gezinsleven. Zij herinnerde eraan dat beproefde maatschappelijke instellingen geen garantie voor kwaliteit vormen. 'Het grote gezin en de uitgebreide families werden als beschermend, maar soms ook als benauwend ervaren. In het moderne gezin wordt veel waarde gehecht aan mondigheid en zelfstandigheid van de leden.' Bovendien kan het gezin sterk tot openheid en tolerantie bijdragen. 'Samenleven begint thuis. Dáár komen we in aanraking met andere meningen en hebbelijkheden, met kritiek en met gedrag dat ons kan ergeren. In die kleine leefeenheid, hoe gevormd ook, vinden wij onze eerste leerschool in liefde en verdraagzaamheid (...) In gezinnen kan een voedingsbodem worden gelegd voor zelfzucht en intolerantie maar kan ook worden opgevoed tot openheid en deel-name aan een maatschappij die minderheden respecteert en anders-denken waardeert.'[19]

De toon leek daarmee definitief te zijn gezet. In de maanden erna verschenen opnieuw vele artikelen waarin de waarde van het gezin werd onderstreept en tegelijkertijd een ruime definitie van gezinnen werd gehanteerd. De thematiek verbreedde zich nu ook. Wij gaan daar verder niet op in, maar stellen vast dat het vraagstuk van de 'family values' ook in Nederland serieus genomen wordt, zij het op een bijzon-dere manier. Het feit dat het CDA in een oppositierol terechtkwam, heeft hierbij als katalysator gefungeerd. Daardoor kon het gebeuren dat het gezin zich binnen een halfjaar van een doodgezwegen onder-werp tot een 'hot item' ontwikkelde. Deze feitelijke constatering roept de vraag op waarom het onderwerp gezinspolitiek zo plotseling in de publieke en politieke belangstelling is komen te staan. Bovendien lijkt deze belangstelling vooral gesteund te worden door een verlichte in plaats van een conservatieve opvatting over het gezinsleven. Ook die constatering vraagt om een verklaring. Pas tegen het einde van dit boek (zie hoofdstuk 5.2, paragraaf 4) zal het antwoord op deze vraag en de verklaring voor dit verschijnsel worden gegeven.

2 Deskundigen verdeeld

In de publieke belangstelling voor het gezinsleven heeft zich in Neder-land dus vrij plotseling een omslag voorgedaan. Dat neemt niet weg dat er altijd een aantal onderzoekers is geweest dat zich langdurig en vanuit verschillende disciplines in het onderwerp heeft verdiept.

Demografen, sociologen, psychologen en pedagogen houden zich sinds jaar en dag beroepshalve bezig met het gezinsleven. Wie de mening van de meest toonaangevende auteurs nagaat, stelt vast dat zij in twee stromingen uiteenvallen. Van den Akker omschrijft ze als 'doemdenkers' en 'heilsprofeten', afhankelijk van de manier waarop zij het proces van individualisering zien. De doemdenkers vinden dat het moderne individualisme grote vormen heeft aangenomen. Er zou geen ruimte meer voor gevoelens van geborgenheid en solidariteit bestaan, met als gevolg dat het gezin als institutie in verval verkeert. De heilsprofeten juichen de nieuwe vrijheden juist toe. Zij hopen dat het individu zich eindelijk bevrijdt uit het nauwe keurslijf van conventies of verstarde normen en menen dat het gezin slechts een belemmering voor de menselijke zelfontplooiing vormt.[20] Deze tegenstrijdige visies op het gezinsleven zijn nogal normatief van aard. Zij leiden al snel tot een stellingname vóór of tegen het gezin als leefvorm. Maar ook bij degenen die wat meer distantie in acht nemen of zich toeleggen op een onderzoek naar de feitelijke ontwikkeling van het gezinsleven, duikt het onderscheid tussen optimisten en pessimisten op. Ter illustratie geven wij hieronder een tweetal visies weer.

De eerste visie wordt verwoord door het in 1996 gepubliceerde onderzoek *Opvoeden in Nederland* onder redactie van Rispens, Hermanns en Meeuws. De auteurs constateren dat verreweg de meeste kinderen in een gezin met beide ouders opgroeien. Die ouders hebben in het overgrote deel van de gevallen een redelijke tot goede opleiding genoten. Het gemiddeld aantal kinderen is twee. Werkloosheid komt slechts bij een klein percentage van de vaders voor. Het meest gangbare patroon is dat vader als kostwinner optreedt: hij werkt buitenshuis terwijl moeder voor het huishouden zorgt. Het omgekeerde komt haast niet voor. Dit betekent niet dat de taakverdeling volledig traditioneel zou zijn. Er zijn ook veel moeders die betaald werk hebben, maar de omvang daarvan beperkt zich meestal tot een deeltijdbaan. Bovendien is de moeder met jonge kinderen graag thuis. Van de moeders gaat 40 procent helemaal niet werken en de meeste kinderen gaan tot hun tweede jaar slechts zelden naar een kinderopvang. Al met al is de invloed van de moderne samenleving op het gezinsleven minder sterk dan velen aannemen.

In het overgrote deel van de gezinnen is men sterk op elkaar gericht. De huiselijke taken zijn doorgaans goed geregeld en op het naleven van die regels wordt duidelijk gelet. De huwelijksvoldoening is gewoonlijk hoog en dat geldt ook voor de huwelijksstabiliteit. Gezinnen met chaotische verhoudingen of onvoldoende samenhang vormen nog geen 10 procent van het totaal. Wat betreft de opvoeding zijn de meeste ouders optimistisch. Ze vinden dat ze veel invloed hebben op hun kinderen en beschouwen zich in 80 procent van de gevallen als zeer competent. Tegelijkertijd zijn ze ook realistisch; het belang van de erfelijke aanleg wordt nadrukkelijk erkend. De opvoeding zelf wordt vooral gericht op de persoonlijke vorming van de kinderen. Er is veel aandacht voor de sociale en morele aspecten van hun ontwikkeling. Centrale doelen van het opvoeden zijn gevoel voor verantwoordelijkheid, rekening houden met anderen en zelfstandig oordelen. Aan conformisme, bijvoorbeeld tot uiting komend in respect voor ouderen of prestatiegerichtheid, hechten ouders veel minder betekenis. Tot de minst belangrijke doelstellingen bij het opvoeden behoren slim zijn en je ouders gehoorzamen. Aldus het bijna idyllisch beeld dat Rispens en de zijnen schilderen van het gezinsleven in Nederland.[21]

Ben Rensen, die al geruime tijd als jeugdarts in een van de armste buurten van Utrecht aan het werk is, heeft echter heel andere ervaringen. Hij vertegenwoordigt de tweede visie. Hij zegt onder meer het volgende.[22] 'De gezondheid van veel kinderen in deze wijk is niet zo best. Er komt bijvoorbeeld veel meer cara dan gemiddeld voor, een gevolg van het feit dat de woningen vaak oud en vochtig zijn of slecht geventileerd worden. Er zijn ook meer ouders die stevig roken. Een groot aantal kinderen heeft last van cariës en ze groeien minder goed. Op zich hoeft dat geen probleem te zijn, maar het wijst wel op een minder goede gezondheid. Verder bestaat er veel onveiligheid, zowel thuis als in de straat. Er zijn kinderen die worden verwaarloosd, omdat de moeder aan een of andere verslaving lijdt. Dan is er het probleem van echtscheiding. Ongeveer 30 procent van de gezinnen in deze wijk valt uit elkaar. Er is een groot aantal allochtonen waarvan er velen zonder werk zijn. 20 procent van de Marokkaanse gezinnen heeft meer dan acht kinderen. We zien de WAO-problematiek toenemen. Driekwart van de alleenstaande moeders zit qua inkomen onder het minimum.

De woonruimte is schaars. Er zijn duizend wachtenden vóór u. Dus als je in deze buurt wordt gepest, dan moet je wel drie jaar wachten voordat er een oplossing in zicht komt.

Van echte opvoeding komt onder die omstandigheden niets terecht. Wij treffen hier vooral twee attitudes aan: enerzijds een houding van laissez faire die zó ver gaat dat je eigenlijk moet spreken van verwaarlozing en anderzijds een heel orthodoxe en rigide opstelling. De cultuur van onderhandeling bestaat in een wijk als deze niet. Het is voortdurend 'Hou je kop!', 'Blijf af!', 'Kom hier!' We kunnen onze opvoedingscursussen gewoon niet aangesleept krijgen. Naar schatting is 5 tot 10 procent van de kinderen in deze buurt slachtoffer van mishandeling. Dat is beduidend meer dan het landelijk gemiddelde. De problemen worden alleen maar verergerd door het feit dat er op allerlei voorzieningen bezuinigd is. Echte probleemgevallen komen op een lange lijst te staan. Doordat het buurt- en clubhuiswerk niet meer bestaat, wordt het ook steeds onveiliger en smeriger op straat. De achteruitgang van het buurtleven draagt sterk tot de moeilijkheden bij. De oude netwerken vallen uit elkaar, de verschillende culturen vermengen niet, het wordt allemaal een stuk harder in de wijk. Oudere kinderen verdringen de jongere van straat, het verkeer wordt gevaarlijker, er zijn drugs in de buurt en over de hele linie zie je de verloedering toenemen.'

De vraag of het nu goed of niet goed gaat met de gezinnen in Nederland, laat zich dus niet beantwoorden door zich te wenden tot een of meer deskundigen. Deze zijn het maar al te vaak oneens. Bovendien gaan ze vaak uit van verschillende veronderstellingen of spreken ze over heel andere lagen van de bevolking. Een van de opgaven die wij ons met dit boek stellen, is het verkrijgen van meer helderheid op dit gebied. Ons voornaamste doel is een globaal beeld schetsen van het hedendaagse gezinsleven. We spitsen dit op een paar meer specifieke vragen toe: 1) welke vormen van modernisering heeft het gezinsleven de afgelopen dertig jaar ondergaan? 2) welke soorten van gezinsleven bestaan er momenteel, welke verschillen zijn daarbij doorslaggevend en met welke sociale kenmerken houden zij verband? 3) welke ontwikkelingen dienen zich in de toekomst aan en op welke wijze beïnvloeden ze het gezinsleven? en ten slotte 4) in hoeverre gaat het nu goed of slecht met de Nederlandse gezinnen, welke omstandigheden spelen daarbij een rol en wat zou men daaraan kunnen doen? Hierbij gaan we van een even pragmatische als gangbare omschrijving van gezinnen uit. De term 'gezin' verwijst in dit boek naar elke leefeenheid van een of meer volwassenen die de opvoeding van een of meer kinderen verzorgen. Dit is tevens een opvatting die door verreweg de meeste Nederlanders onderschreven wordt.[23]

3 Bronnen

We hebben voor dit boek geen nieuw empirisch onderzoek verricht. Dat was door de korte termijn waarop onze studie gereed moest zijn niet mogelijk. Het was ook niet noodzakelijk omdat andere onderzoekers de laatste jaren meer dan genoeg materiaal bijeengebracht hebben. Soms gaat het om een omvangrijke en representatieve steekproef waarbij een groot aantal Nederlanders op hun (meningen over het) gezinsleven wordt ondervraagd. Voorbeelden daarvan zijn het reeds genoemde onderzoek *Opvoeden in Nederland* (Rispens e.a., 1996) en de studie van de Nederlandse Gezinsraad *Het Nederlandse gezinsleven aan het einde van de twintigste eeuw* (Van der Avort e.a., 1996). Daarnaast beschikken we over diverse publicaties die weliswaar op een beperkt aantal gevallen berusten, maar die door de diepgang van hun benadering belangrijke (kwalitatieve) inzichten opleveren. Het boek van Doornenbal, *Ouderschap als onderneming* (1996), is daar een voorbeeld van. Andere studies zoals die van Van den Akker en Mandemaker (1991) of van Du Bois-Reymond staan tussen de genoemde benaderingen in. Daarnaast zijn er overzichtswerken die recente bevindingen met betrekking tot bepaalde thematiek uiteenzetten. Voorbeelden daarvan zijn *Opgroeien in Nederland* door Bakker, Ter Bogt en De Waal of *Achtergronden van jeugdcriminaliteit* door Angenent. Al met al is er dus voldoende stof tot nadenken.

Voorts hebben wij dankbaar gebruikgemaakt van cijfers die door het Centraal Bureau voor de Statistiek (cbs) en het Sociaal en Cultureel Planbureau (scp) ter beschikking zijn gesteld. Deze cijfers hebben veelal betrekking op tijdreeksen die tot in de jaren zestig teruggaan. Op grond daarvan kunnen wij belangrijke tendensen, die doorgaans slechts met één trefwoord aangeduid worden ('individualisering', 'informalisering' enzovoort), op een meer nauwkeurige manier in kaart brengen. Daarnaast hebben we sterk cijfermatige publicaties als het tweejaarlijks verschijnende *Sociaal Cultureel Rapport* bevat. Een hieraan verwante bron wordt gevormd door studies die een prognose opstellen voor de komende decennia. Voorbeelden daarvan zijn de toekomstscenario's die Bonsel en Van der Maas beschreven hebben inzake de menselijke voortplanting tot het jaar 2010, de vooruitzichten met betrekking tot bevolking en huishoudens door het CBS en het rapport over de sociale segmentering van Nederland tot het jaar 2015 door de Wetenschappelijke Raad voor het Regeringsbeleid. Op grond daarvan komen wij tot bepaalde uitspraken over de lopende en komende ontwikkeling van het gezinsleven, waarbij die ontwikkeling niet slechts vanuit theoretisch oogpunt wordt beschouwd maar ook empirisch wordt onderbouwd.

Tot slot hebben wij – ondanks dat ze het niet altijd eens zijn en van verschillende veronderstellingen uitgaan – een aantal deskundigen geïnterviewd. Dat waren soms hoogleraren die ons de stand van zaken in hun vakgebied uiteenzetten. Soms ook waren het personen die langdurig in een bepaald veld gewerkt hebben en het gezinsleven meer vanuit de praktijk beoordelen. Het ging in alle gevallen om deskundigen die over voldoende ervaring beschikken om de ontwikkeling van de afgelopen twintig jaar te kunnen overzien. Zo hadden we boeiende gesprekken met een agent die jarenlang bij de Utrechtse jeugd- en zedenpolitie gewerkt heeft. We spraken twee keer met iemand die aan het hoofd staat van een basisschool – eenmaal in de grote stad en eenmaal op het platteland – om te vernemen hoezeer het lager onderwijs veranderd is. We interviewden een hoogleraar gynaecologie die ons de ontwikkeling van zijn specialisme schilderde. Al die gesprekken droegen bij aan een antwoord op de vraag hoe het hedendaagse gezinsleven zich ontwikkeld heeft en welke veranderingen ons vermoedelijk te wachten staan. Van eenzelfde aard waren de gesprekken met een stafmedewerker van het bureau voor de regionale arbeidsvoorziening te Amsterdam, iemand die als huisarts onder allochtonen in Rotterdam gewerkt heeft en iemand die als tv-producente betrokken is bij Telekids, het populaire kinderprogramma dat door een commerciële omroep uitgezonden wordt. De namen van al deze deskundigen – die wij hieronder expliciet aan het woord laten – treft men in het dankwoord aan.

Onze bronnen zijn, behalve in empirisch opzicht, ook in theoretisch opzicht divers. We kiezen – mede op grond van eerdere ervaringen – bewust voor een pragmatische benadering.[24] Wij houden er niet één bepaalde theorie van het gezin op na. Overigens strookt deze keuze met de stand van zaken in het wetenschappelijke veld. Vanaf de jaren zeventig deed zich een ware explosie aan theorieën voor. Vrijwel alle stromingen – structuralisme, functionalisme, marxisme, feminisme, symbolisch interactionisme, systeemtheorie enzovoort – gaven aanleiding tot een eigen interpretatie van het gezinsleven.[25] Men kan uiteraard op private, academische of politieke gronden een voorkeur hebben voor de ene of de andere theorie, maar wetenschappelijk gezien is dat een arbitraire zaak. Een en ander leidde ertoe dat de claim van een allesomvattende gezinstheorie niet langer houdbaar is. Daarbij komt nog een tweede moeilijkheid. Wie een theorie opstelt, moet van bepaalde abstracties en vooronderstellingen uitgaan. Het is daardoor onvermijdelijk dat elke theorie bepaalde facetten van het gezinsleven negeert. Psychologische modellen gaan meestal aan financiële of demografische variabelen voorbij, terwijl economische modellen weinig zeggen over de cultuur-historische dimensie van het gezin. Bij een theoretisch debat is dat soort reducties onvermijdelijk maar bij een analyse van het werkelijke gezinsleven schiet een dergelijke beperkte benadering tekort. Daarom willen wij ons niet beperken tot één theoretisch perspectief.

Dit betekent niet dat we alle theoretische begrippen over boord zetten. Integendeel. We zullen expliciet van bepaalde inzichten uit de psychologie, de sociologie en de antropologie gebruikmaken. Voorbeelden daarvan zijn de theorie van de hechting tijdens de eerste levensfase (Bowlby), de theorie van het familiale kapitaal (Bourdieu), de typologie van culturele houdingen (Douglas) en de civilisatietheorie (Elias). Het punt is evenwel dat wij deze theorieën niet als een kader zien waarbinnen 'alles' te verklaren is. Wij zullen ze juist op een specifieke of lokale wijze aanwenden, dat wil zeggen om inzicht te krijgen in mechanismen die zich tot een bepaalde plaats, tijd en sociale situatie beperken.

Deze heterogeniteit qua theorie dwingt tot een consequente methodologie. Wij volgen bij de bestudering van het gezinsleven een duidelijke systematiek die men kort zou kunnen kenschetsen als een 'evolutionistische' benadering. Wij zullen ons steeds de vraag stellen hoe concrete gezinnen trachten te overleven in een omgeving die – afhankelijk van plaats, tijd en sociaal milieu – niet altijd even gunstig is. Wij geven de voornaamste postulaten van onze methodiek hieronder weer.

4 Methode

Laten wij vooropstellen dat het bij onze evolutionistische benadering slechts gaat om een *formele* analogie tussen de lotgevallen van het gezinsleven en die van de levensvormen in de natuurlijke geschiedenis. Deze vergelijking is niet zo ongewoon, want men zou een gezin heel goed als levend organisme kunnen zien. Het vormt geen vaste entiteit en kent per definitie een geschiedenis. Het is iets wat op een gegeven ogenblik ontstaat, een ontwikkeling doormaakt en na verloop van tijd ook weer verdwijnt. Dat het begin, de veranderingen en het einde zeer diverse vormen kunnen aannemen, is duidelijk. Het gezin kan ontstaan door de geboorte van een kind, een huwelijk of ander ritueel, het samenvoegen van twee onvolledige gezinnen na een echtscheiding, enzovoort. Het gezin kan ophouden te bestaan doordat de laatste ouder overlijdt, door echtscheiding, doordat het jongste kind het huis verlaat, enzovoort. Bovendien is het gezinsleven tussen deze twee momenten onderhevig aan een voortdurende verandering. Een gezin met kinderen die naar de middelbare school gaan, lijkt in vele opzichten niet meer op 'hetzelfde' gezin uit de tijd dat de kinderen nog klein waren. Met andere woorden: het gezin lijkt meer op een levend organisme dan op een machine of een ding. Vandaar dat wij een evolutionistische en geen mechanische, functionalistische of louter economische interpretatie van zijn geschiedenis voorstaan. De kern van deze interpretatie komt op een viertal postulaten neer.

Ten eerste geven wij het postulaat van de *historische verandering*. Het lijkt evident dat er aanzienlijke verschillen zijn, bijvoorbeeld tussen de gezinnen die op dit moment leven en de gezinnen die aan het einde van de negentiende eeuw leefden. Toch laat men de omvang van die verschillen zelden tot zich doordringen. Het gaat om twee levensvormen die – om bij dit voorbeeld te blijven – bijna niet meer vergelijkbaar zijn. Ze verschillen in omvang en samenstelling, in de manier waarop de voortplanting geregeld is, in het economisch functioneren van de gezinsleden, in de omgang met buurt- en lotgenoten, in de betekenis van kerk en onderwijs, in het overheidsbeleid, in de idealen bij het opvoeden, in voedingswijze, in geografische en geestelijke mobiliteit, enzovoort. De verschillen op al deze punten zijn dermate groot dat men rustig kan beweren dat het oude, uit de negentiende eeuw stammende gezin is 'uitgestorven', terwijl er een volkomen andere vorm van gezinsleven aan het licht getreden is. Deze verandering is analoog aan datgene wat er in de evolutie – zij het in een heel andere tijdsorde – bij het verschijnen en verdwijnen van bepaalde levensvormen gebeurt.

Het tweede postulaat is dat van de *variatie*. In een recent boek heeft de bioloog Stephen J. Gould nog eens benadrukt hoe onjuist het is om uit te gaan van abstracties als een gemiddelde waarde of een algemene trend. Men zou juist die gevallen moeten onderzoeken die van zo'n trend of waarde afwijken. Niet gelijkvormigheid maar variatie binnen een systeem vormt het juiste uitgangspunt als men wil begrijpen hoe evolutionaire processen in hun werk gaan.[26] Dit betekent – de analogie doortrekkend naar het onderwerp van ons boek – dat we met een abstracte notie als 'het gezin' weinig zullen opschieten. Natuurlijk is het gebruik van deze algemene term soms onvermijdelijk, bijvoorbeeld wanneer we een onderscheid maken tussen het gezinsleven en andere verschijnselen of wanneer we de situatie van de jaren vijftig vergelijken met die van de jaren negentig. Maar in wezen gaat het dan – zo hopen wij – slechts om een wijze van spreken, een bondige formule die ons de nodige uitweidingen bespaart. We moeten echter blijven beseffen dat het om individuele, dat wil zeggen van elkaar verschillende gezinnen gaat. Dit betekent niet dat een nadere typering onmogelijk zou zijn. Zelf zullen wij in hoofdstuk 2.1 een typologie opstellen waarbij de gezinnen in een beperkt aantal soorten verdeeld worden. Maar ook dan zullen wij van de verschillen en niet van een gemiddelde uitgaan.

Het derde postulaat heeft betrekking op de *omgeving* of het milieu. Zoals bekend kunnen diersoorten, planten en andere levende wezens alleen voortbestaan door een verbinding met hun omgeving aan te gaan. Maar dit milieu is verre van constant en kan zowel in gunstige als in ongunstige zin veranderen.[27] Soms treden perioden van ernstige droogte op of daalt de temperatuur voor lange tijd. Het verdwijnen van bepaalde plantensoorten kan een tekort aan voedsel tot gevolg hebben en er kunnen rivalen of vijanden opduiken waartegen de soort zich moet beschermen. Kortom: elke soort past zich tot op zekere hoogte aan zijn omgeving aan of moet – wanneer die aanpassing niet slaagt – een andere omgeving opzoeken om in leven te blijven. Welnu, voor gezinnen staat de zaak er in wezen niet veel anders voor. Zij gaan een voortdurende verbinding met hun omgeving aan, al is die niet alleen fysiek maar ook economisch, politiek en cultureel van aard. Die omgeving kan op een gunstige of ongunstige manier veranderen, waardoor de overleving van het gezin bevorderd of bemoeilijkt wordt. In extreme gevallen staat het voortbestaan dermate onder druk dat alleen migratie nog een uitweg biedt. In die zin maken de economische conjunctuur, het politieke beleid van overheden, de mentale of morele gesteldheid van een tijdvak en zelfs de fysieke omstandigheden deel uit van het 'milieu' waarbinnen de gezinnen zich moeten zien te handhaven.

Ten slotte presenteren we het vierde postulaat, namelijk dat van de *overerving*. Darwins evolutieleer gaat ervan uit dat soorten zich ontwikkelen doordat er zich spontane verschillen tussen de individuen voordoen, waarvan sommige de levenskansen positief en andere die kansen negatief beïnvloeden. Doordat deze verschillen overerven kan op langere termijn een aanpassing aan de omstandigheden ontstaan. De ongunstige varianten vallen immers door selectie weg. Het mechanisme van die overerving was Darwin niet bekend – het werd pas geruime tijd later aan het licht gebracht – maar voor de evolutieleer volstaat de aanname dát er een vorm van overerving bestaat.[28] Hier dringt zich opnieuw een analogie op met de gezinsgeschiedenis. In zekere zin moeten alle gezinnen opnieuw het wiel uitvinden. Er bestaat geen vast recept voor de manier waarop je kinderen opvoedt en in die zin moet elke generatie ouders een eigen weg zoeken. Dat zoeken gaat niet willekeurig in zijn werk. Juist de éigen ervaringen als kind spelen daarin sterk door. Er is – nog afgezien van het biologisch erfgoed zoals neergelegd in het DNA – een sociale vorm van overerving die maakt dat (on)vermogens of reserves van de ene generatie op de andere overgaan.[29] Dat strookt met het gegeven dat bepaalde families beter tegen ongunstige omstandigheden zijn opgewassen dan andere. Op de vraag hoe die overerving nu werkt, komen we hieronder nog terug. Hier volstaan we met de aanname dát er sprake is van een dergelijk mechanisme.

Wie analogieën als deze overdrijft, maakt zich belachelijk. Het is volkomen duidelijk dat er talloze verschillen tussen bijvoorbeeld diersoorten en soorten van gezinnen zijn.[30] Het gaat ons echter in eerste instantie om een *formele* analogie, een wijze van denken waarbij men volgens een bepaalde systematiek naar gegevens en problemen kijkt. De centrale vraag die men in dit verband zou moeten stellen, luidt: welke gezinnen slagen erin te overleven gegeven – enerzijds – de eisen waaraan ze in hun omgeving moeten voldoen en – anderzijds – het erfgoed dat zij in huis hebben. Dat overleven hangt af van de manier waarop de aanpassing van die gezinnen vorm krijgt.[31] Maar daarbij bedenke men dat het altijd om een aanpassing aan *plaatselijke* omstandigheden gaat.[32] In die zin is er ook geen algemeen of abstract antwoord te geven op de vraag wat men onder een 'goed' gezinsleven moet verstaan. Wel kan men zich de vraag stellen welke gezinnen het in de toekomst vermoedelijk goed doen en welke gezinnen problemen zullen krijgen, gegeven de veranderingen die er in de sociale omgeving van die gezinnen gaande zijn. Op dat vraagstuk zullen wij aan het einde van ons boek dan ook expliciet terugkomen (zie hoofdstuk 5.2, paragraaf 2).

5 Opzet van het boek

De indeling van de stof volgt in grote lijnen de zojuist geschetste systematiek. Daarom omvat dit boek vier onderdelen die elk een eigen thematiek hebben. In deze thematisch onderdelen komen ook verschillende aspecten van de gegeven vraagstelling aan bod. In het laatste deel komen alle lijnen van onze gedachtegang bijeen en zal – naar wij hopen althans – blijken dat onze analyse van het moderne gezinsleven een coherent karakter heeft. Maar tot dat moment zal de lezer het met vier ogenschijnlijk uiteenlopende betogen moeten doen.

Het eerste deel verwijst naar het postulaat van de historische verandering. We geven een globale schets van de voornaamste wijzigingen die het Nederlandse gezinsleven vanaf de jaren zestig heeft doorgemaakt.

We behandelen zowel demografisch-economische als sociaal-culturele verschuivingen. Binnen dit onderdeel wordt nog geen onderscheid gemaakt tussen diverse soorten van gezinsleven.

In het tweede deel wordt dit onderscheid wel gemaakt. De strekking van het betoog in dit deel is niet historisch maar typologisch. Met behulp van inzichten uit de culturele antropologie en op basis van empirisch onderzoek naar het Nederlandse gezinsleven, stellen we een typologie van vier soorten gezinsculturen op. Verder bespreken we een aantal belangrijke sociale kenmerken van deze gezinstypen. Daarmee trachten we vooral aan het postulaat van de variatie recht te doen, al is het onvermijdelijk dat we ook hier af en toe op de geschiedenis ingaan.

In het derde deel gaat de aandacht vooral uit naar het heden en de komende decennia. Op grond van onze gesprekken met deskundigen en waarnemingen van anderen trachten we een antwoord te geven op de vraag welke verandering zich in de omgeving van de Nederlandse gezinnen aan het voltrekken is en welke vormen van druk of dwang in de nabije toekomst te verwachten zijn. Daarmee verwijst dit onderdeel naar het derde evolutionaire postulaat. Wij vermoeden – hoewel het strikt genomen niet bewijsbaar is – dat de marktwerking en de daaruit voortvloeiende selectiedruk nog verder zullen toenemen.

Ten slotte is het vierde onderdeel gewijd aan enkele specifieke problemen die zich rond gezinnen in Nederland voordoen en aan de manier waarop deze door verschillende deskundigen verklaard worden. Daarbij stuiten we ook op het vraagstuk van de sociale overerving waardoor – analoog aan het vierde postulaat van de evolutietheorie – zowel positieve als negatieve kwaliteiten van de ene op de andere generatie overgaan.

In het vijfde deel valt de puzzel uiteindelijk in elkaar. Wij formuleren daartoe een aantal stellingen. Die zijn enerzijds als een samenvatting van onze belangrijkste bevindingen bedoeld. Anderzijds hebben zij tot doel om de discussie over het Nederlandse gezinsleven te prikkelen. Daarom hebben we niet geaarzeld er een paar speculatieve elementen in te verwerken. Zo zullen wij de stelling verdedigen dat er een nieuw beschavingsoffensief op handen is. Deze stelling vloeit voort uit de manier waarop de sociaal-culturele vernieuwingen van de jaren zestig en zeventig met de technisch-economische vernieuwingen van de jaren tachtig en negentig gecombineerd worden. Het zou ook kunnen verklaren waarom de betekenis van het gezinsleven momenteel heel anders ervaren wordt dan enkele decennia terug. Maar daarmee lopen wij al te zeer op ons feitelijke onderzoek vooruit.

Nog een laatste opmerking over de redactie van de tekst. Wij hebben steeds getracht ons zo min mogelijk te bezondigen aan technische kwesties of wetenschappelijk jargon. Niettemin is het gebruik van een aantal cijfers en tabellen onvermijdelijk. De meeste kwantitatieve gegevens zijn in de bijlage bijeengebracht zodat we in de tekst met grafieken of globale omschrijvingen volstaan. Om dezelfde reden beperken we de noten tot het noodzakelijke minimum. We zullen wel onze vindplaatsen en bronnen opgeven maar slechts zelden een discussie met anderen aangaan. Voor meer gedetailleerde informatie over de gebruikte teksten verwijzen we naar de literatuuropgave.

DEEL I

GEZINSGESCHIEDENIS

Zoals gezegd luidt ons eerste postulaat dat alle levensvormen een geschiedenis hebben. Dat geldt ook voor het gezin. We beginnen daarom met een schets van de manier waarop het gezinsleven zich de afgelopen dertig jaar in Nederland ontwikkeld heeft. Daartoe bespreken we uiteenlopende onderwerpen, variërend van de omvang en samenstelling van huishoudens tot nieuwe verwachtingen ten aanzien van het huwelijk. Aan het onderscheid tussen diverse gezinstypen gaan we vooralsnog voorbij. We houden ons – op een paar uitzonderingen na – in hoofdzaak bezig met de ontwikkeling van het *gemiddelde* gezin. Dat heeft twee redenen. Ten eerste wordt een schets van het toch al complexe historische proces zeer onoverzichtelijk als men daarbinnen ook nog eens naar type nuanceert. Ten tweede gaat het ons hier om de *algemene* ontwikkeling, om veranderingen die zich aan iedereen opdringen en in zoverre representatief voor de grote meerderheid van de gezinnen zijn.

Het hier volgende betoog valt in twee hoofdstukken uiteen. Wij bespreken eerst de demografisch-economische ontwikkeling en vervolgens komen de sociaal-culturele aspecten van het gezinsleven aan bod. Hoewel dit onderscheid iets willekeurigs heeft, houden we er voorlopig aan vast. We menen namelijk dat er tussen demografische en economische verschijnselen een sterke wisselwerking bestaat. Wanneer bijvoorbeeld het gemiddeld aantal kinderen per huishouden afneemt, heeft dat onmiddellijk gevolgen voor de economische situatie van het gezin. Omgekeerd is het vaak zo dat een gunstige of ongunstige verandering van het economisch tij direct doorwerkt in demografische gedragingen. De culturele en sociale kenmerken van het gezin vertonen een vergelijkbare samenhang. Wanneer het autoritaire uit de betrekkingen van ouders en kinderen verdwijnt, heeft dat alles te maken met gewijzigde ideeën inzake gezag en opvoeding. Omgekeerd werken verschuivingen in de machtsbalans tussen mannen en vrouwen ongetwijfeld in het (zelf)beeld van de geslachten door. Het lijkt ons daarom een goede zaak de geschiedenis van het Nederlandse gezin vanuit de genoemde twee invalshoeken behandelen.

Men bedenke evenwel dat dit onderscheid alleen maar analytisch is. In de realiteit van het gezinsleven lopen beide registers voortdurend door elkaar. Hier dringt zich een vergelijking met de computer op. Het is volkomen duidelijk dat de 'hardware' en de 'software' geen identieke zaken zijn. Zij kennen beide een geheel eigen dynamiek. Niettemin kan een computer alleen maar functioneren als deze twee gecombineerd worden. Op eenzelfde wijze komen demografisch-economische en sociaal-culturele processen in het gezinsleven bijeen. Daarom zullen we aan het slot van dit deel een poging doen de ontwikkeling van het gezin in zijn geheel te laten zien.

1.1 DEMOGRAFISCH-ECONOMISCHE ONTWIKKELING

In dit hoofdstuk bespreken we de 'harde' kanten van het gezinsleven, dat wil zeggen de tastbare, goed telbare en maar al te vaak dwingende krachten die op de gezinnen inwerken. Daartoe rekenen we in elk geval het voortplantingspatroon en de demografische variabelen die ermee verband houden zoals vruchtbaarheidscijfers, frequenties van huwelijk en echtscheiding of huwelijksleeftijden (paragraaf 1). Verder bespreken we een aantal hieraan gerelateerde onderwerpen zoals de samenstelling van het huishouden (paragraaf 2) en de fasering van de levensloop (paragraaf 3). Tezamen vormen deze onderwerpen een complex en veranderlijk geheel waarvan de geschiedenis door (historische) demografen opgehelderd wordt. Een volgend onderwerp betreft de interne economie van het gezin. Daarmee doelen we op de veranderingen in het besteedbaar inkomen, de uitgaven door het gezin en de onkosten die verband houden met kinderen (paragraaf 4). Ten slotte komen zaken aan de orde als de arbeidsdeelname van vrouwen, de taakverdeling in huis, de manier waarop gezinsleden hun tijd besteden, evenals vragen rond mobiliteit (paragraaf 5). Meestal worden deze thema's in aparte studies onderzocht waarbij een nadruk op de gebruikte onderzoekstechnieken ligt. Het gaat ons echter vooral om hun wisselwerking en om de ontwikkeling van het gezin op langere termijn. Een en ander zal leiden tot een – uiteraard voorlopige – conclusie die haaks op de gangbare opinie staat: de betekenis van het gezinsleven neemt niet af, maar zal het komend decennium juist toenemen.

1 Erosie van het huwelijk

Op demografisch gebied doen zich een paar belangrijke ontwikkelingen voor. Ten eerste zien we dat de vruchtbaarheid vanaf de Tweede Wereldoorlog gevoelig daalt.[1] Er zijn verschillende indicatoren om dat te meten, maar ze wijzen alle op hetzelfde. Neem bijvoorbeeld het aantal levendgeboren kinderen per jaar (grafiek 1). Dit getal daalt van gemiddeld 23 kort na de oorlog tot 13 per 1000 inwoners per jaar in 1990. Neemt men het aantal levendgeboren kinderen per 1000 vrouwen in hun vruchtbare periode (15-44 jaar), dan daalt het getal in diezelfde periode van 103 tot 56 per jaar (grafiek 2). De derde indicator, het gemiddeld kindertal per vrouw, kent eenzelfde ontwikkeling (grafiek 3). Terwijl een vrouw omstreeks 1950 gemiddeld meer dan drie kinderen ter wereld bracht, is dat aantal in 1990 iets meer dan anderhalf.[2] Voor elk van deze indicatoren geldt dat de maximale waarde in 1946 werd bereikt, terwijl het minimum in 1983 valt. De sterkste daling treedt telkens op tussen 1965 en 1970.[3] Het gevolg is dat het geboortecijfer en daarmee de bevolkingsgroei vanaf de jaren zestig aanmerkelijk wordt afgeremd.

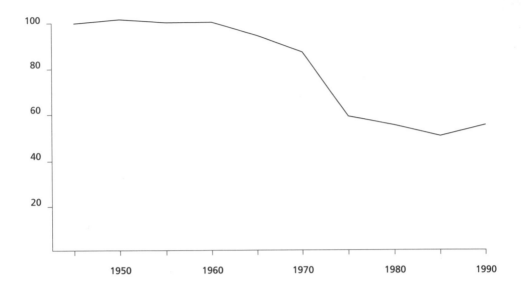

Grafiek 1: aantal levendgeboren kinderen per 1000 inwoners.

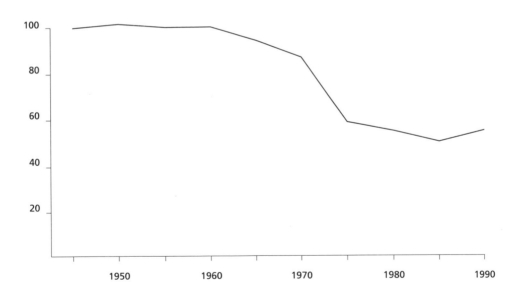

Grafiek 2: aantal levendgeboren kinderen per 1000 vrouwen (15-44 jaar).

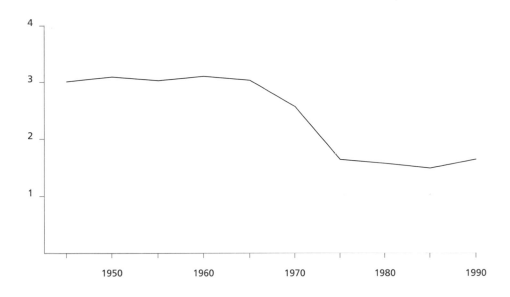

Grafiek 3: gemiddeld kindertal per vrouw.

Hoe kan deze daling van de vruchtbaarheid verklaard worden? In het verleden paste men in West-Europa doorgaans twee methoden toe om het aantal geboorten te beperken: het sluiten van een huwelijk werd tot een relatief laat tijdstip uitgesteld en een groot deel van de bevolking bleef duurzaam ongehuwd.[4] Uit het verloop van grafiek 4 blijkt evenwel dat eerstgenoemde methode in de betrokken periode niet meer wordt gebruikt. De gemiddelde huwelijksleeftijd voor vrouwen geeft namelijk tussen 1950 en 1970 een flinke vermindering te zien van gemiddeld 26,9 tot 23,7 jaar om vervolgens weer te stijgen tot 29,1 jaar in 1993.[5] De daling zet geruime tijd vóór 1965 in. Onder het oude regime zou dat een toename van het aantal geboorten tot gevolg hebben. Uit het feit dat zoiets niet gebeurt, blijkt dat er door de gehuwden een of andere vorm van geboortebeperking wordt gehanteerd. Het geringer aantal geboorten kan evenmin worden verklaard doordat meer personen ongehuwd blijven. Het percentage ongehuwden op de totale bevolking neemt in de naoorlogse periode immers niet toe, het neemt zelfs af van gemiddeld 56 procent in 1947 tot 44 procent in 1994. Ook dat zou voorheen meer geboorten tot gevolg hebben gehad.

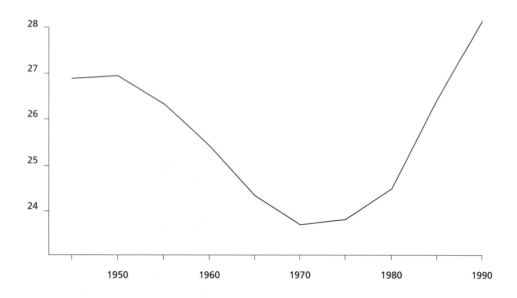

Grafiek 4: Gemiddelde huwelijksleeftijd bij vrouwen.

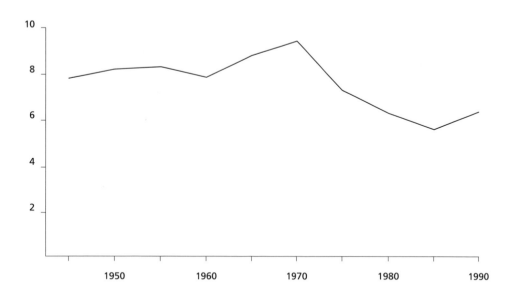

Grafiek 5: aantal huwelijkssluitingen per 1000 inwoners.

De verklaring ligt uiteraard in iets anders, namelijk het gebruiken van anticonceptie. Reeds aan het begin van de twintigste eeuw experimenteerde men in bepaalde kringen hiermee, maar in de jaren zestig kreeg men dankzij de pil de beschikking over een betrouwbare methode die vrij snel en op massale schaal in gebruik genomen werd. Voor het huwelijksleven had deze stap echter uiterst dubbelzinnige gevolgen. Want van de ene kant kreeg het ouderschap daardoor een heel andere betekenis. Onder het oude regime waren kinderen het min of meer automatische gevolg van een huwelijk. Maar nu werden ze een onderwerp van weloverwogen besluitvorming. Of men kinderen kreeg, zo ja: hoeveel, op welk moment en in welke omstandigheid, hing voortaan van bewuste keuzes af. Dit leidde onder andere tot een kleiner en meer verantwoord aantal kinderen. Het had verder tot gevolg dat vrijwel elk kind zich als gewenst beschouwen mag. In zoverre had de verbreiding van anticonceptie ongetwijfeld een heilzame uitwerking. Maar van de andere kant werd het huwelijk door deze vernieuwing van zijn legitimiteit beroofd. Onder het oude regime was seksuele omgang tussen ongehuwden min of meer taboe. Nu kon het seksuele verkeer evenwel toenemen zonder ingrijpende concrete gevolgen. En daarmee werd de gang naar het stadhuis op slag een stuk minder aantrekkelijk.

Wat het huwelijk betreft, kan men niet zeggen dat het geleidelijk verdwijnt. Uit grafiek 5 blijkt dat de huwelijksfrequentie in de loop der tijd weliswaar licht daalt, maar alarmerend is het niet. Omstreeks 1950 kwamen er bijvoorbeeld per 1000 inwoners zo'n 8 huwelijken tot stand, veertig jaar later zijn dat er nog altijd 6, een frequentie die in het licht van de geschiedenis weinig reden tot verontrusting biedt.[6] Niettemin zijn er bepaalde verschijnselen die erop wijzen dat het huwelijk als instituut aan erosie onderhevig is. Zo neemt het percentage echtscheidingen in hoog tempo toe, vooral vanaf de jaren zeventig. In absolute zin valt het aantal scheidingen per 1000 inwoners misschien nog mee en bovendien komt er midden jaren tachtig een einde aan deze groei (grafiek 6). Maar als men de onderlinge verhouding van huwelijken en scheidingen bekijkt, is het beeld dramatischer (grafiek 7). Tot de jaren zeventig bedraagt het aandeel van de scheidingen niet meer dan twee à drie procent per 1000 echtparen. Vanaf 1970 groeit het explosief. In de jaren negentig lijkt de groei over haar hoogtepunt heen, maar het niveau is nog altijd driemaal hoger dan voorheen.

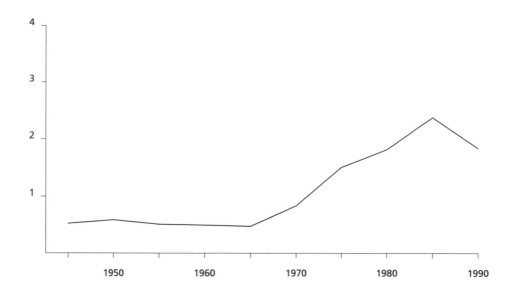

Grafiek 6: aantal echtscheidingen per 1000 inwoners.

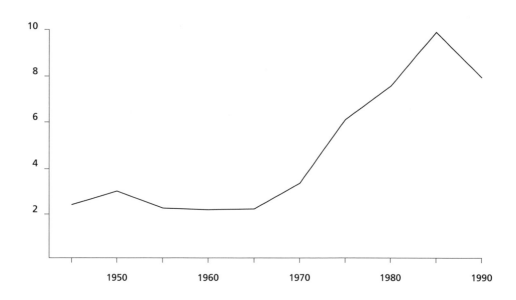

Grafiek 7: aantal scheidingen per 1000 echtparen.

Opmerkelijk is dat er maar weinig verandert aan de gemiddelde duur van het huwelijk tot het moment van echtscheiding. De gehele periode schommelt die tussen de elf en de dertien jaar.[7] De frequentie van het verschijnsel neemt echter onmiskenbaar toe.

Een ander symptoom van genoemde erosie is dat naast (of in plaats van) het huwelijk steeds meer mensen ongehuwd gaan samen-wonen. Omdat dit nergens wordt geregistreerd moet men genoegen nemen met schattingen. Het aantal buitenechtelijke geboorten vormt evenwel een goede indicator voor de snelheid waarmee dit verschijnsel zich verbreidt (grafiek 8). Tot in het midden van de jaren zeventig komt het aantal 'onwettige' kinderen niet boven de 20 promille per jaar. Alleen de periode kort na de Tweede Wereldoorlog vormt een uit-zondering hierop. In de jaren tachtig vertoont ook dit cijfer een opmerkelijke stijging en in 1990 komt reeds 11 procent van de kinderen in een andere dan een huwelijkse relatie ter wereld. Daarbij kan het om de meest uiteenlopende relatievormen gaan, variërend van twee on-gehuwde, maar o zo traditioneel levende partners met kinderen tot moeders die er alleen voor staan, van zeer langdurige tot kortstondige verhoudingen. We zullen hier nog op terugkomen en stellen voorlopig

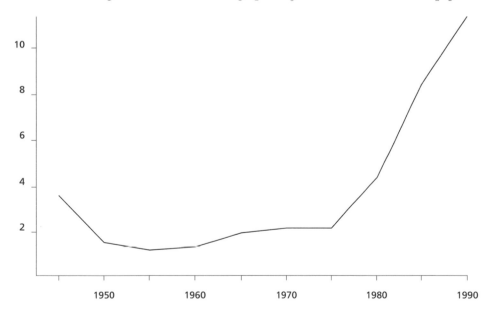

Grafiek 8: aantal buitenechtelijk geboren kinderen per 1000 inwoners.

slechts vast dat het oude patroon van een getrouwd heteroseksueel echtpaar met kinderen zijn modelfunctie anno 1995 verloren heeft.

In een poging al deze veranderingen samenhangend te beschrijven zou men het volgende kunnen zeggen.[8] Tot 1960 verliep het stichten van een gezin in verreweg de meeste gevallen volgens een vast patroon. Daarin hoorden drie zaken steevast bij elkaar. Ten eerste was seksualiteit alleen legitiem binnen een huwelijk. Het aangaan van seksuele relaties buiten deze institutionele band werd verworpen door de kerkelijke leer en evenmin maatschappelijk aanvaard. Ten tweede was seksualiteit in hoge mate op voortplanting gericht. Men sloot een huwelijk om kinderen te krijgen en de seksualiteit diende daartoe. Zij was geen waarde of doelstelling op zich. En ten derde was het huwelijk onder deze omstandigheden een duurzame en alom gerespecteerde instelling. Wie trouwde deed dat in beginsel voor het hele leven. Aldus vormden het sluiten van een huwelijk, het aangaan van seksuele betrekkingen en het voortbrengen van kinderen één samenhangend pakket. Vanaf de jaren zestig valt dit echter in vrij korte tijd uiteen, waarbij eerst de koppeling van voortplanting en seksualiteit (jaren zestig) en vervolgens die van seksualiteit en huwelijk (jaren zeventig) verbroken werd. Zo voltrekt zich een proces van ontkoppeling waarbij elk van de drie genoemde elementen op zichzelf komt te staan.

2 Kleiner huishouden

Het bezwaar tegen de zojuist gegeven zienswijze is dat zij in het negatieve blijft. Ze gaat uit van het vroegere model en benadrukt het uiteenvallen ervan. In meer positieve zin zou men de gehele ontwikkeling ook als een proces van verrijking of differentiatie kunnen zien. Er wordt in de loop van de jaren zestig afscheid genomen van één homogeen en dominant gezinsmodel met als gevolg dat er ruimte voor zeer uiteenlopende voorkeuren en individuele regelingen komt. Naar onze mening tekent zich in een aantal opzichten inderdaad een dergelijke differentiatie af.

Neem bijvoorbeeld de manier waarop een gezin gevormd wordt. Vroeger kwamen gezinnen uitsluitend na een formeel huwelijk tussen man en vrouw tot stand, thans is geen enkele wettelijke regeling noodzakelijk. Ongehuwd samenwonen wordt alom aanvaard en officiéél huwen is slechts een optie uit vele andere. Wie momenteel trouwt, doet dat omdat hij of zij een voorkeur voor die vorm heeft – niet omdat het de enig mogelijke relatievorm is.[9] Ook de duur van de verbintenis veranderde. Vroeger besloot men tot een levenslange band die eigenlijk pas met de dood van een van beiden eindigde. Vandaag de dag is dat nog altijd mogelijk, maar tegelijkertijd kan het zijn dat de band slechts voor een beperkt aantal jaren geldt. Verder namen de interne machtsverschillen af. De betrekkingen in het oude gezinsmodel waren nogal ongelijk, zowel tussen man en vrouw als tussen de ouders en hun kinderen. Vandaag is er meer gelijkwaardigheid en wel in beide opzichten – een thema dat we in hoofdstuk 1.2 nog zullen behandelen. Voor al deze aspecten geldt intussen dat het klassieke patroon er nog wel is, maar dat er tevens een grote variëteit aan alternatieve vormen bestaat.[10]

Hetzelfde kan men eigenlijk van de levensloop zeggen. Ook hier nam het aantal opties toe, met name voor de jongeren. Vroeger bleven zij tot aan het eigen huwelijk bij hun ouders in huis wonen. Dat komt tegenwoordig nog maar zelden voor. In feite ontstond er – vooral door het langere verblijf op school en opleiding – een geheel nieuwe jeugdfase. Als gevolg daarvan zetten jongeren steeds vroeger hun eerste stappen op weg naar zelfstandigheid, terwijl ze het moment om zich definitief te binden en kinderen te krijgen tot een later tijdstip uitstellen. In de tussentijd experimenteren ze op het gebied van relaties en seksualiteit, maatschappelijke normen en consumptief gedrag.[11] Deze situatie herhaalt zich enigszins wanneer een duurzame relatie beëindigd is. Voor velen volgt daarop een korte of langere periode van alleen wonen, het zoeken naar een nieuwe partner of het beproeven van andere relatievormen. Natuurlijk zijn er nog altijd velen voor wie een soort standaardbiografie opgaat: zij verlaten het ouderlijk huis om te trouwen en blijven hun hele leven als echtgenoten bij elkaar. Maar daarnaast zijn er steeds meer die een aantal malen in hun leven van partner wisselen. Hun levensloop vormt veeleer een soort van keuzebiografie, waarbij dynamiek en flexibiliteit de trefwoorden zijn.[12] Dit wordt slechts bevorderd door het feit dat ook het economische leven zich in deze richting lijkt te ontwikkelen.

Ten slotte is er inmiddels een grote diversiteit aan huishoudens ontstaan. Kerngezinnen, die rond 1960 nog het grootste deel van alle huishoudens vormden, komen tegenwoordig minder voor. Tegelijkertijd nam het aantal huishoudens dat uit één persoon bestaat behoorlijk toe.[13] Los van de aantallen kwamen er nieuwe combinaties in gebruik. Samenwonen zonder kinderen, gezinnen die uit één ouder en een aantal kinderen bestaan, gezinnen waarin de kinderen na de scheiding door een stiefouder verzorgd worden, kinderen die afwisselend op het adres van hun twee (gescheiden) ouders wonen, gezinnen met een of meer adoptiekinderen, enzovoort. Dat alles is thans een kwestie van individuele smaak. Terwijl men zijn legitimatie vroeger ontleende aan collectieve beginselen, gaat men nu van persoonlijke verlangens uit. Waar voorheen vrij weinig tolerantie ten opzichte van afwijkende gedragingen bestond, heerst nu een liberaal klimaat. In de oude situatie bood het gezinsleven vooral een zekere geborgenheid, nu gaat er meer aandacht naar de individuele ontplooiing uit. Zo lijkt het moderne huwelijks- en gezinsleven geheel in het teken van variatie en diversiteit, improvisatie en individualiteit te staan – zeker als men een vergelijking met de wereld van dertig jaar geleden maakt.[14]

Volgens sommige auteurs komen de geschetste verschijnselen uit een proces van individualisering voort. Zij menen dat het grotere verband van familie of gezin zijn betekenis verloren heeft en verwijzen dan vaak naar de samenstelling van het huishouden. De gemiddelde omvang ervan neemt inderdaad voortdurend af. Zo laat grafiek 9 zien dat het aantal personen per huishouden geleidelijk daalt van 3,68 personen kort na de Tweede Wereldoorlog tot 2,37 personen medio jaren negentig. Deze afname wordt vooral veroorzaakt door een geringer aantal kinderen. Was dit aanvankelijk nog 1,74 per huishouden, aan het einde van de betreffende periode is het tot een gemiddelde van 0,72 kind per huishouden gedaald. Al met al wordt het huishouden dus aanzienlijk kleiner. Daar staat tegenover dat het aantal alleenstaanden de gehele periode stijgt (grafiek 10). Het aandeel van deze categorie als percentage van het totale aantal huishoudens neemt toe van 11 procent in 1947 tot 31 procent in de jaren negentig. Gegeven deze cijfers ligt het voor de hand dat menigeen ze als een uiting van toenemende individualisering ziet.[15]

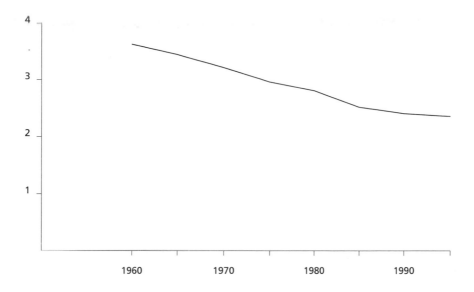

Grafiek 9: gemiddelde omvang van het huishouden.

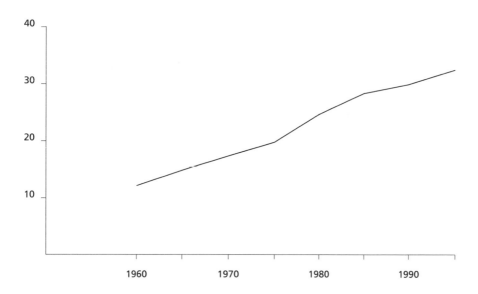

Grafiek 10: alleenstaanden als percentage van alle huishoudens.

Op de deugdelijkheid van deze zienswijze zullen we nog terugkomen. Feit is dat het aantal huishoudens die niet uit een gezin bestaan, de afgelopen decennia aanmerkelijk toenam. Men bedenke evenwel dat deze groep een zeer heterogene verzameling vormt. Zo kan het gaan om studerende kinderen die niet langer bij hun ouders in huis wonen. Het kan gaan om mensen die na hun echtscheiding of verbroken relatie een tijdje alleen blijven. Dan zijn er bejaarde echtparen waar een van beide partners overlijdt (in de meeste gevallen is dat de man). En er zijn natuurlijk degenen die nooit aan trouwen of samenwonen toekomen. Elk van deze categorieën is de afgelopen decennia in omvang toegenomen waardoor het percentage eenpersoonshuishoudens nu veel hoger ligt dan ooit. Vervolgens zijn er paren die een huishouden zonder kinderen vormen. Daartoe behoren degenen die ongehuwd samenwonen en nog niet aan kinderen toe zijn, bijvoorbeeld omdat ze studeren of een opleiding volgen. En de echtparen van wie de kinderen reeds het huis uit zijn. En partners die samenwonen maar om welke reden dan ook van kinderen afzien. Hoe heterogeen al deze gevallen ook zijn, voor elk geldt dat ze de afgelopen decennia frequenter voorkomen dan voorheen. Als gevolg daarvan vormen de gezinnen een steeds kleiner deel van alle huishoudens. Volgens De Hoog groeien wij geleidelijk naar een situatie toe waarin ongeveer een derde van alle huishoudens uit alleenstaanden, een derde uit paren zonder kinderen en een derde uit gezinnen zal bestaan. Op grond van de cijfers lijkt dat geen onredelijke aanname.

3 Het gezin voorbij?

Het lijdt geen twijfel dat de veranderingen die in het voorgaande besproken zijn, het traditionele denken over het gezin op zijn kop hebben gezet. Korte tijd won zelfs de gedachte veld dat het gezin ten dode opgeschreven was, dat de mensen voortaan op een strikt individuele basis door het leven zouden gaan of dat zich totaal nieuwe vormen van samenleven zouden ontwikkelen.[16] Momenteel is het enthousiasme over alternatieven voor het gezinsleven enigszins geluwd – onder meer doordat de alternatievelingen van weleer nu zelf de leeftijd bereikt hebben waarop ze kinderen krijgen en... een gezin stichten. Niettemin bleef de publieke opinie lange tijd bij het idee dat gezinnen in de huidige samenleving minder betekenis hebben dan voorheen. De moderne maatschappij zou zich door een proces van individualisering kenmerken en dit zou op gespannen voet staan met een gezinsleven.

Het *Sociaal en Cultureel Rapport* van 1994 is een van de publicaties waarin deze stelling nadrukkelijk naar voren werd gebracht. Daarin schrijft men letterlijk: 'Het begrip *individualisering* wordt hier toegespitst op de fase waarin het proces in onze maatschappij sinds kort is geraakt, namelijk de fase waarin tot op zekere hoogte een overgang plaatsvindt van het gezin naar het individu als basiseenheid van de samenleving. Deze overgang behelst een grotere diversiteit van primaire leefvormen, een toenemende frequentie van het alleenstaan en een toenemende symmetrie van rollen tussen man en vrouw binnen het gezin. Deze verschijnselen kunnen worden aangeduid als individualisering in de sfeer van primaire relaties.' Vervolgens wijst het rapport erop dat individualisering ook een institutionele component omvat en wel in die zin dat zich 'een overgang van het huishouden naar het individu als beleidsobject' voltrekt.[17] Het kan zijn dat dit laatste opgaat voor het (overheids)beleid, maar we vragen ons ten zeerste af of de genoemde individualisering wel zo hard te maken is. Naar onze mening maakt het rapport te snel de stap van een toenemend aantal alleenstaanden naar een individualisering van de maatschappij in haar geheel. Bovendien is de groei van dat verschijnsel uitstekend te verklaren zonder een containerbegrip als 'individualisering'.

In feite berust dit begrip op een onjuiste lezing van de statistiek. Wanneer men uitgaat van de verschillende tellingen uit de naoorlogse periode, ziet men inderdaad een toenemend aantal alleenstaanden. Maar daarbij beschikt men slechts over een serie dwarsdoorsneden, waarvan de betekenis tot één moment beperkt blijft. Of het verschijnsel van de alleenstaande werkelijk toeneemt, kan alleen binnen een langetermijnperspectief bepaald worden.[18] Twee kenmerken van de moderne levensloop zijn in dat opzicht van groot belang. Zoals gezegd was het tot in de jaren zeventig gebruikelijk dat jongeren veelal direct vanuit het ouderlijk huis het huwelijk instapten. Eigenlijk waren er voor hen maar twee opties: ze woonden bij hun ouders thuis óf ze gingen trouwen. Een kwart eeuw later is het beeld drastisch gewijzigd en wel in die zin dat er voor jongeren diverse opties bijgekomen zijn. Sommigen van hen wonen eerst een tijd alleen, anderen gaan ongehuwd samenwonen met een partner, weer anderen zoeken met vallen en opstaan de levensvorm die het beste bij hen past. Door dit alles stijgt het aantal jongeren dat – althans tijdelijk – zonder vaste partner door het leven gaat. Daar komt bij dat deze periode door de grotere deelname aan het onderwijs alleen maar langer werd. Als gevolg daarvan is trouwen en/of kinderen krijgen momenteel een zaak van dertigers, terwijl het vroeger een zaak van mensen in de twintig was. Echtscheiding – het tweede kenmerk – roept dezelfde effecten op. Uit elkaar gaan van partners komt tegenwoordig vaker voor, is in brede kring aanvaard en het gebeurt eerder bij degenen die samenwonen dan bij gehuwde echtparen. In 1993 bijvoorbeeld overtrof het aantal scheidingen bij samenwonenden het aantal formele echtscheidingen zowel absoluut als relatief. Ook dat verschijnsel heeft een groei van het aantal mensen tot gevolg dat – althans tijdelijk – alleen woont.

Maar deze toename van het percentage alleenstaanden betekent allerminst dat zij blijvend als eenling door het leven willen gaan. Integendeel. Vrijwel alle jongeren van achttien jaar zeggen uiteindelijk te willen samenwonen of trouwen. Bijna niemand wil voorgoed alleen blijven. 'We mogen de toename van het aantal alleenwonenden onder jonge mensen daarom niet interpreteren als een behoefte van jongeren hun leven als vrijgezel door te brengen', schrijft Latten.[19] En hoewel de jeugdfase voor velen in het teken staat van experimenten met relaties en seksualiteit, blijken de klassieke waarden hier bepaald niet achterhaald. Het merendeel van deze jongeren stelt seksuele trouw op prijs en hangt met betrekking tot de liefde hooggestemde idealen aan. Meer dan 90 procent van alle jongeren ziet een vaste relatie met (meestal) iemand van het andere geslacht als ideaal. Meer dan 80 procent van hen sluit daadwerkelijk een huwelijk. Het is opmerkelijk dat die wens nauwelijks beïnvloed wordt door het feit dat men als kind een scheiding van de eigen ouders heeft meegemaakt.[20] Ook de meeste mensen die zelf scheiden, gaan na verloop van tijd weer een duurzame relatie aan. Seriële monogamie is zodoende een normaal kenmerk van het moderne leven.[21]

Wanneer een relatie duurzaam (b)lijkt, wensen de meeste paren kinderen. Seksualiteit en voortplanting mogen dan in technisch opzicht ontkoppeld zijn, dat neemt niet weg dat de kinderwens nog altijd een zeer vitaal verlangen is. Zozeer zelfs dat men de medische techniek te hulp roept wanneer het langs de natuurlijke weg niet wil lukken (IVF), of dat men de rechter te hulp roept wanneer er maatschappelijke blokkades zijn (homoparen). Zo'n 80 procent van de mensen krijgt ooit zelf kinderen en 82 procent van de partners noemt seksuele trouw iets positiefs. Het is dus nogal voorbarig om te denken dat het gezin verdwijnt. Momenteel leeft driekwart van de bevolking in een gezin en vermoedelijk zal dat over 25 jaar nog steeds zo zijn. Circa 85 procent van de Nederlandse kinderen verblijft de eerste twee decennia van hun leven in het huis van hun biologische ouders.[22] Bovendien vindt een grote meerderheid van de mensen in Europa nog altijd dat een kind een vader en een moeder nodig heeft.[23] Het gezin is en blijft de leefeenheid waarbinnen men het grootste gedeelte van zijn leven slijt, al is dat niet steeds hetzelfde gezin.[24]

Bovendien neemt de waardering voor familie- en gezinsleven recentelijk weer toe. Dat geldt onder meer voor Scandinavië, waar deze waardering een aantal jaren vrij bescheiden was. Dat lijkt ook het geval in Nederland. Daarbij is van groot belang dat de oude relatie tussen familiale waarden en maatschappelijk of levensbeschouwelijk conservatisme haast niet meer bestaat.[25] Het is vandaag de dag niet vreemd om tegelijkertijd vooruitstrevend (in de politiek) en traditioneel (in het gezinsleven) te zijn. Kortom: wij stellen ten minste twee ontwikkelingen vast, die alleen bij oppervlakkige beschouwing met elkaar in tegenspraak lijken. Enerzijds neemt de kans dat men tijdens zijn leven voor een beperkte periode alleen woont toe, wat een groter percentage alleenstaanden tot gevolg heeft. Anderzijds blijft het streven om zich duurzaam aan iemand te binden en voort te planten bij verreweg de meeste mensen bestaan. In die zin moet men de populaire stelling over de individualisering van onze maatschappij herzien.[26]

4 Kosten van kinderen

In de nu volgende paragrafen willen we iets zegen over de interne economie van het gezinsleven. Daarbij staan twee vraagstukken centraal: ten eerste de kosten die met de opvoeding verband houden en ten tweede de tijdsbesteding door de gezinsleden. In beide opzichten heeft het gezinsleven de afgelopen decennia een verschuiving ondergaan.

Vanzelfsprekend slaat dit ten dele op een meer algemene ontwikkeling terug. Tot in het midden van de jaren zeventig maakt de

Nederlandse economie een voortdurende expansie door.[27] Hoewel lange tijd een politiek van loonmatiging gevolgd werd, stegen de lonen doorgaans sterker dan de prijzen, met als gevolg dat ook het gemiddeld besteedbaar inkomen per huishouden toenam.[28] Dit steeg van nog geen 5000 gulden in 1959 tot bijna 40.000 gulden in 1995. Ook als men voor inflatie en prijsstijging corrigeert, was er een substantiële verbetering (grafiek 11). Uitgedrukt in reële termen ondergaat het inkomen per huishouden tussen 1959 en 1995 bijna een verdubbeling. Niettemin moeten we een onderscheid maken tussen de periode voor en na 1977. In de jaren tot 1977 ging zowel het nominale als het reële inkomen van huishoudens in rap tempo en zonder onderbrekingen omhoog. Bovendien nam de ongelijkheid tussen de inkomens voortdurend af. Maar in de tweede helft van de jaren zeventig begon de economie te stagneren terwijl er een aanzienlijke inflatie bleef. Als gevolg hiervan daalde het reëel besteedbaar inkomen per huishouden tot ruim 40.000 gulden in 1985. Deze daling deed zich bij alle groepen voor, al traden er behoorlijke verschillen op. Een zeker herstel gaf 1985 te zien. De lonen namen in reële termen weer toe, maar het minimumloon en veel uitkeringen werden bevroren. Daardoor liepen de huishoudinkomens

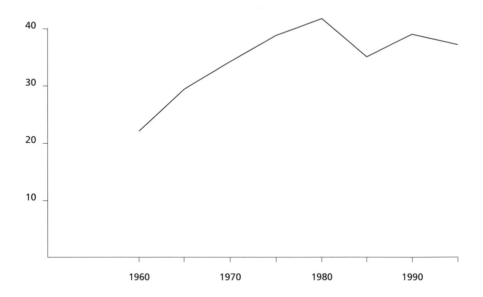

Grafiek 11: gemiddeld reëel besteedbaar inkomen (x 1000 gld/jaar) per inkomenstrekker.

46

sterker uit elkaar. Het gemiddelde inkomen van werknemers steeg reëel met 12 procent, maar huishoudens met een werkloosheids- of bijstandsuitkering gingen er in deze jaren toch op achteruit.

De vraag op welke manier gezinnen of huishoudens hun inkomen besteedden, laat zich vanaf 1977 goed beantwoorden. In dat jaar startte het cbs namelijk een regelmatig terugkerend budgetonderzoek. Daaruit blijkt bijvoorbeeld dat de aanwezigheid van duurzame consumptiegoederen in de loop der jaren aanmerkelijk gestegen is.[29] Zo heeft 84 procent van alle huishoudens vandaag de dag een centrale verwarming terwijl 67 procent een auto heeft. De videorecorder kwam in 1978 nog niet op het lijstje voor, maar in 1985 heeft 16 procent en in 1994 zelfs 62 procent van de huishoudens er een. Het aandeel vaatwasmachines groeide in dezelfde periode van 8 naar 16 procent, het aandeel wasdrogers nam van 8 tot 35 procent toe. Hoewel de aanschaf van deze apparaten in economisch opzicht een vorm van consumptie is, zullen we in de volgende paragraaf nog zien dat ze evengoed een investering of productiemiddel vormen. Goederen als de auto, vaatwasser of wasdroger vormen in vele drukbezette huishoudens een onmisbaar hulpmiddel zonder welke de tijdeconomie van het moderne gezinsleven onmiddellijk onder druk komt te staan.

Naast duurzame consumptiegoederen zijn er de meer alledaagse artikelen waaraan men geld uitgeeft. In navolging van het cbs hebben we deze in enkele hoofdsoorten verdeeld om vervolgens te bepalen wat het aandeel is van deze uitgaven als percentage van de totale bestedingen. Grafiek 12 geeft aan hoe de uitgaven door een echtpaar met twee schoolgaande kinderen zich tussen 1960 en 1995 ontwikkelden.[30] Daarbij vallen drie tendensen op. Ten eerste neemt het aandeel van voedsel en kleding in de loop der jaren af. Terwijl in 1960 nog 39 procent van het gezinsbudget door voeding in beslag genomen wordt, is dat in 1994 nog maar 18 procent. De uitgaven voor kleding nemen in dezelfde periode van 13 tot 7 procent af. Ten tweede gaan de aan het wonen gerelateerde kosten geleidelijk omhoog. In het laatste peiljaar maken zij met 36 procent zelfs de grootste post van het hele budget uit. Ten derde stijgen de kosten voor 'vervoer' (van 2 tot 14 procent) en die in de rubriek 'ontwikkeling' (van 11 tot 15 procent). Dit laatste berust niet alleen op toenemende kosten voor school en opleiding, maar ook op hogere uitgaven voor sport, vakantie en andere vormen van ontspanning. Al met al illustreren deze cijfers dat de gezinsconsumptie de afgelopen decennia nogal veranderde. Daarbij verschoof het accent van de noodzaak om in primaire levensbehoeften te voorzien (begin jaren zestig) ten gunste van meer sociaal-culturele ontwikkeling (midden jaren negentig).

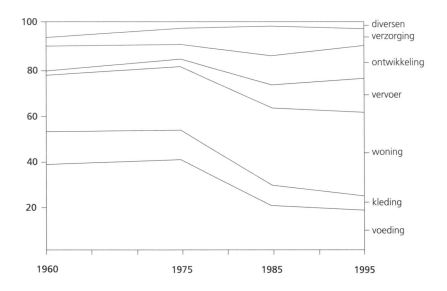

Grafiek 12: procentuele verdeling van de gezinsuitgaven naar rubriek.

Een belangrijke vraag betreft de rol van kinderen in dit geheel. Welke uitgaven doet het gezin voor hen? Hoe verhouden deze uitgaven zich tot het aantal kinderen? En welke verandering tekent zich hierin af? Om te beginnen blijkt dat de kosten van kinderen een vrij constant aandeel in de totale uitgaven vormen. Per kind is dat zo'n 13 tot 16 procent van het hele gezinsbudget.[31] Deze stabiliteit valt temeer op omdat het gemiddelde inkomen van de gezinnen tussen 1960 en nu enorm is gestegen, zowel nominaal als reëel. Dit heeft uiteraard tot gevolg dat de gemiddelde kosten per kind eveneens toenemen. Nominaal maken zij een vertienvoudiging door, in reële termen een ruime verdubbeling. Opvallend aan dit laatste gegeven is de reusachtige sprong tussen 1960 en 1975. De uitgaven per kind nemen dan toe van gemiddeld 3.571 tot

9.120 gulden per jaar (in guldens van 1995 wel te verstaan!). Later verminderen de kosten weer, maar zonder dat het hoge niveau verlaten wordt (grafiek 13). Een soortgelijk verband lijkt te gelden voor de inkomensklasse. Zowel rijke als arme gezinnen geven ongeveer hetzelfde percentage uit voor kinderen. Het is wel zo dat het absolute bedrag per kind nogal verschilt. Medio jaren zeventig bijvoorbeeld gaf de hoogste inkomensgroep ongeveer twee maal zoveel voor zijn kinderen uit als de laagste inkomensgroep.[32] De vastheid van het percentage blijft echter opmerkelijk.

Veel sterker dan het peiljaar of de inkomensklasse, is de invloed van de gezinsfase. Men hanteert op dat punt meestal een driedeling. Tijdens de eerste fase is het oudste kind niet ouder dan zes jaar, in de tweede fase ligt zijn leeftijd tussen zes en twaalf jaar, terwijl de derde fase ingaat wanneer het oudste kind ouder dan twaalf is. Welnu, de uitgaven per kind nemen met het vorderen van deze leeftijd toe. In de eerste fase nemen zij gemiddeld 12, in de tweede fase 16 en in de derde fase circa 40 procent van het budget in beslag. Uit vrijwel alle studies blijkt dat kinderen duurder worden naarmate zij ouder zijn – iets wat trouwens elke ouder met opgroeiende kinderen uit ervaring weet.[33] Een ander voor de hand liggend gegeven is dat de kosten toenemen naarmate het gezin meer kinderen omvat. Toch nemen zij niet evenredig toe. In feite kost het tweede kind wat minder dan het eerste terwijl het derde wéér wat minder kost. Stelt men de uitgaven voor de oudste op 100 procent, dan komen die voor de tweede op 85 en die voor de derde op 79 procent. Een groot gezin geniet dus schaalvoordelen, bijvoorbeeld doordat bepaalde goederen langer meegaan (hergebruik van kinderkleding) of doordat het benutten van een gezamenlijke voorziening weinig extra kosten met zich meebrengt (vervoer met eigen auto). Een groter aantal kinderen drukt de relatieve kosten per kind.[34] De totale absolute kosten nemen bij een groot gezin vanzelfsprekend toe.

Net als bij het totale gezinsbudget, kan men zich de vraag stellen hoe de kosten voor kinderen over verschillende rubrieken zijn verdeeld. We verwijzen daartoe naar grafiek 14 die voor vier peiljaren het aandeel per rubriek aangeeft. Omdat de definitieve gegevens voor 1995 tijdens ons onderzoek nog niet beschikbaar waren, moeten wij voor dat jaar met een schatting volstaan. Niettemin zien we dat de kosten voor

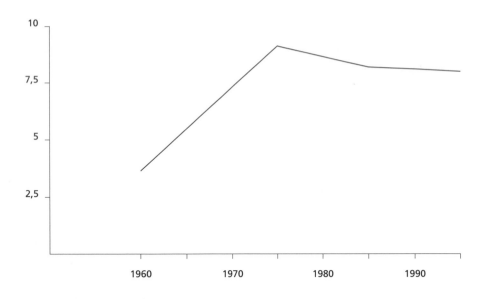

Grafiek 13: gemiddelde uitgaven (x 1000 gld/jaar) per kind in constante bedragen.

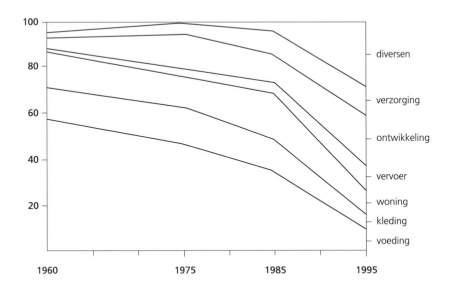

Grafiek 14: procentuele verdeling van de uitgaven voor kinderen naar rubriek.

kinderen zich op eenzelfde wijze ontwikkelen als die voor het gezin in zijn geheel. Bij de uitgaven voor voeding en kleding tekent zich een duidelijk daling af. Terwijl deze beide rubrieken in 1960 nog goed waren voor 72 procent van alle uitgaven per kind, bedraagt hun aandeel in 1985 nog maar 50 procent en komt het in 1995 vermoedelijk nog lager uit. De rubrieken voor persoonlijke verzorging, ontwikkeling en vervoer nemen sterk toe en wel van 8 procent in 1960 tot 28 procent in 1985 terwijl hun aandeel in 1995 waarschijnlijk nog veel hoger is. Alleen de aan het wonen gerelateerde kosten zijn onduidelijk. Over het geheel genomen zien we bij de kinderen dus eenzelfde beeld als bij de gezinsuitgaven in hun geheel, maar meer geprononceerd: het aandeel van de primaire levensbehoeften (eten, kleding) neemt extra scherp af, dat van sociale en culturele ontwikkeling neemt extra toe. De wijziging die het consumptiepatroon in de betrokken tijdsperiode doormaakt, geldt dus in het bijzonder voor de kinderen.[35] Het verloop van grafiek 15 wijst daar eveneens op.

Overigens deed zich vanaf 1981 nóg een opmerkelijk verschijnsel voor. Het blijkt namelijk dat de kosten voor de allerjongsten in snel tempo

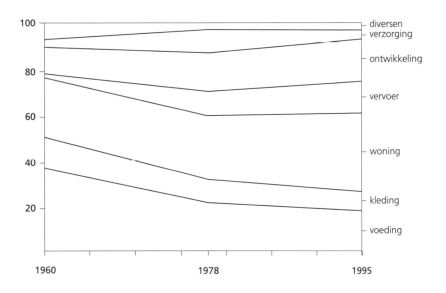

Grafiek 15: procentuele verdeling van de uitgaven door echtparen met kinderen naar rubriek.

aan het stijgen zijn. De oorzaak daarvan ligt in hogere uitgaven voor dienstverlening (kinderopvang) en lichamelijke verzorging. Het kostenaandeel voor celstofluiers kende tussen 1980 en 1990 bijvoorbeeld een verdubbeling.[36] Een en ander staat met de snelle toename van het aantal tweeverdieners in verband, een onderwerp dat in de volgende paragraaf onder het kopje 'Tekort aan tijd' besproken wordt.

Vooralsnog komt de historische verandering wat betreft de kosten die men voor kinderen maakt op twee ontwikkelingen neer. Ten eerste nam de hoogte van de investeringen per kind in de besproken periode toe. De conclusie van Pott-Büter uit 1987 gaat derhalve nog altijd op. Zij schreef: 'Door de daling in de afgelopen decennia van het aantal kinderen per gezin, de langer durende periode van afhankelijkheid en de intensievere verzorging per kind, zijn de verzorgingskosten per kind sterk toegenomen...'[37] Ten tweede verschoof de aard van deze investeringen. Aanvankelijk besloegen de eerste levensbehoeften (kleding en voeding) het grootste deel van de uitgaven voor kinderen. Dat aandeel nam echter in de loop der jaren af terwijl de uitgaven voor ontspanning en opleiding, gezondheid, persoonlijke verzorging en verkeer toenamen.

5 Tekort aan tijd

De laatste kwestie die we hier behandelen, is de groeiende tijdsdruk in het moderne gezin.

In de oude situatie werd het gezinsleven gekenmerkt door een traditionele arbeidsdeling tussen man en vrouw, waarbij de eerste het huis verliet om elders geld te verdienen terwijl de tweede voor het huishouden en voor de kinderen te zorgen had. Zoals bekend gaat deze situatie tegenwoordig nog maar zelden op. In de loop der jaren zijn steeds meer vrouwen buitenshuis gaan werken, hoewel het veelal om een vorm van deeltijdwerk gaat. Wie de omvang van die arbeid geheel buiten beschouwing laat, kan zeggen dat de arbeidsparticipatie van vrouwen tussen 1962 en 1992 toenam van 18 tot 62 procent. Wie 'arbeidsparticipatie' strenger neemt en daaronder een werkweek van ten minste twaalf uur verstaat, ziet dat de deelname van vrouwen in 1990 tot 36,4 procent gestegen is. Vergeleken met andere Europese landen zijn deze percentages nogal laag en volgens sommige deskundigen ligt daarom een verdere toename in het verschiet.[38] Het blijft echter een feit dat het aantal buitenshuis werkende vrouwen de afgelopen twee decennia flink is gegroeid.

Op de oorzaken van dit verschijnsel, dat al vele pennen in beweging heeft gebracht, gaan wij nu niet in. We beperken ons tot de opmerking dat het naar ons idee meer op sociaal-culturele dan op strikt economische overwegingen berust. Belangrijker zijn echter de gevolgen die het heeft, vooral voor de taakverdeling tussen man en vrouw. Op dit punt zien we een dubbele ontwikkeling. Enerzijds kiezen steeds meer vrouwen voor een vorm van beroepsarbeid, anderzijds verrichten steeds meer mannen onbetaalde arbeid in het huishouden. De moeilijkheid is evenwel dat de eerste ontwikkeling veel sneller gaat dan de tweede. Vandaar dat De Hart met betrekking tot 1990 al schreef: 'Hoewel er qua deelname aan de huishoudelijke zorg ontegenzeggelijk een toenadering plaatsvindt tussen de seksen, verloopt deze wel zeer geleidelijk en is het aandeel van vrouwen in huishoudelijke en gezinstaken nog altijd vele malen groter dan in de uitoefening van betaalde arbeid. Dat de meeste vrouwen nog steeds het overgrote deel van de huishoudelijke taken voor hun rekening nemen, is ongetwijfeld een belangrijke reden waarom vrouwen zich veel sterker dan mannen richten op deeltijdfuncties.'[39] Vijf jaar later stelt men vast dat die onevenredigheid nauwelijks veranderd is.[40]

Tegen deze achtergrond moet men een verschijnsel als 'tweeverdieners' genuanceerd bezien. Huishoudens met een traditionele rolverdeling zijn nog altijd veel wijder verbreid dan huishoudens waarin beide partners een substantiële hoeveelheid tijd aan betaalde arbeid besteden. In 1990 leefde bijvoorbeeld 50 procent van de vrouwen in een traditionele rolverdeling, slechts 13 procent van de vrouwen was als tweeverdiener aan te merken. In het doorsneegezin neemt de vrouw nog steeds het leeuwendeel van het huishouden op zich, terwijl de man zorgt voor het inkomen. Als hij thuis zijn handen uit de mouwen steekt gaat het voornamelijk om karweitjes in of rond de woning, terwijl hij ook vaker het vervoer van de kinderen naar school verzorgt.[41] Weliswaar werd een symmetrische taakverdeling in de loop van de jaren tachtig bij vele paren populair, maar dan blijkt het bijna altijd om pas gehuwde of samenwonende partners zonder kinderen te gaan. Zijn er eenmaal kleine kinderen, dan geven de meeste vrouwen in Nederland hun betaalde functie op om – althans voorlopig – als fulltime huisvrouw te werken.[42] En zelfs bij de echte tweeverdieners blijkt het verrichten van huishoudelijke werk scheef verdeeld. 'Hoewel vrouwen die evenals hun partner een volledige baan hebben, aanzienlijk minder uren uittrekken voor huishoudelijke arbeid dan fulltime huisvrouwen (...) besteedden zij zowel in 1980 als in 1990 nog altijd meer dan twee maal zoveel uren per week als mannen in dezelfde situatie aan huishoudelijke taken', schrijft De Hart.[43]

Op grond hiervan zou men de indruk kunnen krijgen dat de veranderingen op dit gebied in Nederland heel langzaam gaan. Maar die indruk is bedrieglijk. Dat blijkt wanneer men de gevolgen ervan voor het gezinsleven nagaat, bijvoorbeeld aan de hand van de hoeveelheid tijd die door allerlei verplichtingen wordt opgeëist.[44] Zo vermeerderde het aantal uren dat per week aan onderwijs, huishouden of betaalde arbeid wordt besteed tussen 1975 en 1995 voor diverse groepen fors (Tabel A). Werkende mannen besteedden in 1995 gemiddeld 54,8 uur per week aan hun verplichtingen, terwijl het twintig jaar daarvóór nog maar 50,1 uur was.[45] Werkende vrouwen kregen het eveneens drukker en zelfs de verplichtingen van werklozen of arbeidsongeschikten namen toe, al bleef de tijdsbesteding van deze laatste categorie duidelijk onder het gemiddelde niveau. De enigen die het wat minder druk

Tabel A. Uren per week besteed aan verplichtingen door personen van 12 jaar of ouder.

	1975	1985	1995
werkende mannen [a)	50,1	51,7	54,8
werkende vrouwen [a)	52,8	54,5	54,6
huisvrouwen	39,4	38,4	37,7
werklozen [b)	15,8	20,9	24,1
totaal	40,7	40,7	42,6

a) personen met minstens 20 uur betaald werk per week;
b) werklozen en arbeidsongeschikten.
Onder 'verplichtingen' verstaat men het verrichten van betaalde arbeid en/of huishoudelijk werk en/of het volgen van onderwijs.
Bron: *Sociaal en cultureel rapport 1996*, p. 359.

kregen waren de huisvrouwen. Maar gemiddeld over het totaal steeg de aan verplichtingen bestede tijd met bijna twee uren per week. Zowel voor mannen als voor vrouwen geldt dat de drukte tussen hun 31ste en 35ste levensjaar een hoogtepunt bereikt.[46] Dat is niet vreemd, omdat het combineren van werk en de zorg voor jonge kinderen veelal in die jaren valt.

Er zijn ook aanwijzingen dat de verdeling van drukte en vrije tijd steeds ongelijker wordt. Dat komt vooral uit de scheve verdeling van betaalde arbeid voort. Het *Sociaal en Cultureel Rapport 1996* zegt hierover: 'Middelbaar en hoger opgeleide mannen en vrouwen in de leeftijd tussen twintig en vijftig jaar namen het meest aan het arbeidsproces deel. Dit is de levensfase waarin, naast de beroepsloopbaan, ook zaken als gezinsvorming en huisvesting de grootste drukte te zien geven. Bovendien werden onder de naoorlogse generaties zowel de betaalde arbeid als het huishoudelijke en verzorgende werk vaker door beide partners verricht. In verband hiermee steeg het aantal mensen met dubbele of drievoudige dagtaken sterk...'[47] Juist het combineren van diverse taken brengt in het huishouden steeds meer dynamiek teweeg. Reeds in 1990 wees men op een groter aantal personen dat twee of meer verplichtingen op het gebied van betaalde arbeid, huishoudelijk werk of onderwijs in één week combineert.[48]

Tabel B. Percentage personen dat twee of meer taken combineert.

	1975	1985	1995
werkende mannen [a]	60,7	67,4	75,9
werkende vrouwen [a]	85,7	96,2	96,2
huisvrouwen	9,1	6,3	7,8
werklozen [b]	4,5	9,8	8,1
totaal	37,1	41,8	49,7

a) en b) zie tabel 11.
Onder 'taken' verstaat men een functie van minstens 5 uur in de week.
Bron: *Sociaal en cultureel rapport 1996*, p. 362.

Blijkens Tabel B nam dat aantal sindsdien slechts toe. Het aandeel van degenen die wekelijks twee of meer substantiële taken op zich nemen, ligt bij werkende mannen nu op 76 procent. Bij werkende vrouwen ligt dat zelfs op 96 procent. Het komt dus vrijwel nooit voor dat vrouwen zich uitsluitend tot hun beroep beperken en huishoudelijke taken geheel aan anderen overlaten! Totaal anders is het beeld bij degenen die geen werk buitenshuis hebben: zowel voor werklozen als voor huisvrouwen geldt dat zij zich bijna altijd tot één verplichte taak beperken. Het aandeel van degenen die verschillende taken combineren is voor beide categorieën erg laag. De huidige situatie doet dan ook dubbelzinnig aan. Enerzijds neemt de verantwoordelijkheid voor meer taken in één week toe en wel in die zin dat momenteel bijna de helft van de onderzochte personen daarvoor staat terwijl dat in 1975 nog maar ruim een derde was. Anderzijds komt de last van deze combinatie bijna uitsluitend neer op degenen die betaald werken.[49] We hebben

Tabel C. Mobiliteit in verband met huishoudelijke zorg en de verzorging van kinderen.

	1975	1990	verschil
verplaatsingen			
boodschappen	2,9	3,2	+
kinderverzorging	0,6	1,0	++
huishouden	0,2	0,6	++
totaal	3,7	4,8	++
bestede uren			
boodschappen	1,0	1,1	
kinderverzorging	0,2	0,4	++
huishouden	0,1	0,3	++
totaal	1,4	1,8	++

De tabel geeft het aantal verplaatsingen (per week) en daaraan bestede tijd (uren per week) voor huishoudelijk werk en de verzorging van kinderen door personen van 12 jaar of ouder.
Bron: J. de Hart, *Tijdopnamen*, p. 61.

hier een equivalent van de bekende gedachte dat rijkdom vooral ten goede van de rijken komt. Op eenzelfde wijze lijken degenen die het druk hebben het alsmaar drukker te krijgen terwijl voor degenen die weinig om handen hebben het omgekeerde geldt.

De toegenomen dynamiek stelt moderne gezinnen voor nieuwe uitdagingen op sociaal gebied. We komen daarop in Deel II nog terug. Maar praktisch dienen zich nieuwe problemen aan. Wanneer beide ouders buitenshuis werken, wanneer de kinderen op tijd naar school of crèche moeten, als ze na afloop van school naar de muziek- of sportvereniging toe gaan, indien er 's avonds nog werkzaamheden te verrichten of vergaderingen bij te wonen zijn en als dat alles zich op diverse plaatsen van een middelgrote stad afspeelt, dan is het duidelijk dat het functioneren van zo'n huishouden op het vlak van logistiek en management vrij hoge eisen stelt. De aanwezigheid van een of twee auto's wordt dan haast onvermijdelijk zoals er ook een hele reeks van al dan niet zwart betaalde hulpkrachten ingeschakeld wordt om te zorgen dat ieder gezinslid veilig de vereiste plaats bereikt. Het feit dat de partners steeds vaker beiden werken, heeft in dit opzicht nieuwe vragen meegebracht. De Hart formuleert het voorzichtig als hij schrijft: 'De toestroom naar (parttime) arbeid onder vrouwen en de geleidelijk aan veranderende taakverdeling binnen de huishoudens gaat gepaard met een dynamischer leefpatroon binnen de huishoudens. Dat blijkt ook wanneer de mobiliteit in ogenschouw genomen wordt die is verbonden met huishoudelijke activiteiten.'[50] In vergelijking met het normale woon-werkverkeer zorgt juist huishoudelijke activiteit voor een groot aantal verplaatsingen (zie Tabel C). Bij de echte tweeverdieners komt dan ook een ontwikkeling van betaalde dienstverlening op gang. Men gaat vaker uit eten of maakt eerder gebruik van een betaalde hulp in huis.[51]

1.2 SOCIAAL-CULTURELE ONTWIKKELING

We hebben in het voorgaande gezien hoezeer de demografische en economische omstandigheden van het gezin gewijzigd zijn. In dit hoofdstuk komt de sociaal-culturele ontwikkeling aan bod.

Aan de politiek-juridische dimensie van het gezinsleven gaan wij voorbij. Er zijn twee redenen om deze dimensie niet als een zelfstandig thema te behandelen. Ten eerste stelt de Nederlandse overheid zich traditioneel terughoudend – volgens sommigen té terughoudend – tegenover de gezinnen op. Het opvoeden van kinderen is primair een verantwoordelijkheid van ouders of verzorgers en verder van het onderwijs. Pas als zij hun taak niet aankunnen, is de overheid tot aanvullende maatregelen bereid. Meer actief beleid beperkt zich doorgaans tot die situaties waarin zich een opeenstapeling van moeilijk oplosbare problemen voordoet.[1] Ten tweede is het overheidsbeleid – voor zover gevoerd – niet zozeer op het gezin gericht, maar op bepaalde aspecten van het gezinsleven (positie van vrouwen, opvoedingsproblemen enzovoort) of op bijzondere categorieën van de bevolking (ouderen, gehandicapten, minderheden enzovoort).[2] Het gezin als zodanig dook pas recentelijk in de politieke meningsvorming op.

Het spreekt voor zich dat vele politieke maatregelen een specifieke uitwerking op het gezin hebben. Men denke aan de wetgeving inzake onderwijs, gelijke behandeling, inkomens, bijstand of aan maatregelen in de fiscale sfeer. Maar hoe al die effecten nu op elkaar inwerken en welke invloed ze tezamen hebben op de ontwikkeling van het gezin, wordt zelden onderzocht. Bovendien nemen deze invloeden veelal een indirecte vorm aan doordat ze de demografische, economische of culturele omgeving van de gezinsleden veranderen. Het is dus weinig zinvol om de politieke geschiedenis hier als zodanig te behandelen.[3]

We benadrukken in dit hoofdstuk de 'organische' ontwikkeling, dat wil zeggen de evolutie van het gezinsleven die zich de afgelopen decennia min of meer los van het politieke beleid in Nederland voltrokken heeft. Daartoe rekenen wij het ontstaan van meer egalitaire betrekkingen (paragraaf 1) en een grotere openheid van gezinnen voor invloeden van buitenaf (paragraaf 2). Verder krijgt seksualiteit een heel andere betekenis (paragraaf 3). Ten slotte veranderen de eisen die huwelijkspartners aan elkaar stellen (paragraaf 4) terwijl ook de betekenis van kinderen een verschuiving ondergaat (paragraaf 5).

1 Van bevel naar onderhandeling

Zoals hiervoor gezegd willen we de organische ontwikkeling van het gezinsleven beschrijven. Het in de jaren zestig begonnen proces van

democratisering is een duidelijk voorbeeld van zo'n organische ontwikkeling. In vrij korte tijd kwam op de meest uiteenlopende gebieden
van het maatschappelijk leven kritiek op de autoritaire verhoudingen
tot stand. In de kerk en het onderwijs, de concertzaal en het stadsbe-
stuur keerde men zich tegen de vertegenwoordigers van het gezag en
eiste inspraak, openheid en medezeggenschap. Deze verandering is
treffend onder woorden gebracht door De Swaan, die haar heeft
omschreven als een overgang van bevelshuishouding naar onderhandelingshuishouding.[4] Deze verandering drong ook in de gezinnen
door. De traditionele hiërarchie – waarbij de man het gezag over zijn
vrouw en de ouders hun gezag over de kinderen uitoefenden – maakte
plaats voor verhoudingen waarin meer gelijkheid werd nagestreefd.
Volgens Du Bois nam deze omschakeling slechts één generatie in
beslag. Dat blijkt uit de vergelijking die zij maakt tussen de manier
waarop ouders in de jaren tachtig met hun kinderen omgaan en de
manier waarop deze ouders destijds zelf opgevoed zijn. In de jaren
tachtig is het voor de meeste ouders heel gewoon om hun kinderen te
betrekken bij de besluitvorming. Er wordt heel wat met hen afgepraat,
ofwel om een zekere consensus te bewerkstelligen ofwel om een reeds
genomen besluit te rechtvaardigen. Deze ouders gaan er niet van uit
dat hun kinderen blindelings gehoorzamen. Maar zelf groeiden ze heel
anders op. Terugdenkend aan hun eigen jeugd zegt 87 procent dat
gehoorzaamheid toen vanzelf sprak of afgedwongen werd. Het zijn
vooral de jongeren die van deze versoepeling geprofiteerd hebben.
Door de overgang van bevel naar onderhandeling beschikken zij over
eigen machtsbronnen.[5] Ze vormen zowel in het gezin als daarbuiten
een partij die serieus genomen wordt. Zo trad er in de machtsbalans
een duidelijke verschuiving op en wel in die zin dat de invloed van leeftijdgenoten, onderwijs en media tegenwoordig groter is terwijl de
ouders hun macht zagen verminderen.[6]

Het is niet eenvoudig om dit proces op eenzelfde wijze in kaart te
brengen als we bij de demografische en economische veranderingen
gedaan hebben.[7] Voor dat laatste beschikken we immers over vele
numerieke gegevens die bovendien ver teruggaan in de tijd. Een zaak
als gezagsverhoudingen laat zich minder gemakkelijk kwantificeren en
het onderwerp kwam pas in de jaren zestig in de belangstelling. Voor
de culturele en mentale veranderingen, die we zo dadelijk bespreken,

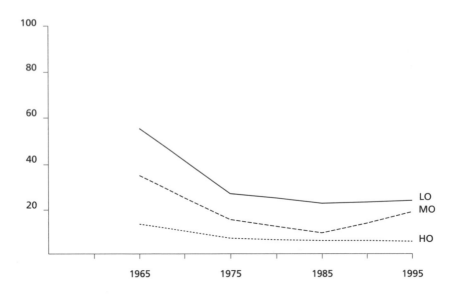

Grafiek 16: percentage tegenstanders van tutoyeren door kinderen naar opleiding.

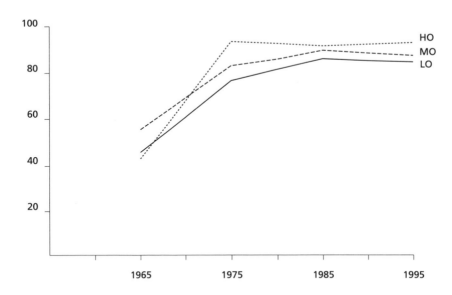

Grafiek 17: permissiviteit (in procenten) inzake leesgedrag van kinderen naar opleiding.

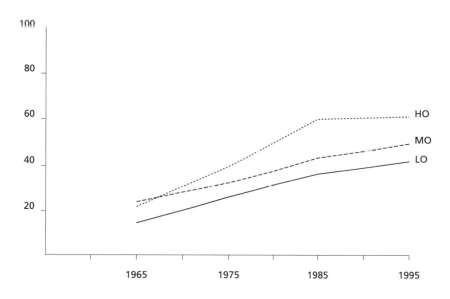

Grafiek 18: permissiviteit (in procenten) inzake late thuiskomst naar opleiding.

geldt hetzelfde. De grote lijnen zijn wel duidelijk, mede door de regelmatige publicatie van een *Sociaal en Cultureel Rapport*, maar toch is er sprake van lacunes.

Wat betreft de gezagsverhouding tussen ouders en kinderen bijvoorbeeld moeten we ons met slechts drie indicatoren behelpen. De eerste heeft betrekking op de vraag of ouders ertegen zijn dat ze door kinderen getutoyeerd worden. Terwijl meer dan de helft van de ouders dat in 1965 nog bezwaarlijk vond (52 procent), is het aandeel van de tegenstanders in 1994 tot 19 procent gedaald. Uit grafiek 16 blijkt duidelijk dat de opleiding hierop van invloed is. Voor elk peiljaar geldt dat de bezwaren tegen het tutoyeren afnemen naarmate de ouders meer scholing hebben gehad. Verder tekent zich een proces van informalisering af: voor elk opleidingsniveau geldt dat het tutoyeren van ouders door kinderen steeds normaler wordt, maar we zien tevens dat hoger opgeleiden hierbij het voortouw nemen. In 1994 blijken er nog aanmerkelijke verschillen naar scholing te bestaan. Bij de twee andere indicatoren (lezen en thuiskomen) ziet men grosso modo hetzelfde. Het percentage ouders dat hun achttienjarige kinderen alles laat lezen neemt in de loop der jaren toe. In 1994 is daardoor een hoge graad van permissiviteit bereikt. De hooggeschoolden lopen hierbij voorop (grafiek 17). Eenzelfde beeld zien we bij de vraag hoe laat een twintigjarige dochter 's avonds thuis moet zijn. In 1994 wordt dat tijdstip voor ongeveer de helft van de gevallen door de dochter zelf bepaald, in 1965 kon ze dat slechts in 16 procent van de gevallen doen. Grafiek 18 toont dat opleiding ook op dit punt de permissiviteit bepaalt. Overigens is het opmerkelijk dat het tijdstip van thuiskomen bijna even vaak een kwestie is van onderling overleg tussen ouders en kinderen. Dat ouders dat tijdstip eenzijdig vaststellen, komt tegenwoordig nog maar zelden voor.

De grafieken 19 tot en met 21 laten zien dat de invloed van kerkelijkheid omgekeerd aan die van scholing is. Ouders die tot een kerkgenootschap behoren, blijken op elk punt minder toegeeflijk dan anderen te zijn. Ze kunnen zich niet onttrekken aan de algemene ontwikkeling in de richting van meer egalitaire en informele verhoudingen, maar remmen dat proces wel af.

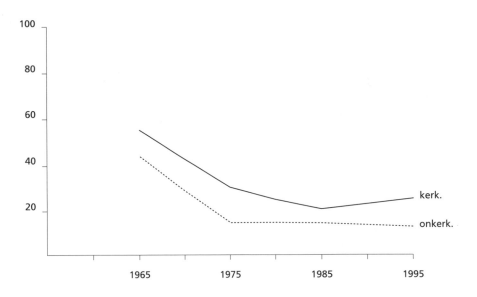

Grafiek 19: percentage tegenstanders van tutoyeren door kinderen naar kerkelijkheid.

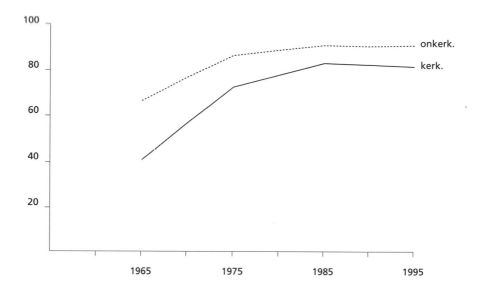

Grafiek 20: permissiviteit (in procenten) inzake leesgedrag van kinderen naar kerkelijkheid.

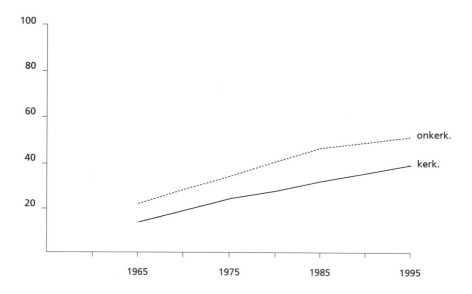

Grafiek 21: permissiviteit (in procenten) inzake late thuiskomst van kinderen naar kerkelijkheid.

63

De overgang naar meer egalitaire normen beperkt zich trouwens niet tot de interne verhoudingen. Zij beïnvloedt ook de externe betrekkingen die het gezin met hulpverleners, adviseurs en anderen onderhoudt. Ouders leggen zich niet langer voetstoots neer bij het oordeel van een school, een arts, een maatschappelijk werker of een andere deskundige over hun kinderen. Van hun kant laten deskundigen zich tegenover ouders niet meer op hun autoriteit voorstaan.[8]

Deze dubbele aantasting van hiërarchische verhoudingen – zowel die tussen ouders en kinderen als die tussen ouders en professionals – wordt goed geïllustreerd door de veranderingen die de kinderbescherming heeft ondergaan. We baseren ons hierbij op een vergelijkend onderzoek dat Komen deed naar gezinsdossiers uit de jaren zestig en de jaren tachtig. De kinderbescherming beschouwde egalitaire gezinsverhoudingen in de jaren zestig als een verkeerde zaak. Zij was voorstander van een streng regime, vond dat men wangedrag van jongeren keihard de kop moest indrukken en greep zelf regelmatig in. Als de ouders niet in staat waren hun kroost in bedwang te houden werden de kinderen uit huis geplaatst.[9] Twintig jaar later staat men de tegenovergestelde werkwijze voor. In haar dossiers uit de jaren tachtig wijst de kinderbescherming het gebruik van dwang en autoritair optreden door opvoeders juist af. Eventuele moeilijkheden moesten 'bespreekbaar' worden, het fysieke overwicht moest plaatsmaken voor morele superioriteit. Het optreden van de kinderbeschermers zelf werd eveneens minder autoritair. In de jaren tachtig zoekt de functionaris samen met zijn cliënten naar een oplossing. Men deelt minder strenge straffen uit – ofschoon het vaak om zware delicten gaat – en ziet meer in een sociologische of psychologische benadering.[10] Helaas blijkt deze verandering in de bejegening van delinquente jongeren niet erg effectief. Want 'terwijl kinderbeschermers en ouders meer consideratie toonden met de jongeren, wees het gedrag van sommige pupillen erop dat zij juist minder rekening hielden met hun ouders en anderen'. Het probleem is dat men in de jaren tachtig een hoge mate van zelfcontrole vooronderstelt, maar dat jeugdige delinquenten die in de praktijk niet opbrengen. Dit zou kunnen verklaren waarom ze meer (en ernstiger!) delicten plegen dan enkele decennia terug.[11]

2 Gezin als netwerk

Hoewel kerkelijkheid of opleidingsniveau van de ouders grote invloed heeft op de betrekkingen binnen het gezin, zijn deze toch ook van andere, zo men wil meer triviale factoren afhankelijk.

Zowel voor schoolgaande als werkende jongeren geldt dat ze minder dan vroeger zijn 'opgesloten' in het gezin. Doordat de gemiddelde duur van een opleiding de afgelopen decennia toenam, werd de school een steeds belangrijker element in de leefsituatie van jongeren. 'Belangrijke levenservaringen worden in toenemende mate opgedaan in schoolverband, waar jeugdigen hoofdzakelijk in homogene leeftijdsgroepen met elkaar optrekken. De invloed van de onderlinge omgang met leeftijdgenoten wint aan betekenis. De verzelfstandiging van de jeugdstatus leidt er ook toe dat de jeugd in afnemende mate haar oriëntatiepunt kiest in de volwassenenwereld – in huwelijk, gezin en werk – maar veeleer in haar eigen jongerenwereld. De jeugd ontleent haar identiteit en haar idealen aan haar eigen leeftijdgenoten, de peergroup en de jeugdculturen', aldus Lenders.[12]

Zo kwam uiteindelijk een geheel zelfstandige, speciaal op de jeugd gerichte cultuur tot stand, waarin mode, muziek, uitgaan en het experimenteren met liefde of seks een centrale rol spelen. Het gaat om een omvangrijke markt die nog altijd groeit.[13] We stippen dit verschijnsel hier aan omdat het de tendens tot egalitaire verhoudingen in het gezin versterkt. Door deel te nemen aan de jeugdcultuur en door hun contacten op school groeit de machtspositie van jongeren. Ze kunnen de gang van zaken thuis voortaan vergelijken met datgene wat ergens anders gebeurt en zullen er tegenover hun ouders gebruik van maken. De ouders van hun kant komen de kinderen meer tegemoet al was het maar uit vrees dat ze op het schoolplein of in de disco een slecht figuur slaan. Zo leidt de verbreding van het netwerk waarin de jongeren participeren tot een versterking van hun machtspositie binnen het gezin.

Voor vrouwen geldt in grote lijnen hetzelfde. Het is niet onze taak hier uiteen te zetten hoe in de loop van de jaren zeventig de tweede feministische golf tot ontwikkeling kwam. We stippen slechts een tweetal zaken aan. Ten eerste is ook hier de factor opleiding een centrale variabele. Het verlangen om iets anders dan levenslang huisvrouw of moeder te zijn, om buitenshuis te werken, geld te verdienen of carrière te maken, om het eigen talent te ontplooien en iets te presteren in cultuur of politiek – dat alles was vanaf de jaren zeventig vooral een zaak van vrouwen die een zekere opleiding gevolgd hadden. Scholing is en blijft de voornaamste voorwaarde voor een emancipatoire ontwikkeling. Het waren ook deze vrouwen die hun partners of mannen dwongen om traditionele opvattingen over seksualiteit, kinderen krijgen en zorgarbeid te herzien. In de loop van de jaren tachtig kreeg deze beweging in steeds bredere kringen succes en het is – ondanks de moeilijkheid om het werk buitenshuis met de zorg voor kinderen te combineren – weinig waarschijnlijk dat deze verandering weer zal worden teruggedraaid. Maar net als bij de jongeren is ook deze emancipatie niet een kwestie van scholing alleen. Voor de vrouw geldt evenzeer dat haar machtspositie binnen het gezin mede afhangt van de externe netwerken waaraan zij deelneemt. De eisen die elders worden gesteld – en dat kunnen zowel de ideologische eisen van een sociale beweging als de praktische eisen van een werkgever zijn – worden in het overleg met man en kinderen gebruikt. Al met al zijn vrouwen veel minder dan voorheen gebonden aan het privé-domein. Ze zijn 'zelfstandiger, minder beperkt geworden in hun sociale contacten, participeren meer in de publieke sfeer, zijn minder ondergeschikt, meer zelfbewust en economisch beter in staat voor zichzelf te zorgen'.[14]

Aldus komt de sociale verandering van het gezin op twee ontwikkelingen neer. Ten eerste is er intern een overgang van autoritaire naar meer egalitaire verhoudingen. Ten tweede ontwikkelt het gezin zich van een vrij gesloten eenheid tot een opener geheel, een domein waarvan de leden ook in andere netwerken participeren, een domein dat zodoende een levende uitwisseling met zijn omgeving kent. Op zichzelf tast deze tweevoudige evolutie het gezin niet aan, wel brengt zij een zekere flexibilisering met zich mee. Wie het huidige gezinsleven met dat van de jaren vijftig, begin jaren zestig vergelijkt, stelt vast dat het niet langer om een hoeksteen maar om een netwerk gaat. De banden tussen de gezinsleden zijn sterk en hun uitwisseling is intensief. Maar tegelijkertijd nemen zij deel aan allerlei domeinen buiten het gezin en oefenen deze ook een forse invloed uit op de interne betrekkingen. We kunnen dit proces omschrijven als een 'ontvouwing van afhankelijkheidsverhoudingen' (De Swaan). Terwijl men in de oude situatie veelvoudige relaties met een beperkt aantal mensen onderhield, gaat men tegenwoordig met een groter aantal mensen enkelvoudige relaties aan. De verschillende netwerken overlappen elkaar nog slechts gedeeltelijk, de totale loyaliteit van vroeger maakt plaats voor vele partiële loyaliteiten.[15] Deze ontwikkeling – die in hoge mate is gestimuleerd door de bloei van de verzorgingsstaat – gaat gepaard met een klimaatverandering binnen het gezin. Zo lijkt de problematiek van het 'generatieconflict' momenteel voorbij. Politiek en levensbeschouwing zijn geen onderwerp meer waarop ouders en hun kinderen heftig botsen. Het overgrote deel van de jongeren zegt goed met hun ouders te kunnen opschieten.[16]

3 Seksuele bevrijding

De toename van egalitaire verhoudingen en de grotere openheid van het gezin mogen niet als een opzichzelfstaand verschijnsel beschouwd worden. In feite maken zij deel uit van een brede culturele en mentale ontwikkeling die zich vanaf de jaren vijftig op vele terreinen manifesteert. Er tekent zich in het geestelijk klimaat een geleidelijke en waarschijnlijk onomkeerbare liberalisering af. Deze uit zich eveneens in opvattingen met betrekking tot de politiek, zoals onder meer blijkt uit een grotere zelfstandigheid van de burgers en een toegenomen tolerantie voor afwijkende gedragingen.[17] Een ander gebied waarop deze liberalisering zeer duidelijk tot uiting komt, is dat van de seksualiteit. De ontwikkeling van het feitelijke gedrag is eerder al belicht (zie hoofdstuk 1.1, paragraaf 1). Nu gaan we op de verandering van normen en waarden in.

De eerste stap in dit proces werd vermoedelijk reeds vroeg in de jaren zestig gezet.[18] Wanneer men de bevolking in 1965 voor het eerst op grote schaal de vraag voorlegt of een bewuste beperking van het aantal kinderen toelaatbaar is, blijkt dat 57 procent er geen principiële bezwaren tegen heeft, terwijl 35 procent het in bepaalde gevallen begrijpelijk noemt. Slechts 8 procent van de ondervraagden ziet geboortebeperking als een ontoelaatbaar iets. Tien jaar later is het aandeel van deze laatste groep tot 3 procent gedaald waarna de vraag niet langer wordt gesteld. De ontkoppeling van seksualiteit en voortplanting is medio jaren zeventig klaarblijkelijk voltooid. Dat blijkt ook uit de vrij plotselinge aanvaarding van bewuste kinderloosheid van echtparen. In 1965 acht slechts 2 procent van de bevolking het te billijken dat een gezond paar bewust van kinderen afziet. Tien jaar later is dat reeds 71 procent, waarna het percentage nog sterk stijgt (grafiek 23). Het losser worden van de band tussen seksualiteit en voortplanting vormt in historisch perspectief een ingrijpende gebeurtenis, maar een die zich aanvankelijk haast ongemerkt voltrokken heeft. Ze was niet alleen het resultaat van een technische verandering – de reeds gememoreerde pil – maar ook van een moreel conflict waar een hele generatie van echtparen in stilte mee geworsteld heeft. Men kan zich zelfs afvragen of die morele omwenteling niet een essentiële voorwaarde is geweest voor de introductie van de pil.

De tweede stap in het proces van seksuele bevrijding werd gezet toen ook de aanvankelijk zo exclusieve relatie tussen seksualiteit en huwelijk ter discussie kwam te staan. Wat in de jaren zestig nog vrij uitzonderlijk was – het aangaan van seksuele betrekkingen zonder huwelijk – werd in het daarop volgende decennium een gangbare praktijk. Bovendien werden andere combinaties dan het heteroseksuele paar in vrij korte tijd erkend. Vooral in de jaren zeventig neemt de tolerantie over de hele breedte toe. Neem bijvoorbeeld de goedkeuring van 'vrije' seksualiteit. In 1968 meent ongeveer eenvijfde van de bevolking dat een meisje geslachtsgemeenschap met een jongen mag hebben, als ze veel voor hem voelt. Het huwelijk speelt daarbij geen rol, de aanwezigheid van liefde is kennelijk voldoende. In 1991 is het aandeel van degenen die zich hiermee kunnen verenigen toegenomen tot 71 procent. Het is de liefde die een seksuele verhouding acceptabel maakt, niet de formele kwestie van een huwelijk. Sommigen gaan nog verder en maken seks helemaal los van liefde. In 1968 keurt vrijwel niemand het goed dat een meisje geslachtsgemeenschap met een jongen heeft als ze weinig voor hem voelt. Bij de laatste peiling wordt die mogelijkheid door 24 procent acceptabel gevonden.

Alles wijst erop dat het klimaat in Nederland zeer liberaal geworden is. Het verloop van grafiek 22 met betrekking tot homoseksualiteit laat deze ontwikkeling duidelijk zien. Daarbij is opmerkelijk dat er al vrij vroeg een hoge mate van tolerantie op dit punt bestaat. Eind jaren zestig is een duidelijke meerderheid van mening dat men homoseksuelen zo veel mogelijk dient vrij te laten, een standpunt dat vandaag de dag door vrijwel iedereen wordt ingenomen. Mogelijk is een term als tolerantie wel iets te positief. Men zou ook kunnen zeggen dat het seksuele gedrag van anderen ons inmiddels onverschillig laat. Als een ander zo nodig seks wil bedrijven zonder dat er liefde is, dan doet hij of zij dat maar. Voor zichzelf houden de meesten echter aan de connectie tussen seks en liefde vast. Bovendien zien we het laatste decennium wat meer terughoudendheid ten aanzien van seksuele vrijheden.[19] De bereidheid om bijvoorbeeld overspel te vergoelijken neemt af. Langzamerhand maakt de romantische visie op relaties plaats voor een meer realistische. 'Het idee lijkt te groeien dat als mensen een huwelijk willen doen standhouden, zij het met de trouw aan elkaar ook serieus moeten nemen. De afname van de permissiviteit lijkt tot dit idee beperkt te blijven. Bij een verschijnsel als de bewust ongehuwde moeder treedt dit niet op. Ten aanzien van de kinderopvoeding groeit mogelijk op enkele punten enige reserve', aldus een voorzichtige diagnose van het *Sociaal en Cultureel Rapport* in 1996.[20]

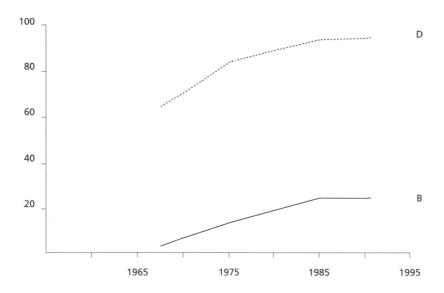

Grafiek 22: instemming (in procenten) met seksuele vrijheid van meisjes (= B), resp. tolerantie ten aanzien van homosexuelen (= D).

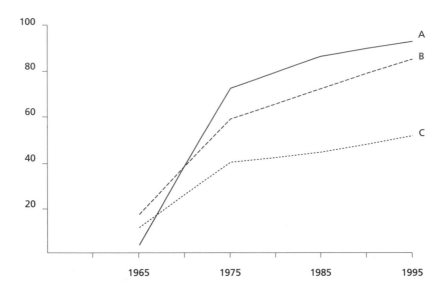

Grafiek 23: instemming (in procenten) met bewuste kinderloosheid (= A), werken door moeders (= B) en echtscheiding (= C).

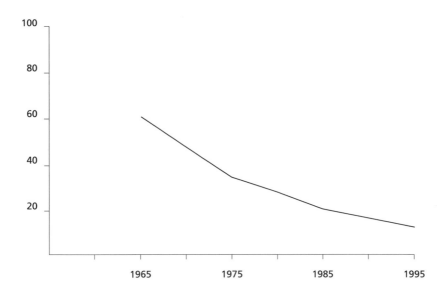

Grafiek 24: waardering (in procenten) voor het huwelijk als bron van geluk.

De lichte afname van de permissiviteit neemt niet weg dat zich ook op mentaal niveau een zekere 'ontkoppeling' voltrokken heeft.[21] Aanvankelijk vormden liefde, seks, voortplanting en huwelijk één samenhangend geheel. Vanaf de jaren zestig valt dat in diverse brokstukken uiteen. Weliswaar houden de meeste mensen in Nederland nog altijd vast aan een verband tussen seksualiteit en liefde, maar echt noodzakelijk is dat al lang niet meer. Seksuele omgang als doel op zich wordt in brede kring aanvaard. Hetzelfde geldt voor seks en voortplanting. Hoewel verreweg de meeste kinderen worden geboren uit de seksuele omgang tussen man en vrouw, zijn er ook vele zwangerschappen die langs een andere weg ontstaan, zoals er ook talloze seksuele relaties bestaan die geen zwangerschap tot gevolg hebben. Verder weet iedereen dat seksualiteit en huwelijk twee aparte zaken zijn: men kan getrouwd zijn zonder dat er sprake is van seks terwijl velen een seksuele relatie zonder huwelijk aangaan. Hoewel het niet ongewoon is een huwelijk te sluiten zodra het eerste kind geboren wordt, zijn er vele echtparen die trouwen, maar bewust van kinderen afzien. Kortom: de vier domeinen van liefde, seksualiteit, voortplanting en huwelijk zijn relatief zelfstandig en kunnen door elkaar lopen. De tolerantie voor alle denkbare combinaties en varianten is inmiddels hoog, vooral voorzover het gaat om anderen. Voor zichzelf hanteren velen niettemin vrij strikte normen.

4 Verwachtingen van partners

De genoemde erosie van het huwelijk (zie hoofdstuk 1.1, paragraaf 1) beperkt zich niet tot het feitelijke gedrag. Zij strookt met de opinies die de Nederlanders er in de loop der jaren op na houden. Uit grafiek 23 blijkt dat de normen van het oude huwelijksmodel gaandeweg verlaten zijn. Zo wordt de keuze van een echtpaar om – los van medische overwegingen – af te zien van kinderen, momenteel door vrijwel iedereen aanvaard. Hetzelfde geldt voor het verrichten van arbeid buitenshuis door een vrouw met kinderen. In 1965 stelde men de vraag of het bezwaarlijk is als in een gezin met schoolgaande kinderen de vrouw naast haar huishouding gaat werken. Op dat moment beschouwt 83 procent dat inderdaad als een bezwaar, maar dertig jaar later is dat deel tot 15 procent gedaald. Voor de mogelijkheid van echtscheiding geldt hetzelfde. Men vroeg bijvoorbeeld of echtparen die slecht met elkaar overweg kunnen maar nog kinderen thuis hebben, tot echtscheiding mogen overgaan. In 1965 vond slechts 11 procent van de Nederlanders dat aanvaardbaar of begrijpelijk terwijl dat aandeel dertig jaar later 51 procent bedraagt. Het is duidelijk dat het huwelijk als instituut zijn onaantastbare karakter in het tijdsbestek van één generatie nagenoeg verloren heeft. En niet alleen dat, ook het huwelijk als bron van geluk slaat men niet erg hoog meer aan. Op de vraag of een getrouwd iemand in het algemeen gelukkiger is dan iemand die ongetrouwd blijft, antwoordt 61 procent van de ondervraagden in 1965 nog positief. In 1995 is nog slechts 13 procent deze mening toegedaan (grafiek 24).

Er blijken opmerkelijke verschillen te bestaan in het tempo waarmee deze opinieverschuiving plaatsgrijpt. Sommige lopen daarin duidelijk voorop, terwijl er ook milieus zijn waarin deze algehele verandering vertraagd verloopt. In dit opzicht is met name de secularisatie van belang. Zoals bekend daalt de aanhang van de verschillende kerkgenootschappen onder de Nederlandse bevolking vanaf de jaren vijftig tot op heden zeer gestaag. Beziet men nu welke invloed het lidmaatschap van een kerkelijke organisatie heeft op de houding met betrekking tot het huwelijk, dan blijkt dat het proces van modernisering onder 'kerkelijken' minder snel verloopt. Zo wordt echtscheiding terwijl er nog kinderen in huis wonen door leden van een kerkgenootschap over de gehele periode 1958-1995 in een mindere mate geaccepteerd (grafiek 25). Hetzelfde geldt voor het buitenshuis werken van een moeder die nog schoolgaande kinderen heeft, al is het verschil met de onkerkelijken in dit opzicht wat minder groot (grafiek 26). Voor het aanvaarden van bewuste kinderloosheid door een paar geldt globaal hetzelfde: de kerkelijk georganiseerden gaan hiermee iets minder vaak akkoord (grafiek 27). En waar het gaat om de vraag of getrouwde mensen doorgaans gelukkiger dan ongetrouwden zijn, neemt het verschil tussen kerkelijken en onkerkelijken in de loop der jaren toe (grafiek 28). Dit betekent niet dat kerkleden niet met hun tijd meegaan. Integendeel, zaken als bewuste kinderloosheid of werken buitenshuis zijn ook bij hen inmiddels door een grote meerderheid aanvaard. Maar de vertraging ten opzichte van de onkerkelijken is te systematisch om deze te verwaarlozen. Wij menen daarom dat het behoren tot een kerkgenootschap een remmende of matigende invloed op de modernisering heeft.

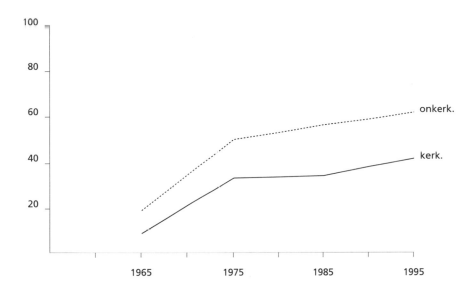

Grafiek 25: procentuele instemming met echtscheiding naar kerkelijkheid.

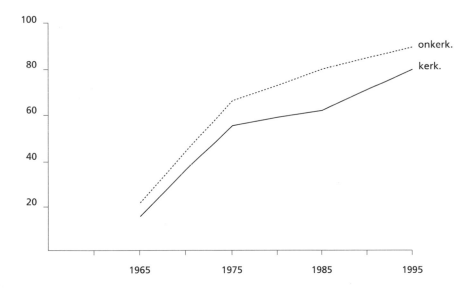

Grafiek 26: procentuele instemming met werken door moeders naar kerkelijkheid.

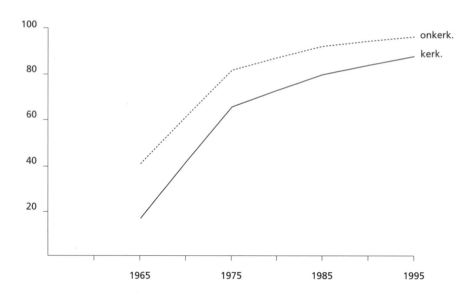

Grafiek 27: procentuele instemming met bewuste kinderloosheid naar kerkelijkheid.

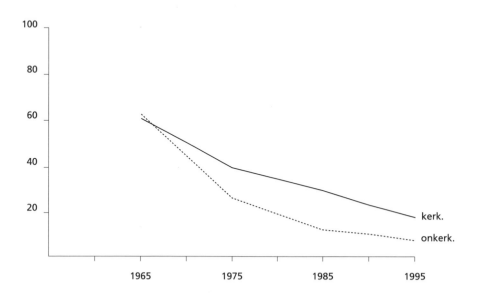

Grafiek 28: procentuele waardering voor het huwelijk als bron van geluk naar kerkelijkheid.

Toch betekent deze modernisering niet dat het belang van een duurzame relatie verminderd is. We zagen reeds dat verreweg de meeste
Nederlanders het belang dat ze hieraan hechten uitdrukken in hun feitelijke gedrag. Het is daarom niet vreemd dat dit ook in hun opvattingen tot uiting komt. De ontwikkeling hierin wijst er zelfs op dat
de ambities met betrekking tot seksuele relaties en gezinsleven in
vergelijking met het verleden juist toenemen. Om hierin enig inzicht te
krijgen gingen we na welke verwachtingen mannen respectievelijk
vrouwen ten opzichte van hun toekomstige levenspartner koesteren.
De gegevens daarover beperken zich helaas tot de jaren 1965, 1975 en
1987, maar het materiaal is rijk genoeg om zowel bepaalde constanten
als een zekere verandering aan het licht te brengen.[22]

Eerst komen de min of meer gelijkblijvende verwachtingen aan
bod. Daarbij moet onderscheid tussen mannen en vrouwen worden
gemaakt, aangezien hun verwachtingen allesbehalve overeenkomstig
zijn. Dat blijkt duidelijk uit de tabellen D en E waarin voor mannen
respectievelijk vrouwen is opgesomd wat zij als de vier meest belangrijke en vier minst belangrijke eigenschappen van hun toekomstige
partner zien. Als het aan de mannen ligt moet hun vrouw een 'goede
moeder zijn', 'lief zijn', 'intelligent zijn' en 'goed met geld om kunnen
gaan'. De hiërarchie van deze kwaliteiten geeft in de loop der jaren een
schommeling te zien, maar het zijn steeds deze vier waar de voorkeur
naar uitgaat.

Zeker zo veelzeggend zijn de kwaliteiten die men het minst
belangrijk vindt. Maar liefst 40 tot 47 procent van de mannen zegt dat
een 'knap uiterlijk' het minst belangrijk is, op afstand gevolgd door
'geen beslag leggen op de man', 'veel temperament hebben' en 'lekker
kunnen koken'. Dit suggereert dat het in een huwelijk niet zozeer om
materialistische of stoffelijke zaken gaat. Waarden als kookkunst of een
knap uiterlijk scoren bij de mannen blijkbaar erg laag, sociale en affectieve eigenschappen daarentegen hoog (Tabel D). Voor de vrouwen
geldt ongeveer hetzelfde, al zijn bij hen inhoudelijk heel andere waarden in het geding. Als het aan de vrouwen ligt moet hun man in de eerste plaats 'trouw zijn'. Vervolgens moet hij 'belangstelling tonen' voor
haar persoon, een 'goed humeur hebben' en 'huiselijk zijn'. Tot de eigenschappen die vrouwen het minst belangrijk vinden, behoren 'groot en
sterk zijn', 'helpen in de huishouding', 'attent zijn' en 'overwicht hebben'.

Ook hier doen zich met de jaren wisselingen voor in de onderlinge hiërarchie (Tabel E), maar het lijkt nauwelijks te gaan om stoffelijke zaken als een goed inkomen of lichamelijke kracht: ook bij vrouwen staan sociale en affectieve kwaliteiten op de allereerste plaats.

Dit belang van de sociale en affectieve kant van het huwelijk wordt slechts onderstreept wanneer men kijkt in welke richting de verwachtingen van man en vrouw zich wijzigen. Daartoe gaan we even aan de klassieke, in alle peiljaren genoemde verwachtingen voorbij om vast te stellen welke variabelen tussen 1965 en 1987 het sterkst veranderen. Tabel F geeft aan dat de waardering voor praktische vaardigheden van vrouwen als 'goed kunnen koken' of 'goed met geld om kunnen gaan' in de betrokken periode duidelijk verminderd is. Het belang van geestelijke kwaliteiten als 'intelligent zijn' en 'lief zijn' nam daarentegen toe. Voor de verwachtingen van vrouwen geldt eenzelfde tendens. Hun waardering voor mannen met een 'goed inkomen' of die 'huiselijk zijn' nam af, terwijl hun waardering voor mannen die 'belangstelling tonen' gestegen is. Dit houdt ongetwijfeld verband met het hogere

Tabel D. Verwachtingen van mannen met betrekking tot hun aanstaande echtgenote 1965-1987.

	1965	1975	1987
meest belangrijk			
goede moeder zijn	30	33	23
lief zijn	17	20	30
intelligent zijn	10	22	25
goed met geld omgaan	22	9	5
minst belangrijk			
knap uiterlijk	47	37	40
man vrijlaten	15	16	16
temperament hebben	12	13	13
lekker kunnen koken	3	10	12

De tabel geeft aan hoeveel procent van de ondervraagde mannen (21-64 jaar) genoemde kwaliteit het meest resp. het minst belangrijk vindt.
Bron: SCP, *Bestand culturele veranderingen*, variabelen 509 en 511.

Tabel E. Verwachtingen van vrouwen met betrekking tot hun aanstaande echtgenoot 1965-1987.

	1965	1975	1987
meest belangrijk			
trouw zijn	33	33	44
belangstelling tonen	6	21	22
goed humeur hebben	10	10	11
goed inkomen hebben	13	6	3
minst belangrijk			
groot en sterk zijn	36	37	53
helpen in huishouden	26	19	9
attent zijn voor haar	11	18	13
overwicht hebben	10	7	11

De tabel geeft aan hoeveel procent van de ondervraagde vrouwen (21-64 jaar) genoemde kwaliteit het meest resp. het minst belangrijk vindt.

Bron: SCP, *Bestand culturele veranderingen*, variabelen 512 en 514.

Tabel F. Veranderingen in de voornaamste verwachtingen van man en vrouw met betrekking tot elkaar 1965-1987 in procenten.

	1965	1975	1987
vrouwen moeten			
intelligent zijn	10	22	25
lief zijn	17	20	30
goed kunnen koken	6	1	0
goed met geld omgaan	22	9	5
mannen moeten			
goed inkomen hebben	13	6	3
huiselijk zijn	16	12	5
overwicht hebben	10	7	11
belangstelling tonen	6	21	22

De tabel geeft aan hoeveel procent van de ondervraagden genoemde kwaliteiten als de voornaamste gewenste eigenschap van hun aanstaande partner beschouwt. We zien af van verwachtingen die in de loop der jaren (bijna) gelijk blijven.

Bron: SCP, *Bestand culturele veranderingen*, variabelen 509, 511, 512 en 514.

opleidingsniveau van de bevolking. Dat blijkt ook uit Tabel G en H, waar de ontwikkeling der verwachtingen is gerelateerd aan het genoten onderwijs.

We menen dus dat de eisen op praktisch en huishoudelijk gebied voor beide geslachten minder belangrijk zijn geworden ('goede moeder' respectievelijk 'huiselijk' zijn). Het gewicht van eisen op affectief en geestelijk gebied nam daarentegen toe ('intelligent' en 'lief' zijn resp. van 'trouw' en 'belangstelling tonen'). Deze gegevens wijzen erop dat de betekenis van het huwelijks- of relatieleven inderdaad in de richting van het psychische evolueert. Dit hoeft helemaal niet strijdig te zijn met de toename van het aantal scheidingen. Het feit dat de partner-keuze tegenwoordig een zaak van individuele voorkeur is terwijl er hoge eisen aan de partner gesteld worden, maakt dat de relatie nogal kwetsbaar wordt. Juist omdat de partners vrij diffuse maar tevens

Tabel G. De voornaamste verwachtingen van mannen jegens hun vrouw naar opleiding 1965-1987.

	1965	**1975**	**1987**
goede moeder zijn			
lager onderwijs	32	38	33
middelbaar onderwijs	19	22	10
hoger onderwijs	5	11	6
intelligent zijn			
lager onderwijs	7	17	15
middelbaar onderwijs	25	37	37
hoger onderwijs	25	33	42
lief zijn			
lager onderwijs	15	17	27
middelbaar onderwijs	24	27	32
hoger onderwijs	55	33	38

Betekenis van de gegevens als in tabel 25.
Bron: SCP, *Bestand culturele veranderingen*, variabelen 509 en 511.

hooggespannen verwachtingen koesteren, kan de onvermijdelijke rou
tine van het dagelijks leven hen gemakkelijker teleurstellen. De problemen die men na afloop als oorzaak voor een scheiding noemt, liggen
veelal in de affectieve en relationele sfeer: zaken als tekortschietende
communicatie, verschillen in karakter, uit elkaar groeien of een onbe-
vredigende seksuele relatie worden het vaakst genoemd.[23]

5 Betekenis van kinderen

Met betrekking tot de relatievorming blijkt dat een grotere keuzevrijheid en hogere eisen elkaar bepaald niet uitsluiten. Iets soortgelijks
geldt bij het krijgen van kinderen. Enerzijds is er grote vrijheid ontstaan met betrekking tot de vraag of men wel kinderen wil en zo ja met
wie, wanneer en onder welke omstandigheden. Anderzijds nam de
betekenis van deze kinderen in het leven van hun ouders hoogstwaar-
schijnlijk toe. Op dit punt tekent zich scherper dan voorheen een

Tabel H. De voornaamste verwachtingen van vrouwen jegens mannen naar opleiding 1965-1987.

	1965	1975	1987
trouw zijn			
lager onderwijs	31	34	48
middelbaar onderwijs	42	29	37
hoger onderwijs	55	7	12
belangstelling tonen			
lager onderwijs	6	19	17
middelbaar onderwijs	7	27	33
hoger onderwijs	15	53	45
huiselijk zijn			
lager onderwijs	17	12	6
middelbaar onderwijs	10	9	2
hoger onderwijs	10	7	7

Betekenis van de gegevens als in tabel 26.
Bron: SCP, *Bestand culturele veranderingen*, variabelen 512 en 514.

scheiding der geesten af. Lange tijd waren de lusten en de lasten zó verdeeld dat het ouderschap een nogal ambivalente onderneming vormde. Maar '... met het wegvallen van de meer traditionele motieven voor het krijgen van kinderen en het ontstaan van de moderne anti-conceptionele praktijken worden die ambivalente gevoelens meer en meer beseft en zijn ze deel gaan uitmaken van een proces van bewuste besluitvorming over de vraag: wel of geen kinderen?' In het leven van veel volwassenen bezetten kinderen thans een minder prominente plaats dan vroeger: ze kunnen met het oog op hun werk of carrière van kinderen afzien, kunnen de geboorte van hun eerste kind tot later uitstellen en kunnen het kindertal in overeenstemming met hun wens beperken.[24] Maar op het moment dat men wél tot kinderen besluit, krijgen deze een overweldigende betekenis.[25]

Daarmee komt ook het gezinsleven in een ander licht te staan. De idealen van het moderne gezin – een plaats waar de gevoelens tussen ouders en kinderen bewust geuit worden en het opvoeden op een zorgvuldig begeleide groei naar emotionele volwassenheid neerkomt – kwamen de afgelopen decennia voor een steeds bredere laag van de bevolking binnen handbereik. Het reeds langer bestaande moderniseringsproces zette zich volgens Van Setten tot in de jaren tachtig door.[26] Het impliceerde onder meer 'dat de emotionele lading van de relatie met kinderen binnen het gezin steeds sterker en overheersender werd. Steeds meer werden kinderen op een koesterende en emotionele basis specifiek als kinderen gezien en behandeld (...) Terwijl kinderen economisch minder productief en minder onmisbaar werden, gingen ze (nog afgezien van de materiële kosten in geld en tijd) een steeds grotere emotionele investering (liefde, aandacht, energie) vergen. De motivatie van ouders om kinderen te krijgen, de beloning, de tegenprestatie die zij van hun kinderen verwachtten, verschoof naar hetzelfde emotionele vlak'.[27]

Tegen deze achtergrond worden enkele observaties uit het *Sociaal en Cultureel Rapport* 1996 meer begrijpelijk.[28] Laten we bijvoorbeeld eens kijken naar de antwoorden op de vraag wat Nederlanders in de loop der jaren als het voornaamste in hun leven opvatten (grafiek 29 en 30). Opvallend is dat een 'goede gezondheid' niet alleen het hoogste scoort, maar dat die score tussen 1966 en 1985 nog gevoelig stijgt. In het laatste

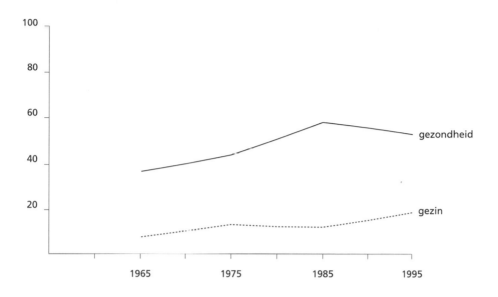

Grafiek 29: waardering (in procenten) voor een goede gezondheid en een leuk gezin als het voornaamste in het leven.

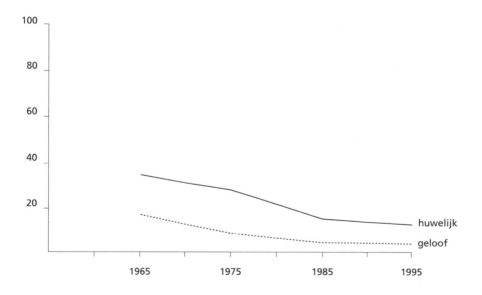

Grafiek 30: waardering (in procenten) voor een goed huwelijk en een sterk geloof als het voornaamste in het leven.

jaar geeft bijna tweederde van de ondervraagden dit als het voornaamste in hun leven op. In 1995 is dit aandeel licht gedaald, maar nog altijd staat bij meer dan de helft van de mensen hun gezondheid op de eerste plaats. De waardering voor een 'sterk geloof' daarentegen neemt voortdurend af en wel in die zin dat medio jaren zestig zo'n 16 procent dit als het meest waardevolle zag terwijl dat in 1995 nog maar geldt voor 4 procent. De waardering voor huwelijks- en gezinsleven geeft een lichte afname te zien: in 1966 stelt 42 procent dit aspect voorop en in 1995 bedraagt dat aandeel 32 procent. Opmerkelijk is de verschuiving die zich bínnen deze categorie heeft voorgedaan. Terwijl eerst de nadruk lag op een 'goed huwelijk', komt die in later jaren meer te liggen op een 'leuk gezin'. Het kan zijn dat dit slechts een kwestie is van terminologie – uitdrukkingen als een 'goed huwelijk' klinken vandaag de dag wat ouderwets. Maar we mogen niet uitsluiten dat het gaat om een substantiële verandering. Vooral de betekenis van kinderen – geringer in aantal en stuk voor stuk gewenst – zou tegenwoordig wel eens groter dan dertig jaar geleden kunnen zijn.

Er zijn nog meer tendenzen die in deze laatste richting wijzen. Neem bijvoorbeeld het antwoord op de vraag over welke zaken men zich zoal zorgen maakt. Grafiek 31 en 32 geven voor de periode 1958-1995 de score voor een aantal onderwerpen weer. Drie zaken vallen hierbij op. We zien ten eerste dat er een verschil bestaat tussen iets belangrijk vinden en zich daar zorgen over maken. De eigen gezondheid vindt men in Nederland steeds van groot belang, maar het is niet het onderwerp dat de meeste mensen zorgen baart. We stellen ten tweede vast dat de Nederlanders tussen 1958 en 1995 over de hele linie veel bezorgder geworden zijn. Voor bijna alle items geldt dat het aandeel van de bezorgden in veertig jaar zowat verdubbeld is. Ten derde zien we dat in vrijwel alle jaren het gezin de meeste zorgen oproept, met uitzondering van 1975 toen de score van de politiek het hoogst was. Tussen 1986 en 1995 nam de bezorgdheid over het gezin bij velen zelfs scherp toe, met als gevolg dat in dit laatste jaar tweederde van de ondervraagden wordt geplaagd door zorgen over het gezin.

Opnieuw kan men een dergelijke ontwikkeling op twee manieren opvatten. Men kan stellen dat het gezin werkelijk in een crisis terechtgekomen is en de afgenomen populariteit van het formele huwelijk of

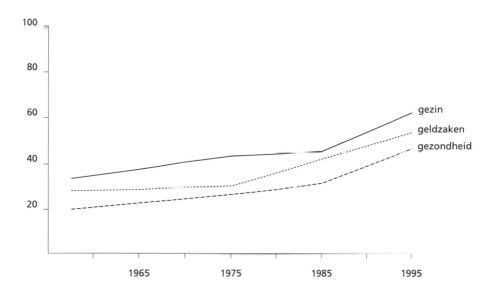

Grafiek 31: percentage ondervraagden dat zich zorgen maakt over gezondheid, geldzaken en gezin.

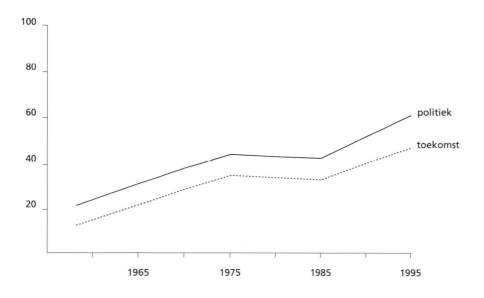

Grafiek 32: percentage ondervraagden dat zich zorgen maakt over de toekomst en de politiek.

de toename van echtscheiding in deze zin verstaan. Een toename van de zorgen rond het gezin ligt dan voor de hand. Maar men kan ook de omgekeerde argumentatie volgen. De groeiende bezorgdheid zou evengoed uit gestegen ambities kunnen voortvloeien, uit het feit dat de mensen tegenwoordig veel hogere eisen aan zichzelf, aan gezinsgenoten en aan hun relaties met die gezinsgenoten stellen.

* * *

Welke conclusie kunnen we nu uit dit eerste deel trekken? Laten we om te beginnen erkennen dat er verschillende gegevens zijn die een wat pessimistische visie op het gezinsleven lijken te rechtvaardigen. Zo nam de omvang van de gezinnen af en verminderde het kindertal. Het aantal echtscheidingen gaf vanaf de jaren zeventig een explosieve groei te zien. Het huwelijk wordt door steeds meer paren als een formaliteit beschouwd en maakt meer en meer plaats voor ongehuwd samenwonen. Het kerngezin – waaruit aanvankelijk de grote meerderheid van alle huishoudens bestond – wordt niet langer als model aanvaard. Het aantal alleenstaanden nam met rasse schreden toe. Seksuele relaties zijn binnen alle geledingen totstandgekomen en lopen niet noodzakelijk op een (duurzame) relatie uit. En daarmee noemen we slechts enkele van de meest opvallende veranderingen die het gezinsleven de afgelopen decennia heeft ondergaan. Velen geloven dan ook dat er van de voormalige hoeksteen niet meer rest dan stof en gruis. Naar ons idee is deze zienswijze echter geheel onjuist. En wel om een viertal redenen.

Ten eerste vloeien de meeste van deze verschijnselen niet voort uit een crisis van het gezin, maar uit een proces van differentiatie. Voor vrijwel elk aspect van het gezinsleven kan men vaststellen dat er nieuwe vormen zijn ontstaan zonder dat de oude geheel verdwenen zijn. Dat is duidelijk het geval bij de paarvorming waar naast de duurzame relatie tussen man en vrouw een heel scala aan alternatieven tot ontwikkeling gekomen is. Homo of hetero, duurzaam of kortstondig, gehuwd of ongehuwd, samenwonend of apart, met of zonder kinderen, we kennen het tegenwoordig allemaal. De organisatie van het huishouden geeft eenzelfde diversiteit te zien. Dit proces van differentiatie heeft zich evengoed voorgedaan bij het krijgen van kinderen.

Sommigen zien hier met het oog op hun carrière of om andere redenen definitief van af. Anderen stellen het uit tot een geschikt moment. En weer anderen doen, omdat het langs de natuurlijke weg niet gaat, een beroep op de medische techniek om hun kinderwens alsnog in vervulling te doen gaan. Het aantal mogelijkheden is zeer ruim en zal in de nabije toekomst naar verwachting alleen nog maar ruimer worden.

Overigens beperkt deze differentiatie zich niet tot het gezinsleven. Ze werkt in de gehele moderne levenswijze door. Ze hangt samen met het feit dat er in de levensloop enkele nieuwe fasen bijgekomen zijn. Jongeren gaan eerder op zichzelf wonen terwijl ze het krijgen van kinderen tot een later tijdstip uitstellen. Daardoor ontstaat een veel langere jeugdfase waarin men ervaringen met liefde en relaties, seksualiteit en samenwonen kan opdoen. Zo zijn er verschillende opties voordat men zich binnen een duurzame relatie vastlegt. Maar ook als zo'n relatie sneuvelt, dienen zich diverse wegen aan. Seks, liefde, samenwonen en voortplanting zijn niet langer elkaars noodzakelijke voorwaarden en kunnen elk voor zich – en in elke gewenste combinatie – gepraktiseerd en nagestreefd worden. In de praktijk kiezen de meesten voor een vorm van seriële monogamie en daarmee perken ze het aantal opties vanzelfsprekend in. Dit neemt echter niet weg dat de gehele levensloop in vergelijking met een paar decennia terug veel gevarieerder en flexibeler geworden is.

Dit proces heeft tot gevolg gehad dat het kerngezin niet langer als normatief of maatschappelijk model fungeert. Er is de afgelopen dertig jaar in Nederland een zeer liberaal klimaat ontstaan waarin vrijwel alle seksuele voorkeuren, opvoedingsstijlen of huishoudelijk patronen door een groot deel van de bevolking aanvaard worden. Waar het gaat om de keuze van *anderen* is men bijzonder tolerant. Maar dat betekent nog niet dat men voor *zichzelf* geen uitgesproken voorkeur heeft. Integendeel. Voor de meeste mensen geldt dat zij nog altijd vrij klassieke idealen nastreven. Dat is ook meteen de tweede reden waarom het nogal meevalt met de zogenaamde crisis van het gezinsleven. Verreweg de meeste mensen streven een duurzame relatie na, doorgaans met iemand van het andere geslacht. De verwachtingen van man en vrouw zijn min of meer klassiek: hij verwacht van zijn echtgenote dat ze een goede moeder is, zij verwacht van haar man dat hij haar trouw zal zijn.

Deze verlangens blijken de afgelopen decennia nauwelijks te veranderen. Gedurende een korte tijd – in het bijzonder in de jaren zeventig – stond men wat luchthartig tegenover seksuele trouw, maar inmiddels blijkt de waardering daarvoor herstellende. Zoals gezegd strekt de kinderwens zich niet tot alle paren uit, maar bij degenen die wél kinderen willen blijkt het verlangen dikwijls zeer intens.

We moeten dus onderscheid maken tussen de vaststelling dat het gezin zijn functie als normatief model verloren heeft én de vaststelling dat velen er feitelijk een of andere vorm van gezinsleven op nahouden. Ondanks het differentiatieproces leeft driekwart van de bevolking nog altijd in gezinsverband. In een aantal landen is de waardering voor het gezin weer stijgende. Opmerkelijk voor Nederland is bovendien dat velen vasthouden aan een traditionele taakverdeling naar geslacht. Zolang er nog geen kinderen zijn, worden betaald werk en huishoudelijke taken tussen man en vrouw verdeeld, maar na de geboorte van het eerste kind treedt het oude patroon weer in werking. Verreweg de meeste vrouwen geven dan hun betaalde arbeid op om zich ten minste een aantal jaren te wijden aan het moederschap. Worden de kinderen wat ouder dan nemen deze vrouwen wel een baan, ofschoon het meestal om een parttimefunctie gaat. De echte tweeverdieners vormen slechts 13 procent van alle huishoudens. De 'anderhalfverdieners' komen nog het meeste voor. Een en ander illustreert dat het gezin in Nederland allesbehalve aan het verdwijnen is. Het is niet alleen blijven bestaan, maar houdt in bepaalde opzichten zelfs aan zeer traditionele vormen vast.

Tegelijkertijd is het zo dat het gezinsleven – maar dan in andere opzichten – wel degelijk gewijzigd is. Dat brengt ons bij het derde argument om de crisis van een relativering te voorzien. Zelfs een 'traditioneel' gezin uit het midden van de jaren negentig zit heel anders in elkaar dan een gezin van veertig jaar terug. Men hoeft slechts te denken aan het hogere opleidingsniveau van tegenwoordig of aan de gevolgen die de secularisatie heeft gehad. Net als andere sectoren in de maatschappij kende ook het gezin de overgang van een bevels- naar een onderhandelingshuishouding. De betrekkingen tussen de gezinsleden werden informeler en meer egalitair van aard. De permissiviteit van ouders tegenover hun kinderen nam over de hele breedte toe. Over het algemeen heerst er in de Nederlandse gezinnen een warm en kind-vriendelijk klimaat. Problemen zijn beter bespreekbaar dan voorheen, het uitwisselen van gevoelens vinden velen van belang. Een en ander heeft ook de machtspositie van jongeren en die van vrouwen versterkt. Wat betreft de interne verhoudingen is het gezinsleven uit de jaren vijftig dus niet te vergelijken met dat van nu.

Voor de externe betrekkingen geldt in grote lijnen hetzelfde. Het moderne gezin is geen gesloten eenheid meer. Het is een open netwerk geworden waarvan de leden aan tal van andere netwerken deelnemen. Als gevolg daarvan werken de krachten van buitenaf sterk door. Het gezin moet de druk die van de school, de leeftijdgenoten en de jeugd-cultuur op jongeren uitgaat (leren) hanteren. Het gezin heeft te maken met de invloed die betaalde arbeid of emancipatie op het leven van de vrouw uitoefenen. Het kan zich niet afsluiten voor beelden en berich-ten van de massamedia terwijl het op specifieke punten (gezondheids-zorg, opvoeding enzovoort) wordt benaderd door velerlei deskundi-gen. Door dit alles neemt zowel de druk als de drukte in veel gezinnen toe. Vooral ouders met jonge kinderen moeten aan vele verplichtingen voldoen. De omvang van hun vrije tijd neemt langzaam af. Het combi-neren van betaald werk en taken in het huishouden vergt grote kosten in termen van tijd, geld en energie. Logistieke moeilijkheden nemen toe en in de meeste gevallen komen werkgevers of overheid de gezin-nen onvoldoende tegemoet.

Betekenen deze moeilijkheden nu dat het minder goed zou gaan met het gezin? Dat lijkt ons geenszins het geval. Een vierde argument is namelijk dat onze ambities geleidelijk gestegen zijn. Zo worden er – afgezien van de klassieke wensen die hiervoor zijn genoemd – hogere eisen aan de levenspartner gesteld. Vandaag de dag acht men vooral sociale en affectieve kwaliteiten van belang, de betekenis van prakti-sche en huishoudelijke vaardigheden neemt af. Hoge verwachtingen heeft men eveneens van de eigen kinderen. De feiten dat per gezin vaak niet meer dan een of twee kinderen geboren worden, dat elk kind voortkomt uit een bewuste keuze en dat het verlangen naar kinderen vaak heel sterk blijkt, dragen daar uiteraard toe bij. Vermoedelijk nam de betekenis van kinderen – althans voor degenen die ervoor kiezen – in de loop der jaren toe. Hoewel de liefde, aandacht en energie die ouders aan hun kinderen besteden nauwelijks te meten is, mag men veilig aannemen dat de investeringen *per kind* inmiddels toegenomen zijn. Dat blijkt in elk geval wel uit de financiële gegevens die we verzameld hebben. We constateerden niet alleen een forse (en reële) stijging van de uitgaven voor kinderen, maar ook een verschuiving in de aard van die bestedingen. Het aandeel van de kosten voor voedsel, kleding en andere primaire levensbehoeften nam af, terwijl de uitgaven op het vlak van sociaal-culturele ontwikkeling toenamen.

Uit de voorgaande vier argumenten laat zich naar onze mening afleiden dat de betekenis van het gezinsleven tegenwoordig groter is dan enkele decennia terug. Dat geldt in elk geval voor de *subjectieve* betekenis – de waarde of het belang dat de betrokkenen zelf aan het gezin hechten. Daarnaast kan men zich de vraag stellen of het gezin ook in objectieve zin, dat wil zeggen voor de maatschappij in haar geheel, meer belang gekregen heeft. Daarop zullen we in een volgend hoofdstuk nog terugkomen. Vooralsnog geloven wij dat de verwachtingen van de gezinsleden zelf tegenwoordig hooggespannen zijn. Dat laat zich overigens goed rijmen met de vaststelling dat steeds meer mensen door zorgen over hun gezin geplaagd worden. Deze bezorgdheid wijst niet zozeer op een crisis of desintegratie maar op de hogere eisen die moderne mensen aan zichzelf en anderen stellen. Zij hangt ook samen met een verhoogde mate van onzekerheid zowel bij de ouders als bij hun kinderen. Het is waar dat collectieve normen en modellen weggevallen zijn, maar dat betekent niet dat de mensen met hun gezinsleven de gemakkelijkste weg kiezen. Het zou zelfs kunnen zijn dat bepaalde problemen door het hoge ambitieniveau juist vergroot worden. Wie enorm veel van zijn partner of kinderen verwacht, loopt meer kans op een teleurstelling.

DEEL II

TYPOLOGIE

Onze behandeling van het gezinsleven berust, zoals gezegd, op een viertal postulaten die zijn ontleend aan de evolutietheorie. Maar tot op heden is alleen het eerste postulaat, namelijk het postulaat van de historische verandering, aan bod geweest. In het voorgaande is een beeld geschetst van de manier waarop het Nederlandse gezinsleven zich de afgelopen decennia ontwikkeld heeft. Een probleem is evenwel dat we telkens spraken over 'het' gezin en dat er veelvuldig met gemiddelden gewerkt werd. In werkelijkheid is er niet zoiets als 'het' gezin. De gezinnen die werkelijk bestaan, wijken op vele punten van elkaar af. Ze geven altijd van een grote variatie blijk. Deze algemene waarheid gaat zeker na de jaren zestig op omdat de variatie vanaf die tijd sterk toegenomen is. Er zijn vele nieuwe soorten van gezinsleven ontstaan terwijl de oude, min of meer klassieke vormen nog altijd voorkomen. Eenzelfde differentiatie geldt voor de beleving of waardering van het gezinsleven. Het is dan ook de hoogste tijd om gevolg te geven aan het tweede postulaat – de eis dat men de gezinnen in hun onderlinge variatie ziet. Daartoe zullen we in dit onderdeel een aantal verschillen in gezinscultuur behandelen.

Dit betekent dat we – althans tijdelijk – van een ander perspectief uitgaan. Onze analyse zal vooral comparatief of typologisch zijn.[1] We schenken weinig aandacht aan de temporele kanten van het gezinsleven. We gaan bijvoorbeeld hier niet in op de soms ingrijpende veranderingen die het gezin in de loop van zijn eigen ontwikkeling doormaakt. Zoals bekend staat een gezin met jonge kinderen voor andere opgaven dan een gezin met kinderen die naar de middelbare school gaan.[2] Maar het opnemen van deze variabele compliceert de zaak nogal. Verder gaan we eveneens voorbij aan het effect dat de gezinscultuur via de opvoeding op de volgende generatie heeft – een thema dat in het vierde deel van ons boek behandeld wordt. De werkwijze waarvoor wij gekozen hebben, vergt een zekere schematisering. Dat is onvermijdelijk omdat elke typologie slechts een hulpmiddel voor het denken is, een poging om wat orde te scheppen in de chaotische aanblik die het leven van miljoenen gezinnen in Nederland nu eenmaal biedt. We beginnen daarom met een systematische behandeling van de belangrijkste gezinstypen (hoofdstuk 2.1). Vervolgens zullen we een aantal kenmerken van het moderne gezinsleven nader uitwerken (hoofdstuk 2.2).

2.1 GEZINSCULTUREN

Hoewel 'cultuur' in dit hoofdstuk regelmatig wordt gebruikt, lijkt een geschikte omschrijving van deze term nagenoeg onmogelijk. De pogingen daartoe door filosofen, geesteswetenschappers, antropologen en historici hebben slechts een omvangrijke verzameling van definities tot gevolg gehad.[3] Dit betekent echter niet dat men bij het onderzoek naar gezinsculturen op een willekeurige manier te werk mag gaan.[4] Daarom bespreken wij eerst de twee voornaamste dimensies van het gezinsleven: discipline en betrokkenheid. Deze dimensies komen naar voren bij een bestudering van de theoretische literatuur en lopen uit op een onderscheid tussen vier gezinsculturen (paragraaf 1). Vervolgens willen wij aantonen dat dit onderscheid ook in de praktijk bestaat. We beroepen ons daarbij op empirisch onderzoek door anderen, waaruit blijkt dat de Nederlandse gezinnen in twee groepen uiteenvallen. Dit gaat niet alleen op voor het punt van de huiselijke discipline (paragraaf 2) maar ook voor dat van de affectieve betrokkenheid (paragraaf 3). Daarmee zijn twee van de vier theoretisch onderscheiden gezinstypen geïdentificeerd. Vervolgens maken we – opnieuw aan de hand van onderzoek door anderen – aannemelijk dat ook de twee overige typen werkelijk bestaan (paragraaf 4 en 5).

1 *Twee dimensies*
Volgens hedendaagse inzichten zijn bij het opvoeden altijd twee dimensies in het geding. Zij worden in de pedagogische literatuur met

'ondersteuning' en 'controle' aangeduid en komen overeen met twee functies van ouders jegens hun kinderen. Ten eerste moeten ouders voor een gezonde en beschermde omgeving zorgen waarin het kind zich kan ontwikkelen. Ten tweede dragen ze kennis, waarden en normen over terwijl ze ook een zekere structuur bieden. Ondersteuning verwijst niet alleen naar het fysieke en emotionele welzijn van het kind maar ook naar gedragingen die zorg en liefde uitdrukken. Controle verwijst naar gezagsuitoefening en de middelen die daartoe worden ingezet.[5] Het spreekt voor zich dat elk van deze hoofdtaken in een groot aantal deeltaken uiteenvalt.[6] Duidelijk is eveneens dat men kan twisten over de termen waarmee het dubbele karakter van de opvoeding omschreven wordt. Zo hebben bepaalde auteurs een voorkeur voor uitdrukkingen als 'dominantie' en 'warmte', terwijl men vroeger graag in termen van 'gezag' en 'liefde' sprak. Maar dat is van secundair belang. Over het feit dat er bij de opvoeding twee verschillende repertoires aan de orde zijn, bestaat in de literatuur eenstemmigheid.[7]

Het is onzes inziens niet nodig om dit onderscheid te beperken tot de interactie tussen ouders en kinderen. De onderlinge betrekking tussen de ouders kan men evengoed vanuit een dubbele optiek bezien. Ook hier doen zich uitingen van zorg en liefde voor naast controle of machtsuitoefening. En hetzelfde geldt voor de manier waarop de kinderen met elkaar omgaan. Vandaar dat wij ervoor pleiten om alle interne betrekkingen van het gezin vanuit twee dimensies te bezien. De eerste duiden we als 'discipline' aan. Deze heeft betrekking op zaken als gezag, huisregels, machtsmiddelen, straf, controle, inspraak, onderhandelingen, bewegingsvrijheid, ongelijkheid, kortom alles wat behoort tot de 'economische' en 'politieke' dynamiek van het gezin. De tweede dimensie duiden we aan met de term 'betrokkenheid'. Deze verwijst naar zaken als communicatie, gevoelsleven, klimaat of sfeer, lichamelijkheid, openheid, intimiteit, ontplooiing, omgangsvormen, kortom alles wat tot de 'lichamelijke' en 'affectieve' dynamiek van het gezin behoort.

Nu is het niet zo dat elk gezin binnen deze twee dimensies of richtingen een onveranderlijke plaats inneemt. Nu eens zullen er tegengestelde krachten op elkaar botsen – bijvoorbeeld doordat ouders een afkeer hebben van straf terwijl ze toch hoge eisen op het gebied van de huisregels stellen. Dan weer zijn er grote verschillen tussen de gezinsleden – bijvoorbeeld doordat de vader nadruk legt op het gezag terwijl de moeder meer affectieve aandacht geeft. Maar in het algemeen zal er een (voorlopig) evenwicht bestaan, waarin het gezinsleven zich door een eigen mengeling van betrokkenheid en discipline onderscheidt. Voor onze typologie is van belang dat de score in beide opzichten zowel hoog als laag kan zijn. Theoretisch kan men op het punt van discipline (in 'verticale' richting om zo te zeggen) twee extreme vormen tegenover elkaar stellen, namelijk een zeer autoritaire en zeer egalitaire gezinscultuur. Evenzo kan men op het punt van de affectiviteit (in 'horizontale' richting) twee extreme vormen onderscheiden, namelijk een zeer conventionele en een zeer persoonlijke vorm van betrokkenheid.

Dit betekent dat er in theorie vier typen van gezinnen zijn, die zich telkens kenmerken door een specifieke combinatie van discipline en betrokkenheid. We duiden deze aan als het 'autoritaire', het 'communautaire', het 'egalitaire' en het 'laissez-faire'-gezin. Zoals blijkt uit bijgaand diagram, onderscheidt het autoritaire gezin zich door een nadruk op ouderlijk gezag en een sterk institutionele vormgeving van de affectieve component. Het communautaire gezin handhaaft de gezagsverhoudingen maar hecht veel waarde aan persoonlijke betrokkenheid. Het egalitaire gezin kent weinig hiërarchische verhoudingen in combinatie met weinig institutionele vormen. Terwijl het laissez faire gezin door een geringe mate van persoonlijke betrokkenheid en een geringe mate van discipline of gezag gevormd wordt. Dit laatste verwijst naar een gezinscultuur waarin ofwel de ouders ofwel de kinderen ofwel beiden hun gang gaan zonder zich veel om betrokkenheid of gezag te bekommeren.[8]

| | betrokkenheid | |
	laag	hoog
discipline hoog	autoritair	communautair
discipline laag	laissez faire	egalitair

Diagram 1: vier gezinsculturen en hun score op discipline en betrokkenheid

Er bestaat een interessante parallel tussen deze indeling en de door Mary Douglas onderscheiden typen in de culturele antropologie.[9] Wij zullen dat hier verder niet behandelen en ons beperken tot de vraag of onze typologie voor Nederland toepasbaar is. Twee empirische studies zijn ons daarbij behulpzaam.

2. Bevel of onderhandeling

Het eerste onderzoek waarop we ons baseren, werd verricht door Manuela du Bois-Reymond en anderen. Zij gaan vooral op vragen van gezag of discipline in en stellen twee gezinstypen tegenover elkaar: enerzijds de 'traditionele bevelshuishouding' en anderzijds de 'moderne onderhandelingshuishouding'. De voornaamste verschillen tussen deze twee typen komen op het volgende neer.[10]

Bij de traditionele bevelshuishouding is – ten eerste – de relatie tussen ouders en kinderen nogal autoritair. De gang van zaken in huis wordt eenzijdig door de ouders bepaald. Deze houden weinig rekening met de eigen wensen van hun kind en het kind zelf heeft weinig machtsbronnen om eventuele voorkeuren door te zetten. Discussie, laat staan onderhandelen over de inrichting van het gezinsleven komt nauwelijks voor. De ouders hebben per definitie gelijk en de bewegingsvrijheid van het kind is dan ook gering. De controle is vooral extern van aard. Straf is niet ongewoon, waarbij de strengheid en de aard van die straf niet ter discussie staan. Ten tweede is het takenpakket van man en vrouw zeer ongelijk verdeeld. Het traditionele patroon overweegt. Dat wil zeggen: vader treedt primair als kostwinner op, het huishouden en het leeuwendeel van de opvoeding komt op zijn echtgenote neer. Ten derde heerst er een strakke discipline in huis. Er zijn vele, vaste regels van kracht waar het kind nauwelijks invloed op heeft. Bij overtreding van die regels leggen de ouders weinig flexibiliteit aan de dag. Discipline lijkt soms een doel op zich. Deze is in elk geval niet op goede schoolresultaten gericht, want in dat opzicht is het ambitieniveau veeleer gering. Ten vierde heeft men een voorkeur voor de constellatie van het traditionele gezin. De ruimte voor afwijkende patronen of meningen is niet erg groot. De ouders stimuleren het uiten van afwijkende ideeën niet en maken het kind niet graag met andere levenspatronen vertrouwd. Als het aan hen ligt, krijgen hun kinderen een seksespecifieke standaardbiografie. Ten vijfde streven ze vooral opvoedingswaarden als gehoorzaamheid en aanpassing na. Het ontplooien van individuele kwaliteiten staat niet voorop. Ten zesde zijn de omgangsvormen nogal formeel. Men slaat het traditioneel 'zedelijke' hoog aan. Er is weinig ruimte voor intimiteit. Persoonlijke gevoelens worden moeilijk geuit en (de behoefte aan) een privé-sfeer bestaat eigenlijk niet. Het gezinsklimaat kan variëren van warm tot koel, maar geeft de kinderen over het algemeen wel een sterk gevoel van geborgenheid mee.

Bij het tegenovergestelde gezinstype 'de gereguleerde onderhandelingshuishouding' gaat het allemaal heel anders toe (zie Schema 1). Volgen we de thematische opsomming zoals die in het schema wordt gebruikt, dan zien we ten eerste dat de betrekkingen tussen ouders en kinderen niet autoritair zijn maar sterk egalitair. Weliswaar geldt ook hier dat de huisregels in laatste instantie door de ouders bepaald worden, maar de inbreng van de kinderen is erg groot. Op vele punten doen zich discussies en onderhandelingen tussen ouders en kinderen voor. Daarbij zet het kind diverse machtsbronnen in en nemen de ouders zijn of haar argumenten zeer serieus. Op het overtreden van de huisregels staat vrijwel nooit straf. Het kind moet zich wel verantwoorden maar als het goede argumenten heeft voor zijn gedrag, is de kous daarmee af. Ten tweede geeft de taakverdeling tussen man en vrouw een hoge mate van gelijkheid te zien. Gewoonlijk treedt de man wel als kostwinner op maar daarnaast verricht de vrouw full- of parttime werk buitenshuis. Bij het opvoeden van de kinderen speelt sekse geen rol. Ten derde gaat het huiselijk leven veel minder op vaste regels terug. Men bepaalt in onderling overleg de huisregels en heeft er geen moeite mee die weer te veranderen als gewijzigde omstandigheden daartoe noodzaken. Overigens spelen de schoolprestaties op dit punt wel duidelijk mee, want het ambitieniveau is in dit type gezinnen meestal hoog. Dat er – ten vierde – onder deze gezinnen meer pluriformiteit van opvatting en meer tolerantie bestaat, ligt voor de hand. De constellatie waarin men zelf verkeert, is door de hogere frequentie van echtscheiding, stiefgezinnen enzovoort veelal variabel en/of complex. Het kind wordt dan ook al vroeg met andere meningen en levenspatronen vertrouwd. De eigen toekomst staat in het teken van een keuzebiografie. Ten vijfde spelen waarden als tolerantie, respect en openheid bij de opvoeding een grote rol. Verder wordt veel waarde aan de eigen, individuele ontplooiing gehecht. De kinderen voelen zich vrij hun eigen mening te geven, ook wanneer die niet door anderen wordt ondersteund. Ten zesde zijn de omgangsvormen doorgaans zeer informeel. Men spreekt openlijk over onderwerpen die elders taboe zijn. De atmosfeer is ongedwongen en warm, persoonlijke gevoelens en zaken op lichamelijk vlak komen veelvuldig aan bod. De grens tussen kind en volwassene is nogal vaag. Het kind heeft – net als de overige gezinsleden – recht op privacy. Ook waar het gaat om de besteding van zakgeld, kleding of uitgaan, heeft het kind een behoorlijke bewegingsvrijheid.

Zo staan in het onderzoek van Du Bois c.s. twee heel verschillende gezinsculturen tegenover elkaar. Vanzelfsprekend zijn er ook bepaalde tussenvormen of overgangstypen, maar daarop komen wij later terug. Hetzelfde geldt voor de sociale condities waaronder deze typen kunnen voorkomen en voor de sociale effecten van de twee beschreven gezinsculturen. Voorlopig is het ons vooral te doen om het contrast tussen deze twee extreme typen, een contrast dat vooral de relatie tussen ouders en kinderen evenals de huiselijke discipline betreft en dat in schema 1 wordt samengevat.

	bevel	onderhandeling
ouderlijk gezag	autoritair	egalitair
onderhandelen	zelden	vaak
taken man/vrouw	ongelijk	gelijker
huisregels	gefixeerd	flexibel
leefvorm	kerngezin	variabel
opvoedingsdoel	gehoorzaamheid	zelfontplooiing
omgangsvormen	formeel	informeel

Schema 1: contrasten tussen de 'traditionele bevelshuishouding' (kolom 1) en de 'gereguleerde onderhandelingshuishouding' (kolom 2) volgens Du Bois.

3. Relatie of institutie

Het tweede onderzoek dat wij hier weergeven werd door Cees Straver en anderen verricht. Zij bestudeerden niet zozeer de 'verticale' verhoudingen in het gezinsleven (relaties tussen ouders en kinderen) als wel de 'horizontale' (betrekkingen tussen partners en tussen andere gezins-leden). Het ging hen vooral om de vormgeving van de onderlinge betrokkenheid. Ook zij stellen twee situaties tegenover elkaar. In het ene geval domineert de logica van het klassieke huwelijk, in het andere wordt de gang van zaken veeleer door een relationele logica bepaald. De belangrijkste verschillen tussen beide situaties komen op het volgende neer.[11]

In het relationele model wordt over tal van zaken veel en intensief gepraat. Zowel het dagelijkse leven als de relatie zelf zijn onderwerp van gesprek en overleg. Eigen voorkeuren en ervaringen moeten expliciet worden gemaakt en voor eventuele spanningen of problemen geldt hetzelfde. In feite vindt er een voortdurende reflectie op de gang van zaken plaats. Ten tweede spelen individuele kwaliteiten en gevoelens een centrale rol. Dat blijkt al uit de manier waarop de keuze voor een partner wordt gemaakt – een keuze die een zeer persoonlijk stempel draagt – maar ook uit de inrichting van het samenleven. Intimiteit in de zin van het uitwisselen van gevoelens of gedachten, emotionele nabijheid, affectieve betrokkenheid en aandacht voor elkaar, zijn daarbij van groot belang. Ten derde kent dit model een grote openheid naar buiten toe. De aandacht gaat niet zozeer naar de eigen (schoon)familie maar naar een zelfgekozen kring van vrienden uit. Het is niet nodig dat de partners steeds als paar naar buiten treden, bepaalde vriendschappen zijn een individuele zaak. Men schroomt niet eventuele problemen met de eigen partner voor te leggen aan anderen, bijvoorbeeld goede vrienden of deskundigen. Ten vierde staat bij dit alles het belang van het betrokken individu voorop. Men vraagt zich regelmatig af of men voldoende aan zijn trekken komt. De relatie moet in dienst van de persoonlijke ontplooiing staan – niet omgekeerd. De regelingen die men treft staan niet bij voorbaat vast maar zijn het resultaat van overleg waarbij elke partner een eigen inbreng heeft. Dit is – ten vijfde – ook van invloed op de betekenis van seksualiteit en voortplanting. De seksuele omgang is niet vanzelfsprekend maar wordt persoonlijk ingevuld. Of men voor kinderen kiest spreekt evenmin voor zich maar hangt van persoonlijke voorkeuren of omstandigheden af. En ten zesde werkt dit alles ook in het huiselijk leven door. Weliswaar is het samenleven op bepaalde regels en routines gebaseerd, maar men wijkt daar graag van af. De taakverdeling is een onderwerp van regelmatig overleg en waar moeilijkheden opduiken moeten nieuwe afspraken gemaakt worden. Hoewel dit uiteraard onderhandelingen en de bereidheid tot het sluiten van een compromis vereist, doet men dat niet tegen elke prijs. Over het algemeen geldt dat men niet of anders alleen in uiterste noodzaak de eigen individualiteit opgeeft.

Uit deze beknopte opsomming blijkt al dat er tussen dit type relatie en het meer traditionele huwelijksleven aanmerkelijke verschillen zijn. Ter onderstreping daarvan gaan we voor het huwelijkse model dezelfde punten nog eens na. Ten eerste lijkt – althans vergeleken met de moderne relatievorm – de onderlinge communicatie in het huwelijkse model (zie Schema 2) veel beperkter. Niet dat de uitwisseling ontbreekt, maar ze heeft meer een vaste of zelfs rituele vorm en wordt zelden expliciet. Niet op woorden maar op daden komt het aan. Eventuele spanningen worden niet gauw uitgepraat, men reageert bij voorkeur met non-verbale signalen en gedragingen. Ten tweede is de uitwisseling vooral op alledaagse voorvallen gericht. De meer persoonlijke gevoelens en ervaringen komen minder snel aan bod. Het streven naar intimiteit is slechts in beperkte mate een huwelijksmotief. De partners zoeken warmte, onderlinge steun en vertrouwen bij elkaar, maar tegelijkertijd blijft er een zekere afstand bestaan ten opzichte van elkaars gevoelsleven. Ten derde valt op dat deze huwelijken vaak gesloten van karakter zijn. De grenzen met de buitenwereld worden nogal streng bewaakt. Bij contacten met derden treedt men steeds als echtpaar op. Daarbij gaat de meeste aandacht naar de eigen (schoon)familie uit. Eventuele problemen worden niet of pas in een zeer laat stadium naar buiten gebracht. Op het vlak van normen en waarden staat – ten vierde – niet het individu maar de gezinseenheid centraal. Men hecht groot belang aan wederzijdse zorg en toewijding, aan een goede onderlinge band en aan een gezamenlijke taak, maar beoordeelt deze steeds in het licht van het geheel. De individuele wensen vormen geen uitgangspunt, ze moeten in dienst van de ander respectievelijk de institutie gesteld worden. Men oriënteert zich niet zozeer op eigen normen maar op de conventies van een voorgegeven leefmodel. Ten vijfde kleurt dit de betekenis van seks en voortplanting. Seksuele omgang is van groot gewicht, maar eerder als symbool van de verbintenis dan als een persoonlijke ontdekkingstocht. Het krijgen van kinderen vormt een integraal onderdeel van dit huwelijksmodel en het

dagelijks leven is in hoge mate afgestemd op hun verzorging of opvoeding. Ten zesde wordt het huiselijk leven sterk door het voorgaande
bepaald. Men heeft een voorkeur voor de klassieke taakverdeling tussen man en vrouw. In huis houdt men graag aan vaste regels en
gewoonten vast. Het samenleven is niet op telkens terugkerende
onderhandelingen of tijdelijke afspraken maar op sociaal aanvaarde
routines gebaseerd. Weliswaar berust de besluitvorming op overleg,
maar de partners zijn niet op het maximaliseren van de eigen inbreng
uit. Coöperatie en consensus zijn 'minimaal' van aard, in die zin dat
men zich naar de wensen van de ander voegt, tenzij men dat echt niet
kan. In het relationele model streeft men eerder een 'maximale' consensus na, in die zin dat men van de partner een actieve en enthousiaste ondersteuning van de eigen wensen verwacht.

Zo brengen Straver c.s. twee heel verschillende culturen in kaart.
Hoewel het relationele model in het recente verleden is ontstaan,
beschouwen de auteurs het onderscheid tussen het institutionele en
het relationele model niet als een zaak van traditie versus moderniteit.
In feite staan beide typen los van elkaar en zullen ze ook in de nabije
toekomst blijven bestaan. Verder is duidelijk dat elk van beide aan
bepaalde sociale condities gebonden is zoals ook hun effect in de sfeer
van opvoeding of beleving zeer verschillend kan zijn. We komen hierop in het volgende hoofdstuk terug. Voorlopig zullen we ons tot de
typologie in strikte zin beperken, daarbij in gedachten houdend dat
het hier vooral gaat om de relationeel-affectieve dimensie van het
gezinsleven. Het gaat dus om de vraag op welke wijze de onderlinge
betrokkenheid vorm krijgt waarbij het strikt 'institutionele' en het louter 'relationele' model twee extremen in de vormgeving zijn. Schema 2
geeft de voornaamste contrasten met een steekwoord weer.

	institutioneel	**relationeel**
communicatie	ritueel	verbaal
intimiteit	beperkt	essentieel
openheid	gering	groot
centrale norm	gezinseenheid	individu
voortplanting	vanzelfsprekend	in overleg
huisregels	conventioneel	eigen keuze
consensus	minimaal	maximaal

Schema 2: contrasten tussen een 'institutionele' en een 'relationele' vormgeving van de onderlinge betrokkenheid volgens Straver.

4 Een nieuw gezinstype

Het zal de lezer niet ontgaan dat er een zekere samenhang tussen de tot nu toe gemaakte indelingen bestaat. Theoretisch gezien zijn bij het onderzoek van Du Bois en Straver twee verschillende dimensies in het geding, te weten discipline en betrokkenheid. Toch menen wij dat het empirisch gesproken om dezelfde gezinsculturen gaat. Om dat te illustreren verwijzen we naar onze eigen typologie en bijbehorend diagram. Zowel de traditionele bevelshuishouding (Du Bois) als het model van huwelijkse logica (Straver) kunnen in het linkerbovenkwadrant worden geplaatst. Zij kenmerken zich immers door een hoge mate van huiselijke discipline in combinatie met een sterk institutionele vorm van betrokkenheid. In onze termen zijn beide als een autoritaire gezinscultuur te kenschetsen. Verder horen zowel de onderhandelingshuishouding (Du Bois) als het model van de relationele logica (Straver) in het kwadrant rechtsonder thuis. Zij onderscheiden zich immers door een hoge mate van persoonlijke betrokkenheid samen met een streven naar meer gelijkwaardige verhoudingen. Zelf spreken wij in dat geval van een egalitaire gezinscultuur. Aldus laten de gezinstypen uit het empirisch onderzoek van Straver en Du Bois zich goed plaatsen in de dimensies van ons theoretisch diagram. Dat betekent echter dat er nóg twee typen kunnen bestaan. Enerzijds het gezin dat vasthoudt aan de traditionele gezagsrelatie jegens de kinderen maar tegelijkertijd een sterk persoonlijke betrokkenheid nastreeft (rechtsboven in het diagram). Anderzijds het gezin waarin die betrokkenheid juist weinig ontwikkeld is terwijl er eveneens weinig gezag en discipline heerst (linksonder in het diagram). Zijn er aanwijzingen dat deze gezinstypen inderdaad voorkomen? Volgens de bestaande literatuur is het antwoord op die vraag bevestigend. We zullen met een paar verwijzingen volstaan.

De eerste verwijzing is aan een onderzoek van Doornenbal naar modern ouderschap ontleend.[12] Ook zij deelt de gezinnen volgens bepaalde typen in, al maakt ze gebruik van eigen termen. Ze spreekt bijvoorbeeld van het 'traditioneel asymmetrisch ouderschapsarrangement', een type dat zich linksboven in ons diagram bevindt. Kenmerken van dit arrangement zijn onder meer de ongelijke taakverdeling tussen man en vrouw, een bevelshuishouding ten opzichte van de kinderen, een opvoeding tot gehoorzaamheid en aanpassing, een voorkeur voor de traditionele gezinsvorm, duidelijke huisregels, weinig inspraak voor de kinderen, nadruk op discipline en moraal enzovoort. Opmerkelijk is echter het type dat zij hier tegenoverstelt. Ze spreekt daarbij van het 'modern symmetrisch ouderschapsarrangement' en meent dat het de volgende kenmerken vertoont. Enerzijds bestaat het gezin uit gelijkwaardige individuen waarbij persoonlijke verschillen gerespecteerd worden. De huiselijke orde komt op basis van onderhandeling tot stand waarbij de taakverdeling niet per se aan geslacht gebonden is. Men beschouwt de opvoeding niet zozeer als een morele maar als een psychologische opgave waarbij de nadruk ligt op liefdevolle ondersteuning van de kinderen. Dat alles plaatst deze gezinnen dus aan de rechterzijde van ons diagram. Maar anderzijds houdt men vast aan het ouderlijk gezag. Aan de eindverantwoordelijkheid wordt niet getornd en de onderhandelingen spelen zich binnen door de ouders gestelde grenzen af. In feite is de macht van de kinderen gering. Ook op het vlak van sociale aanpassing en moraliteit worden geen echte concessies gedaan. Al met al komt hier een nieuw ideaal tot ontwikkeling: ouders die enerzijds emotioneel en zorgend bij hun kinderen betrokken zijn maar anderzijds niet terugschrikken voor het stellen van duidelijke grenzen en gezagsuitoefening. Doornenbal noemt dit type ouderschap 'autoritatief' en onderscheidt het van de 'autoritaire' ouder. In feite gaat het om een gezinscultuur waarin een sterke nadruk op discipline of gezag gepaard gaat met actief streven naar individuele en gevoelsmatige betrokkenheid. Precies de kenmerken die men van een gezin rechtsboven in het diagram verwachten mag.

Deze bijzondere combinatie is ook opgemerkt door Du Bois. Zij omschrijft dit type als een 'moderne bevelshuishouding' en meent dat het een 'overgang' of 'mengvorm' tussen de oude bevelshuishouding en de onderhandelingshuishouding is.[13] We laten dit historische aspect voor wat het is en volstaan nu met de vaststelling dat de 'moderne bevelshuishouding' rechtsboven in ons diagram thuishoort. Want enerzijds vertonen deze gezinnen een autoritaire trek, waarbij ouders de teugels strak in handen houden, het huiselijk leven vaste regels kent, echte onderhandelingen niet bestaan, het kind maar weinig invloed heeft en de gangbare gezinsvorm domineert. Dat alles plaatst het gezin aan de bovenzijde van het diagram. Maar van de andere kant hebben deze ouders aandacht voor de eigenheid en de ontwikkelingsfase van het individuele kind, leggen zij een open houding aan de dag, vinden ze een goede school van groot belang, achten ze zelfcontrole zinvoller dan straf, geven zij het kind een zekere autonomie en is het klimaat eerder warm dan koud. Deze kenmerken rechtvaardigen kortom een plaats aan de rechterzijde van het diagram. Deze ouders werken met hun opvoeding aan een 'gefaseerde zelfstandigheid' voor hun kinderen en daarin komen ze goeddeels met de zojuist besproken 'autoritatieve' ouders overeen. Samenvattend lijkt er wel degelijk een gezinscultuur te zijn waarin men op het vlak van discipline én van persoonlijke betrokkenheid hoge eisen aan zichzelf stelt, waarin gezag en liefde elkaar niet uitsluiten maar (wellicht) versterken.

5 Het vierde type

Zo komen we vanzelf bij de vraag of een tegengestelde van dit type eveneens voorkomt. Bestaan er gezinnen waarin niet alleen het ouderlijk gezag maar ook de onderlinge betrokkenheid juist heel slecht ontwikkeld is?

Hoewel deze combinatie in onze literatuur niet als een afzonderlijke soort behandeld wordt, wijzen diverse auteurs erop dat zij bestaat. Opvallend is dat zij vaak in verband met problemen als jeugdcriminaliteit of kindermishandeling ter sprake wordt gebracht. Zo wijst Angenent in zijn overzicht van de literatuur met betrekking tot jeugdcriminaliteit op de 'zwakte' van het ouderlijk gezag. Jeugdige criminelen komen relatief vaak uit een gezin waar de ouders weinig gezag hebben.

Hun opvoeding is toegeeflijk, vooral op het punt van agressief gedrag. De huiselijke discipline is gewoonlijk willekeurig of slap waardoor het kind niet wordt geleerd zich te houden aan regels en normen. De ouders zijn niet consequent en oefenen maar weinig toezicht uit op het doen en laten van hun kinderen. Ze weten soms niet waar ze uithangen of wat ze uithalen. Op het punt van discipline en gezag scoren deze gezinnen dus niet hoog. Maar hetzelfde moet van de andere dimensie worden gezegd. Volgens Angenent heerst er in het gezin van jeugdige criminelen vaak onverschilligheid. De jongeren voelen zich weinig betrokken bij de andere gezinsleden. De bejegening door hun ouders ervaren ze als koel en verwerpend. De opvoedingsmethoden zijn afstandelijk, zoals het toepassen van lichamelijke straf. Deze criminele jongeren voelen zich achtergesteld of afgewezen en klagen over het ontbreken van warmte. Sociale contacten van de ouders zijn beperkt. Hun onderlinge verhouding is weinig harmonieus. Ze hebben regelmatig conflicten zodat er in het algemeen veel ruzie is.[14] Kortom: ook op het punt van aandacht en betrokkenheid scoren deze gezinnen niet hoog. Moest men ze een plaats geven in ons diagram, dan kwamen ze in het kwadrant linksonder terecht.

Dit betekent niet dat alle gezinnen die in dit kwadrant ingedeeld worden de criminele kant opgaan. Maar er zijn wel vaak problemen met de opvoeding. In het kader van hun typologie wijzen Du Bois c.s. bijvoorbeeld op het feit dat 'ambivalente gezinnen' een aparte categorie vormen.[15] Het gaat om gezinnen waarin de controle, het klimaat of de bewegingsvrijheid van de kinderen een wisselend karakter hebben. De ermee samenhangende 'opvoedingsonmacht' kan zowel het gevolg zijn van een te grote tolerantie als van een te restrictieve houding. In beide gevallen ontbreekt het aan een consistente opvoeding. Ook het eenoudergezin staat bloot aan het risico van ambivalente betrekkingen, maar niet om dezelfde redenen. Zoals bekend komt de opvoeding in verreweg de meeste eenoudergezinnen op de moeder neer. Zij staat voor een zware taak, vooral wanneer ze als gevolg van echtscheiding een forse inkomensachteruitgang te verwerken heeft. Daarnaast zijn er interne factoren die het opvoeden bemoeilijken. Zo kampen veel alleenstaande moeders met een gezagsprobleem. Op het vlak van aandacht of ondersteuning voor hun kinderen onderscheiden zij zich nauwelijks van tweeoudergezinnen. Maar het uitoefenen van gezag gaat hen slechter af. Dat kan zijn omdat ze er alleen voor staan waardoor overbelasting of chronische vermoeidheid dreigt. Het kan zijn omdat ze last hebben van een schuldgevoel of omdat het combineren van liefde en strengheid in één persoon nu eenmaal niet eenvoudig is. Hoe het ook zij – er wordt in die gezinnen minder vaak op grenzen, regels en hiërarchie gelet. Er worden minder strenge eisen aan de kinderen gesteld. Tegendraads gedrag en minder goede schoolprestaties bij de kinderen zijn daarvan niet zelden het gevolg. In dat opzicht vormt het opgroeien in een dergelijk gezin dan ook een risicofactor voor de latere ontwikkeling.[16]

Van weer een andere orde zijn die gevallen waarin het kind misbruikt, mishandeld of verwaarloosd wordt.[17] In het laatste geval speelt gebrek aan kennis en/of motivatie bij de ouders een grote rol. De ouders zijn in hun eigen jeugd vaak zelf het slachtoffer van verwaarlozing geweest, waardoor hun vermogen tot zorgen en troosten slecht ontwikkeld is. Soms signaleert men affectieve vervlakking als gevolg van het gebruik van alcohol of drugs. Het gaat om ouders die zich in de regel hard en egocentrisch opstellen, meestal bij de dag leven, vaak van partners wisselen en hun gebrek aan affectie afkopen met een duur cadeau. Deze ouders schieten duidelijk tekort, vooral door hun gebrekkige betrokkenheid. Voor gezinnen waarin kindermishandeling voorkomt, geldt globaal hetzelfde. Deze ouders hanteren veelal een rigide opvoeding en stellen bij voortduring te hoge eisen aan hun kinderen. Er heerst een repressief klimaat dat echter schuilgaat achter een façade van burgerlijk fatsoen. Doorgaans leven deze gezinnen in een sociaal isolement. En ten slotte zijn er nog de 'multi-problemgezinnen', waar alles wat maar mis kán gaan ook daadwerkelijk misgaat. Dat vloeit meestal uit een samengaan van externe omstandigheden en gezinsinterne factoren voort, maar een feit is dat de opvoeding er niet goed verloopt. Het huishouden is zeer rommelig en men wordt geplaagd door geldgebrek. Het ouderlijk gezag blijkt kwetsbaar en berust op (lichamelijke) overmacht. De opvoeding is niet consequent en men brengt de kinderen geen discipline of besef van normen bij. Kinderen die onder deze omstandigheden opgroeien, lopen het risico die houding te herhalen wanneer ze eenmaal zelf ouder zijn, met als gevolg dat de opvoedingsproblematiek een quasi-erfelijk karakter krijgt.

Men kan zich afvragen of al deze problemen wel onder een noemer ondergebracht kunnen worden. Jeugdcriminaliteit, eenoudergezinnen of kindermishandeling worden vanuit verschillende specialismen bestudeerd en dat is natuurlijk niet voor niets. Maar vanuit typologisch oogpunt hebben deze problemen óók iets gemeen, namelijk een weinig productieve combinatie van discipline en betrokkenheid. Bij sommige eenoudergezinnen heerst grote betrokkenheid maar levert de gezagsuitoefening problemen op. Ouders die hun kinderen mishandelen maken vaak de omgekeerde fout: zij dwingen wel veel discipline af maar schieten in affectief opzicht tekort. Terwijl de gezinnen met veel jeugdige criminelen in beide opzichten falen, omdat het zowel aan ouderlijk gezag als aan betrokkenheid ontbreekt. Moesten wij deze gezinnen in ons diagram een plaats geven, dan kwamen ze in (de buurt van) het kwadrant dat naar lage scores voor discipline en betrokkenheid verwijst, linksonder dus. De vraag wat de overeenkomsten en verschillen tussen al die gezinnen zijn, lijkt ons een kwestie van empirisch onderzoek. Hier ging alleen maar om de vraag of gezinnen met een lage score op beide dimensies behalve denkbaar ook in de praktijk aanwijsbaar zijn.

2.2 MODERNE VERSCHIJNSELEN

We zeiden al dat de aandacht in dit onderdeel vooral naar de variatie in gezinsculturen zal uitgaan. Dat is ook in overeenstemming met het tweede postulaat van onze evolutionistische benadering. De vraag naar het ontstaan van die verschillen verschuift dan even naar de achtergrond. In deel I bleek evenwel dat bepaalde gezinsvormen al langer voorkwamen terwijl andere pas in de jaren zeventig zijn ontstaan. Met name het egalitaire en het communautaire gezinstype zijn betrekkelijk recent. Men kan zich daarom afvragen welke omstandigheden het gezinsleven beïnvloeden. In het volgende zullen wij vijf van dat soort invloeden bezien. We beginnen met een klassieke vraag, namelijk in hoeverre de cultuur van een gezin door zijn maatschappelijke positie wordt bepaald (paragraaf 1). Dan komt het effect van de genoten opleiding aan bod (paragraaf 2). Vervolgens blijkt ook de gekozen leefvorm een factor van betekenis (paragraaf 3). Ten slotte bespreken we twee kenmerken die men vooral bij de meer moderne gezinsvormen aantreft: het streven naar meer flexibiliteit in de betrekkingen (paragraaf 4) en de hoge verwachtingen die men van de verbale communicatie heeft (paragraaf 5).

1 Sociale klasse

De vraag in hoeverre er een samenhang tussen sociale klassen en gezinscultuur bestaat, is om een aantal redenen niet eenvoudig te beantwoorden. Ten eerste leggen vele onderzoekers zich op gezinnen uit de sociale middenklasse of hogere klasse toe. Deze zijn het gemakkelijkst te benaderen en blijken vaker bereid om mee te werken aan een onderzoek.[1] Ten tweede gaat van de gebruikte onderzoeksmethoden al snel een selectieve werking uit. Het invullen van een uitgebreide vragenlijst of het voeren van een gesprek over problemen rond de opvoeding gaat mensen uit de hogere klasse door de bank genomen gemakkelijker af. Een zekere ondervertegenwoordiging van de lagere klassen is daarvan het resultaat, zelfs wanneer men tracht de onderzoeksgroep zo representatief mogelijk te laten zijn.[2] Ten derde zijn er uiteenlopende definities van sociale klasse in gebruik. Sommige auteurs gaan uit van sociaal-economische kenmerken (inkomen, status enzovoort), andere betrekken er sociaal-culturele eigenschappen bij (voltooide opleiding) en weer andere beperken zich tot een globale indeling in drie niveaus (laag, midden, hoog) waarbij het criterium niet altijd even helder is. Ten vierde zijn er aanwijzingen dat het gewicht van de sociale klasse op een aantal punten minder groot is dan men vroeger heeft gedacht. Verschillen in consumptiepatroon of levensstijl zeggen soms meer over het gezinsleven dan beroep of stand.[3] Er zijn dan ook onderzoekers die menen dat er geen duidelijk verband tussen sociale klasse en gezinscultuur bestaat.[4] Anderen wijzen erop dat het verband tussen klasse en gezinscultuur in de loop der tijden varieert. Vooral het gewicht van sociaal-economische factoren zou de afgelopen dertig jaar wel eens sterk verminderd kunnen zijn. We zullen ons tot de voornaamste bevindingen van recent onderzoek beperken.

De sociale positie lijkt vooral de 'verticale' dimensie van het gezinsleven te beïnvloeden. Over zaken als discipline of gezag wordt in de verschillende milieus gewoonlijk niet hetzelfde gedacht. Zo grijpen ouders uit de laagste klasse relatief vaak terug op machtsuitoefening en straf. Ze hechten meer aan strikte regels of gewoonten en hun kinderen krijgen weinig autonomie. Rispens stelt dat ouders uit de lagere sociale klasse vaker autoritair optreden dan ouders uit de middenklasse of hogere klasse. Ze laten zich minder gelegen liggen aan de eigen gevoelens van het kind en zijn omzichtiger in het lichamelijk contact. Aanpassing aan de eisen van de samenleving vinden zij een belangrijk doel. Ouders uit de middenklasse en hogere klasse daarentegen hechten meer waarde aan sociaal gevoel en autonomie. Ook oefenen zij op een wat andere manier controle uit.[5]

Toch zou het onjuist zijn hieruit af te leiden dat het in hogere kringen allemaal gemakkelijker toegaat. Deze ouders zijn dan misschien minder autoritair, maar dat betekent niet dat ze minder eisen aan zichzelf of hun kinderen stellen. Integendeel: het ambitieniveau staat doorgaans met de sociale klasse in verband en wel in die zin dat ouders uit een hoger milieu minder snel tevreden te zijn. Uit het onderzoek naar *Opvoeden in Nederland* blijkt onder meer dat ouders uit de hogere klasse zich in hun rol als opvoeder vaker beperkt voelen en minder bevrediging ervaren dan die uit de lagere klasse. 'Het is mogelijk dat deze ouders veel hogere eisen stellen aan zowel het kind als aan zichzelf, waaraan soms moeilijk kan worden voldaan...'[6] Dit geldt trouwens niet alleen met betrekking tot de opvoeding. In seksueel opzicht onderscheidt de hogere klasse zich eveneens door hogere verwachtingen, met als gevolg dat ook op dat punt vaker onvrede bestaat.[7]

Het ambitieniveau van de ouders werkt sterk door in de levenshouding van hun kinderen. Jongeren uit een hoger milieu vinden het maken van carrière en het bereiken van een leidinggevende positie van groot belang. Jongeren uit een laag milieu zijn minder ambitieus en hechten vooral belang aan een goed inkomen. Deze hebben dan ook minder uitgesproken plannen of verwachtingen. Ze denken niet dat ze veel invloed hebben op hun latere leven. Uiteindelijk zullen ze vanzelf wel uitkomen op 'een leuke baan en een leuk gezin'. In het midden milieu hebben jongeren meer omschreven voorstellingen van hun toekomst: ze gaan eerst zelfstandig wonen, krijgen dan een vaste baan en vervolgens een vaste relatie. Jongeren uit de hogere milieus daarentegen relativeren de volwassenheid bewust. Ze zien die niet als

een definitieve status en associëren deze sterk met individuele ontplooiing.[8]

Een en ander beperkt zich niet tot verwachtingen, maar komt ook tot
uiting in de feitelijke levensloop. Zo hangt het opleidings- en beroeps-
traject van jongeren in hoge mate van de houding van hun ouders af.
Kinderen uit de betere milieus kennen vaak een lange jeugdfase die
geheel in het teken van opleiding of ontplooiing staat. Jongeren die
relatief snel in een beroep terechtkomen, stammen veelal uit gezinnen
waar de ambities lager en de ouders strenger zijn.[9] Een vergelijkbaar
verhaal geldt voor de schoolloopbaan. Onder jongeren uit het midden
milieu en het hogere milieu komt het wisselen van opleiding veelvuldig voor. Ook stapelen zij gemakkelijk diverse studies op elkaar,
onderbreken hun opleiding of haken voortijdig af. Gevolg is dat het
stadium van de volwassenheid, met alle banden en verplichtingen van
dien, eerder door jongeren uit de lagere sociale klasse wordt bereikt.
Jongeren uit de hogere klasse stellen dat stadium veel langer uit en
relativeren het ook meer.[10]

Hoewel er dus op een aantal punten duidelijke verschillen naar
sociale klasse zijn, kan men hieruit niet afleiden dat het ene milieu
meer problemen kent dan het andere. In feite kunnen problemen zich
overal voordoen. Een goed voorbeeld daarvan is de criminaliteit van
jongeren. Vroeger meenden vele theoretici dat crimineel gedrag vooral
een zaak van de lagere klasse was. Dat wordt echter niet bevestigd door
empirisch onderzoek. Er blijkt maar een zwakke relatie te bestaan tussen jeugdcriminaliteit en een laag sociaal-economisch milieu.[11] Ook
problemen als seksueel misbruik, mishandeling of verwaarlozing van
kinderen komen in alle maatschappelijke lagen voor.[12] Alleen de gezinnen die zich langdurig aan de onderkant van de maatschappelijke hiërarchie bevinden, vormen in dit opzicht een uitzondering. Daar is het
aandeel van de jeugdcriminaliteit bijvoorbeeld onevenredig hoog.[13]
Voor langdurige werkloosheid geldt hetzelfde. In gezinnen waarin
werkloosheid en afhankelijkheid van een uitkering haast vanzelfsprekend zijn, komen allerlei problemen bij elkaar. Het opleidingsniveau is
laag, er zijn veel gebroken huwelijken, mishandeling komt regelmatig
voor en de kinderen missen de aansluiting bij het onderwijs. Deze
gezinnen vertonen de neiging om zich af te sluiten en geen bemoeienis

van buiten toe te staan. Niet zelden nemen de moeilijkheden een quasi-erfelijk karakter aan.[14] Hoewel het hierbij om een zeer problematische groepering gaat, bedenke men dat zij niet erg omvangrijk is. Voor het overgrote deel van de gezinnen geldt dat hun eventuele problemen niet eenduidig aan hun sociale klasse zijn gerelateerd.

2 Opleiding

Anders dan sociale status of klasse, is de factor opleiding onmiskenbaar van invloed op de gezinscultuur.

Neem bijvoorbeeld de manier waarop het huwelijk wordt voorbereid. Straver c.s. maakten in dit opzicht onderscheid tussen het traditionele patroon, waar het kennismaken met de partner vooral een kwestie is van externe omstandigheden en maatschappelijke conventies, en een meer individueel patroon waarbij verkering het resultaat is van een actief en gericht zoeken naar een geschikte partner. Daarnaast onderscheidden zij een tussenvorm. Vervolgens onderzochten ze hoe deze drie patronen naar opleidingsniveau (hoog, midden, laag) waren verdeeld. Tabel I geeft de percentages weer. We zien dat er een duidelijke samenhang bestaat tussen verkeringspatroon en opleiding. Hoe hoger men is opgeleid, des te individueler verloopt het proces waarin men naar een huwelijkspartner zoekt. Bij de lager opgeleiden hangt het vinden van een partner meestal af van uitwendige factoren zoals het bereiken van een zekere leeftijd of de opinie van de familie. Bij hoogopgeleiden staat de partnerkeuze meer in het teken van persoonlijke kwaliteiten. Ook verschilt de wijze waarop de kennismaking wordt ingevuld. De eerste groep bereidt zich voor op de komende gezinstaken, bij de tweede staat het intensief verkennen van elkaars wensen en verwachtingen voorop.[15]

Tabel I. Aandeel (in procenten) van het verkeringspatroon (conventioneel, individueel) naar opleidingsniveau (hoog, midden, laag).

	hoog	midden	laag
conventioneel	34	58	78
tussenvorm	5	15	13
individueel	60	27	8

Bron: C. Straver e.a., De huwelijkse logica, p. 47-48.

Tabel J. Aandeel (in procenten) van het communicatiepatroon (beperkt, ondersteuning, uitwisseling) naar opleidingsniveau (hoog, midden, laag).

	hoog	midden	laag
beperkt	9	25	52
ondersteuning	0	34	34
uitwisseling	91	41	15

Bron: C. Straver e.a., De huwelijkse logica, p. 147-148.

Wanneer de relatie eenmaal gevormd is, doen zich opnieuw belangrijke verschillen voor. Dat geldt in elk geval voor de aard van de onderlinge communicatie. Straver c.s. hebben onderscheid gemaakt tussen relaties waar het vooral om de uitwisseling van persoonlijke gevoelens gaat, relaties waarbij dit soort communicatie zeer beperkt is en een tussencategorie waarbij de nadruk op gevoelsmatige ondersteuning ligt. Een en ander hing opnieuw samen met het opleidingsniveau. Uit tabel J blijkt dat de hoogopgeleiden een uitgesproken voorkeur aan de dag leggen voor het uitwisselen van persoonlijke gevoelens en ervaringen. Andere vormen van communicatie komen onder hen vrijwel niet voor. Bij de lager opgeleiden ligt het accent juist andersom terwijl de middelbaar opgeleiden met hun score een tussenpositie innemen.[16] Overigens is het effect van de sterk persoonlijk gerichte uitwisseling tweeledig. Enerzijds onderkennen de hoger opgeleiden meer problemen in hun huwelijk. Anderzijds zijn ze beter in staat om deze op te lossen.[17]

Het is niet alleen de interne communicatie die sterk door het opleidingsniveau beïnvloed wordt. Hetzelfde geldt voor contacten die men met derden onderhoudt en de sociale netwerken waarin men zich al dan niet gemakkelijk beweegt. Oosterbaan en Zeldenrust vergelijken in dit opzicht twee modellen met elkaar. Degenen die in een gesloten netwerk leven, gaan vooral met de eigen familieleden om. Ze lossen eventuele problemen bij voorkeur zelf op, hebben weinig behoefte om deze uit te praten met anderen en bezitten doorgaans een geringe sociale mobiliteit. Deze groep treft men vooral bij de laagopgeleiden en middelbaar opgeleiden aan. Daartegenover staan degenen die in een open netwerk leven. Zij zijn juist sterk op het bespreken en uitwisselen van hun ervaringen gericht. Hun sociale mobiliteit is groot en bij problemen vinden zij gemakkelijk hun weg naar hulpverleners of deskundigen. Deze groep vindt men vooral bij de hoogopgeleiden.[18]

Een vergelijkbare samenhang doet zich trouwens voor bij mensen die pas gescheiden zijn. Sommigen van hen vallen in die periode vooral op het vertrouwde maar qua omvang nogal beperkte netwerk van de eigen familie terug. Anderen bouwen via het werk of verenigingen een ruimer netwerk van nieuwe contacten op. Behalve sociale klasse en geslacht spelen hierbij opnieuw de verschillen naar opleiding een rol. Het zijn vooral de laagopgeleiden, ouderen en vrouwen die na een echtscheiding op kleine en hechte netwerken met relatief veel familieleden terugvallen. Grote en open netwerken daarentegen komen vooral bij hoger opgeleiden, jongeren en mannen voor. De relevantie van deze gegevens ligt onder andere in het feit dat de kans om een nieuwe partner te vinden bij open netwerken veel groter is.[19]

Keren we terug naar het gezin, dan zien we dat het bij de voorgaande resultaten eigenlijk om heel verschillende waarden of oriëntaties gaat. Bij de laagopgeleiden staat het huwelijksleven sterk in het teken van het gezin, terwijl de hoger opgeleiden meer op de relatie als zodanig gericht zijn. Het is waar dat er ook bij de laatste groepen vele paren zijn die het gezin centraal stellen, maar de relatie heeft bij hen vaker een eigen waarde of betekenis. Dat blijkt uit Tabel K. Daar is onderscheid

gemaakt tussen partners die zich beiden oriënteren op het gezin
(= gezin), partners die beiden hun relatie vooropstellen (= relatie) en
partners bij wie de oriëntatie een gemengde was (= gemengd). Eens te
meer zien we een duidelijk verband. Mensen met een lage opleiding
oriënteren zich in hun huwelijksleven massaal op het gezin. Een aanmerkelijk deel van de hoogopgeleiden doet dat eveneens maar een
even groot deel stelt persoonlijke betrokkenheid voorop. De verdeling
van degenen die een middelbare opleiding bezitten, ligt hier tussenin.[20]

Tabel K. Aandeel (in procenten) van de orientatie op een levensvorm (gezin, gemengd, relatie)
naar opleidingsniveau (hoog, midden, laag).

	hoog	midden	laag
gezin	41	61	86
gemengd	18	16	7
relatie	41	23	7

Bron: C. Straver e.a., De huwelijkse logica, p. 77.

Ten slotte blijkt de factor opleiding van invloed te zijn op het voortplantingspatroon. Hierbij gaat het vooral om de vraag welke scholing
de vrouw genoten heeft. Zo bepaalt het opleidingsniveau in hoge mate
de gemiddelde leeftijd waarop een vrouw haar eerste kind ter wereld
brengt. Bij vrouwen die alleen lager onderwijs genoten hebben, lag dat
gemiddelde in 1989 op 22,0 jaar, bij degenen met alleen middelbare
scholing op 23,7 jaar en bij vrouwen die hoger onderwijs hebben gehad
op 27,1 jaar. Ook is de factor opleiding van belang voor het percentage
vrouwen dat definitief kinderloos blijft. Men neemt aan dat van de
vrouwen die na 1960 werden geboren minstens 20 procent blijvend
kinderloos zal zijn. Essentiële factoren daarbij zijn opleiding en de
houding tegenover het combineren van werk en zorg. Van de vrouwen
die zichzelf typeren als 'carrièrevrouw' verwacht slechts 55 procent dat
zij ooit moeder worden. Bij de overige vrouwen gaat 90 procent van
die verwachting uit.[21]

3 Levensvormen

Als de voorgaande samenhangen inderdaad steekhoudend zijn, vloeien de vernieuwingen van de afgelopen twintig jaar niet zozeer uit veranderingen op het niveau van de sociale klasse voort als wel uit het gestegen opleidingsniveau. Dat zou in overeenstemming zijn met de verminderde populariteit van het klassieke huwelijk dat – zoals we in hoofdstuk 1 al zagen – van diverse alternatieve modellen concurrentie gekregen heeft.

Om dit verband te onderzoeken kan men verschillende levensvormen tegenover elkaar stellen, waarbij de vaste institutie van het huwelijk het ene uiterste en allerlei alternatieve samenlevingsvormen het andere uiterste vormen. Vaak staat het ongehuwd samenwonen daar ergens tussenin. Hierbij bedenke men dat er een belangrijk verschil tussen ongehuwd samenwonen en een formeel huwelijk bestaat. Bij een huwelijk legt men zich sterker vast, het vergt een engagement op langere termijn dat niet zo gemakkelijk ongedaan te maken is. Ongehuwd samenwonen daarentegen kent minder formele verplichtingen en geeft minder problemen bij eventuele ontbinding. Het gaat hierbij om méér dan formele kenmerken alleen.[22]

Het voorgaande blijkt onder meer uit een onderzoek door Van den Akker en Mandemaker naar de taakverdeling op huishoudelijk gebied. Over het algemeen hebben gehuwden traditionele tot zeer traditionele opvattingen over de taakverdeling tussen man en vrouw. Bij degenen die samenwonen, komen zowel traditionele als moderne ideeën voor, terwijl degenen die in een collectief verband wonen voor het merendeel modern zijn.[23] Tabel L geeft de verdeling van deze gerichtheden per leefsituatie aan. Op grond van deze tabel zou men kunnen zeggen dat het gewicht van moderne opvattingen over de taakverdeling in huis toeneemt wanneer men zich van het traditionele huwelijk verwijdert.

Opmerkelijk genoeg blijkt dit niet te kloppen als men naar de *feitelijke* taakverdeling kijkt. De volgende bezigheden gelden als een traditionele vrouwentaak: koken, afwassen, stoffen, stofzuigen, ramen wassen, was doen, strijken, badkamer en toilet schoonmaken, boodschappen doen, kleding repareren, huis opruimen en bed opmaken. Traditionele mannentaken zijn: tuin doen, grasmaaien, auto wassen en klusjes in of om het huis.[24] De verdeling van deze taken over de ver-

schillende levensvormen blijkt uit Tabel M. De praktijk van het gezinsleven wijkt dus op een belangrijk punt van de idealen af. Ten eerste
blijft de werkelijke gang van zaken in vrijwel alle huishoudens achter
bij de idealen die men heeft (alleen de collectief wonenden vormen een
uitzondering hierop). Ten tweede blijkt er op dat punt nauwelijks verschil tussen gehuwden en ongehuwd samenwonenden te zijn. Voor de
meeste situaties geldt dat vrouwen de meeste tijd aan het huishouden
besteden.

Tabel L. Aandeel (in procenten) van de opvattingen (traditioneel, modern) over taakverdeling
naar leefsituatie (HW = gehuwden, SW = samenwonenden, CL = collectief leefverband).

	HW	SW	C L	totaal
traditioneel	66	50	19	44
modern	34	50	81	56

Berekend op basis van P. van den Akker e.a., Geborgenheid, p. 181.

Tabel M. Feitelijke verdeling (in procenten) van de huishoudelijke taken (traditioneel, modern)
naar leefsituatie (HW = gehuwden, SW = samenwonenden, CL = collectief leefverband)

	HW	SW	CL	totaal
traditioneel	78	75	19	54
modern	22	25	81	46

Berekend op basis van P. van den Akker e.a., Geborgenheid, p. 182.

Tabel N. Feitelijke verdeling (in procenten) van de opvoedingstaken (traditioneel, modern) naar leefsituatie (HW = gehuwden, SW = samenwonenden, CL = collectief leefverband).

	HW	SW	CL	totaal
traditioneel	69	25	6	34
modern	31	75	94	66

Berekend op basis van P. van den Akker e.a., Geborgenheid, p. 182.

Op vergelijkbare wijze gingen Van den Akker en Mandemaker na hoe de taakverdeling tussen man en vrouw bij het opvoeden van de kinderen geregeld was. In dit opzicht zijn traditionele vrouwentaken: aankleden, voeden, naar bed brengen, naar school brengen en afhalen, helpen met huiswerk, verhalen aanhoren, verhaaltjes vertellen, bijbrengen wat mag en niet mag. Taken van man en vrouw gezamenlijk zijn: spelletjes spelen, met de kinderen ergens naar toe gaan, bezoek aan school in verband met gedrag of prestaties, schoolkeuze. De traditionele mannentaak is straf uitdelen.[25] De feitelijke verdeling van deze opvoedingstaken per leefsituatie blijkt uit Tabel N. Hierbij vallen meteen twee grote verschillen met de resultaten betreffende de huishoudelijke taakverdeling op. Ten eerste is het opvoeden van de kinderen over de gehele linie op een moderne manier verdeeld. In tweederde van de gevallen nemen zowel man als vrouw aan deze taken deel. Ten tweede blijken ongehuwd samenwonenden in *dit* opzicht aan de moderne kant te staan, terwijl ze met betrekking tot de huishoudelijke taken juist naar het traditionele patroon neigen.

Ten slotte brengen de drie levensvormen ook verschillen met zich mee waar het om het soort relatie gaat. Reeds in 1987 maakte Van der Avort een globaal onderscheid tussen twee typen betrekkingen: die waarbij de partners in een traditionele of 'burgerlijke' relatie tot elkaar staan en die waarbij ze een relatie van 'partnerschap' hebben.[26] Uit later onderzoek blijkt dat deze twee typen ongelijk over de levensvormen zijn verdeeld, al moeten we daarbij – net als in het geval van huishoudelijke en opvoedingstaken – een onderscheid tussen ideaal en feitelijk gedrag maken. Tabel O en P geven de procentuele verdeling over drie levensvormen weer. We zien dat ongeveer de helft van de ondervraagde paren een burgerlijke relatie ideaal vindt, zij het dat dit aandeel bij de gehuwden hoger ligt (66 procent) terwijl het bij collectief wonenden veel lager is (37 procent). De voorkeur voor een relatie die gebaseerd is op partnerschap vertoont een omgekeerd patroon. Slechts 25 procent van de gehuwden acht dit ideaal terwijl het onder degenen die collectief wonen 60 procent bedraagt. De samenwoners staan tussen beide groepen in. Kijkt men niet naar de ideale relatie maar naar het feitelijk gedrag, dan zijn de verschillen nog veel sterker. Bij de gehuwden brengt 90 procent een burgerlijke relatie in praktijk terwijl dat aandeel voor de collectief wonenden op 34 procent ligt. Omgekeerd wordt het partnerschap bij de gehuwden zeer zelden in praktijk gebracht (7 procent) terwijl dat voor de anderen in 55 procent opgaat. En opnieuw staan samenwoners tussen deze twee groepen in.

Tabel O. Verdeling (in procenten) van het ideale relatietype (burgerlijk, partnerschap, overige) naar leefsituatie (HW = gehuwden, SW = samenwonenden, CL = collectief leefverband).

	HW	SW	C L	totaal
burgerlijk	66	50	37	51
partnerschap	25	50	60	44
overig	9	0	3	5

Berekend op basis van P. van den Akker e.a., Geborgenheid, p. 62.

Tabel P. Verdeling (in procenten) van het feitelijke relatietype (burgerlijk, partnerschap, overige) naar leefsituatie (HW = gehuwden, SW = samenwonenden, CL = collectief leefverband).

	HW	SW	CL	totaal
burgerlijk	90	71	34	64
partnerschap	7	29	55	30
overig	3	0	10	6

Berekend op basis van P. van den Akker e.a., Geborgenheid, p. 62

Samenvattend constateren we dat er grote verschillen zijn tussen gehuwde paren, ongehuwd samenwonenden en personen die in een collectief verband leven. Beperkt men zich tot de voornaamste accenten, dan kan men zeggen dat de gehuwden zich over de hele linie het sterkst op de traditie richten: ze hebben traditionele opvattingen over de taakverdeling tussen man en vrouw, ze brengen die doorgaans in praktijk, gaan bij het opvoeden van de kinderen op een traditionele manier te werk, beschouwen een 'burgerlijke' relatie als ideaal en handelen daar in de meeste gevallen ook naar. Hun tegenpool wordt gevormd door degenen die in een collectief verband leven en die op elk van deze punten een modern patroon laten zien. Degenen die samenwonen staan tussen deze twee patronen in: qua opvoeding neigen ze naar de moderne kant terwijl ze qua huishoudelijke praktijk naar de traditionele kant neigen, waarbij zich eveneens een zekere tegenspraak of spanning tussen hun idealen en hun praktijk voordoet.[27] Aldus vormt de spreiding van deze drie leefsituaties een redelijke indicatie voor de mate waarin de modernisering in dit opzicht is voortgeschreden.

4 Stabiliteit en flexibiliteit

Een van de meest klemmende vragen is uiteraard welke invloed opleiding, sociale klasse en/of levensvorm heeft op de stabiliteit van de gezinnen. In hoeverre hangen deze factoren samen met de beruchte toename van echtscheiding? Over deze kwestie is al veel te doen geweest. Met name het gestegen aantal echtscheidingen heeft heel wat pennen losgemaakt. Het is echter niet eenvoudig deze stijging te interpreteren. Enerzijds omdat er geen betrouwbare statistiek bestaat over het uiteenvallen van ongehuwde paren. Anderzijds omdat bij het ontbinden van een relatie vele factoren betrokken zijn waarvan het relatieve gewicht niet te bepalen is. Een aantal inzichten is evenwel vermeldenswaard.

Zo toont Manting in een recent onderzoek naar de kans op scheiding onder vrouwen aan dat die kans toeneemt wanneer de vrouw op jonge leeftijd reeds een vaste relatie heeft. Omgekeerd blijkt de scheidingskans te verminderen door de aanwezigheid van kinderen. Het feit dat de vrouw arbeid buitenshuis verricht, heeft – anders dan vaak wordt verondersteld – in het algemeen geen hogere instabiliteit van de (huwelijks)relatie tot gevolg.[28] Verrassend genoeg blijkt de kans op echtscheiding vooral van *het soort relatie* afhankelijk en wel in die zin dat ongehuwd samenwonen deze kans aanmerkelijk verhoogt. Dat is zelfs het geval wanneer de betrokkenen na enige tijd hun verhouding met een formeel huwelijk bezegelen. Hoewel het ongehuwd samenwonen dus een volkomen geaccepteerd verschijnsel is, maskeert het een belangrijk verschil in opvatting. Mensen die trouwen, gaan blijkbaar een meer langdurige of hechte binding aan dan degenen die van een formeel huwelijk afzien. Vandaar dat Manting deze conclusie trekt: 'Met de verschuiving van het gehuwde naar het ongehuwde samenwonen is de stabiliteit van relaties verminderd. Hoewel de wens om samen te wonen in de loop der tijd niet gedaald is, zullen mensen steeds vaker geconfronteerd worden met het feit dat ze (een tijdje) alleen zullen wonen als gevolg van relatie-ontbinding.'[29]

Dit werpt de vraag op waar een verschijnsel als het ongehuwd samenwonen nu eigenlijk voor staat. Sommigen zagen het als een alternatief voor het traditionele huwelijk, anderen stelden dat het om een soort van proefhuwelijk zou gaan. Manting betoogt echter dat samenwonen en trouwen op twee verschillende houdingen berust. Mensen die zich niet totaal of voor hun hele leven willen binden aan een andere persoon, kiezen vaak voor samenwonen. Vergeleken met traditionele echtparen hebben zij meer behoefte aan onafhankelijkheid, zijn kritischer over de kwaliteit van hun relatie en zijn er ook minder van overtuigd dat die relatie hun hele leven duren zal. Het zijn mensen die risico's minimaliseren en hun eigen flexibiliteit willen maximaliseren. Het samenwonen is dus een optie die samenhangt met een grotere behoefte aan flexibiliteit. Zij stelt beide partners in staat tot het regelen van hun eigen rechten en verplichtingen. Vandaar dat studenten en anderen die een opleiding volgen, vaak ongehuwd samenwonen: ze hechten veel waarde aan het openhouden van diverse opties en stellen onomkeerbare beslissingen (kinderen, hypotheek, baan enzovoort) nog even uit. De wijde verbreiding van het verschijnsel wijst erop dat deze houding inmiddels bij een groot deel van de bevolking weerklank vindt.[30]

Het is ook duidelijk dat deze ontwikkeling problemen met zich meebrengt. De grotere flexibiliteit van relaties mag dan voortvloeien uit een toegenomen drang tot zelfontplooiing, toch komt deze drang gemakkelijk in botsing met een ander motief, namelijk het zoeken van een zekere geborgenheid. Enerzijds streven velen, zoals we boven zagen, een duurzame relatie na, eventueel bekroond door kinderen. Maar anderzijds zorgt juist het ongehuwd samenwonen voor een afnemende stabiliteit van de betrekkingen. Voor dit vraagstuk moeten we nogmaals op het onderzoek door Van den Akker en Mandemaker terugkomen. Zij hebben de twee waardencomplexen van 'zelfontplooiing' en 'geborgenheid' nauwkeurig onderzocht en gingen de samenhang ervan met de feitelijke levensvorm na. De term geborgenheid staat daarbij voor vertrouwdheid, zekerheid of het zoeken naar houvast, terwijl zelfontplooiing in de eerste plaats naar het nieuwe, het individuele en het onvoorspelbare verwijst. Er kán natuurlijk een conflict tussen deze strevingen bestaan, maar de meeste ondervraagden achten *beide* van belang.[31] Wat betreft de levensvorm gingen de auteurs een viertal situaties na: mensen die alleen wonen, die ongehuwd samenwonen, die gehuwd samenwonen en mensen die in een collectief verband leven. Welke invloed hebben deze vormen op waarden als zelfontplooiing en geborgenheid?

Ten eerste bleek dat de grote nadruk die de moderne cultuur op individuele ontplooiing legt, niet ten koste gaat van de behoefte aan geborgenheid. De sterk individuele levensstijl was eigenlijk alleen te vinden bij degenen die in een collectief verband leefden. Maar bij gehuwden en personen die ongehuwd samenwonen, en ook bij degenen die alleen wonen, scoort geborgenheid doorgaans zeer hoog.[32] Ten tweede bleek dat verreweg de meesten deze geborgenheid hopen te vinden in de privé-sfeer of het gezinsleven. Persoonlijke ontplooiing is weliswaar van groot gewicht, maar de realisatie ervan wordt hoofdzakelijk buitenhuis gezocht: op het werk, in het verenigingsleven of in de vrije tijd.[33] Ten derde bleek dat deze beide aspiraties in zeer ongelijke mate gerealiseerd worden. In de arbeidssfeer bijvoorbeeld komt maar heel weinig van zelfontplooiing terecht, om nog maar te zwijgen over een waarde als houvast of zekerheid. Tegelijkertijd blijkt het huwelijks- en gezinsleven heel redelijk te voldoen aan het verlangen naar geborgenheid. Het is zelfs zo dat ook het streven naar zelfontplooiing in de primaire levenssfeer nog de meeste kansen krijgt. De onderzoekers komen derhalve tot de slotsom dat er een zware wissel op de private sfeer getrokken wordt: vrijwel alles wat van waarde is moet blijkbaar via het gezin gerealiseerd worden.[34]

5 Communicatie als cultus

Wij besloten de vorige paragraaf met de constatering dat uiteenlopende waarden als geborgenheid én zelfontplooiing in de privésfeer worden gezocht en gevonden. Dit houdt ongetwijfeld ook verband met het verschijnsel dat de hele gezinscultuur de afgelopen dertig jaar in de richting van méér onderhandelen en méér communicatie verschoven is. Deze tendens doet zich weliswaar het sterkst in moderne gezinnen voor, maar ze heeft evengoed gevolgen voor het meer traditionele type. We stellen op dit punt een tweevoudige beweging vast.

De eerste komt neer op een verregaande aantasting van alle vormen van gezag. Zoals gezegd kwam deze verandering in andere sectoren van de samenleving op gang (universiteit, kerken, plaatselijk bestuur enzovoort), maar ze breidde zich al spoedig tot de privé-sfeer uit. Sindsdien zijn de onderdrukkende verhoudingen in het gezin ter discussie gesteld, waarbij het offensief vooral de (vermeende?) machtspositie van de vader gold. De jongere generatie kwam openlijk in opstand tegen zijn gezag en korte tijd later zette de tweede feministische golf definitief de aanval in. Daarbij deed zich, zoals vaker het geval is met emancipatiebewegingen, een discrepantie voor tussen de subjectieve beleving van het conflict en de objectieve omstandigheden die het ontstaan en de afloop ervan hebben bepaald. Subjectief hadden de feministen en allen die meer gelijkwaardige verhoudingen bepleitten het gevoel dat men tegen een machtige en onderdrukkende tegenstander te strijden had. Maar achteraf werd duidelijk dat de vaderlijke autoriteit al lang en breed was ondermijnd en dat de bevrijding die het feminisme zocht óók een stap in het proces van verdere modernisering was. De aantasting van het vaderlijk gezag leidde tot een frequenter onderhandelen, zowel tussen ouders of opvoeders onderling als tussen ouders en kinderen. Het leidde bovendien tot een zekere politisering van de privé-sfeer, treffend tot uitdrukking gebracht in een motto van de jaren zeventig: het persoonlijke is politiek. Er ontstond een grotere gevoeligheid voor zaken als afhankelijkheid en macht, een streven naar gelijkwaardigheid en zelfstandigheid en wellicht ook een calculerend denken in termen van tactiek of strategie. Dit ging gepaard met een reorganisatie van gevoelens en gedragingen in de richting van datgene wat Elias een 'hoger niveau van civilisatie' zou noemen.[35]

Daarmee komen we bij de tweede verschuiving die zich eveneens over de hele breedte van het gezinsleven voltrokken heeft. Het gaat in moderne relaties immers niet alleen om overleg of onderhandeling – wat dat betreft onderscheidt de privé-sfeer zich wezenlijk van bedrijfsleven en politiek. In huwelijk en gezin tast men ook elkaars *verborgen* gedachten en behoeften af, men streeft naar een open, natuurlijke en spontane uitwisseling van gevoelens of ervaringen. En ook dit ideaal dringt tot de meer traditionele gezinnen door. 'Ongeacht welke visie men heeft op intieme relaties, aan communicatie wordt veel waarde gehecht. Voor de diepgang van de relatie wordt het onont-beerlijk geacht om goed met elkaar te kunnen praten, over alles wat zich voordoet. Gebeurt dat niet of onvoldoende, dan is het gevaar van onderlinge verwijdering en een vervlakking van de relatie groot. De kwaliteit van de verbale communicatie bepaalt in deze populaire visie de persoonlijke aandacht en zorg die men voor elkaar heeft. Het geloof in de mogelijkheden van verbale communicatie is groot. Indien er bij-voorbeeld over problemen wordt gesproken, dan zal dit leiden tot meer begrip van de aard ervan, en aldus ook tot meer begrip voor elkaar', aldus Van der Avort.[36]

Nu berust de gedachte dat er vroeger binnen gezinnen minder communicatie was op een vorm van gezichtsbedrog. Het is onwaar-schijnlijk dat in een vorig tijdvak, waarin het gezin globaal dezelfde omvang en samenstelling had, zoveel 'minder' werd gecommuniceerd. Verschillend is vooral het *soort* communicatie en de *waarde* die men eraan hecht. Zo is bekend dat op het platteland de communicatie lange tijd een sterk ritueel karakter had. Men gaf de voorkeur aan gebaren en geformaliseerde uitdrukkingen die enerzijds aan een precieze code beantwoordden en anderzijds een breed scala van interpretatie toelieten. Daarbij werden spanningen en conflicten zelden expliciet verwoord.[37] De moderne cultuur vormt hiervan het tegendeel. Er bestaat een grote voorkeur voor uitwisseling op verbaal niveau, waarbij het rituele element slechts een ondergeschikte plaats inneemt. Die verbalisatie is sterk op het expliciteren van gevoelens, spanningen, verwachtingen, mogelijke conflicten enzovoort gericht. Men streeft naar een maximale overeenstemming en hoopt langs deze weg het eigen innerlijk te kunnen meedelen aan anderen. Velen geloven derhalve dat praten voor een goede relatie heel belangrijk is. Ook zou 'alles' in beginsel bespreekbaar moeten zijn.[38] Dit geloof beperkt zich trouwens niet tot de privé-sfeer. Men denke slechts aan groepen van 'lotgenoten' waarin degenen die eenzelfde ervaring hebben opgedaan, zoals een ongeluk of ernstige ziekte, elkaar steunen door... erover te praten. Men kan ook denken aan de praatshows op tv waarin gasten de problemen van hun privé-leven voor een miljoenenpubliek blootleggen door... erover te praten. Kortom: de aan het uiterlijk gebonden impliciete communicatie van het ritueel wordt op brede schaal vervangen door de expliciete communicatie van het gevoelsleven door middel van de mondelinge taal. Men mag aannemen dat het feminisme met zijn praatgroepen ook in dit opzicht een katalyserende rol speelde.

Zelf zien wij deze toegenomen nadruk op onderhandelen en (verbale) communicatie vooral als een compensatie voor de onzekerheden en risico's die de modernisering met zich brengt. Oude vormen van machtsuitoefening, vaste instituties en starre arrangementen voldoen kennelijk niet meer en de moderne mensen streven – ook in hun privé-leven – meer bewegingsvrijheid, flexibiliteit en variatie na. Maar tegelijkertijd hebben ze behoefte aan een zekere geborgenheid, een duurzame relatie en moeten ze elkaar kunnen vertrouwen. Wat er aan institutionele zekerheden verloren is gegaan, moet op een ander niveau – en dus met andere middelen – hersteld worden. Vandaar dat de cultuur van 'expliciete relaties', zoals Van der Avort dat noemde, ook de kernen van een nieuw soort institutionalisering in zich draagt. In de moderne relatie zijn hoge investeringen vereist om de gestelde idealen en verwachtingen te kunnen waarmaken. 'Onbedoeld gaat dit gepaard met allerlei nieuwe eisen en voorschriften, soms vaag en niet uitgekristalliseerd, vaak met een ander karakter, meer algemeen en abstract, of gericht op procedures waardoor het gedrag veel vrijheidsgraden wordt gelaten.'[39] Het lijkt wel alsof het model van de parlementaire besluitvorming – dat zijn succes op collectief niveau bewezen heeft – nu ook in de microwereld van het gezinsleven wordt toegepast.[40] Daardoor kan men enerzijds veel meer onenigheden, onzekerheden en dubbelzinnigheden toelaten dan voorheen. Anderzijds vereist dat zowel de behoefte als het vermogen om gevoelens en ervaringen onder woorden te brengen. Zo trachten we onder nieuwe – minder zekere – omstandigheden via de communicatie alsnog de trouw en het vertrouwen te waarborgen, die vroeger institutioneel gegarandeerd leken.

* * *

Waar komen de voornaamste conclusies van dit tweede deel op neer? Laten we beginnen met de vaststelling dat de variatie in het gezinsleven sinds enkele decennia enorm is toegenomen. Dat lijkt in strijd met onze theoretische benadering omdat een evolutie – volgens de gangbare opvatting althans – zich altijd geleidelijk voltrekt. Stephen Gould toont echter aan dat dit een onjuiste interpretatie is. Ook in de natuur verloopt het opduiken van nieuwe levensvormen doorgaans niet geleidelijk.[41] In die zin kunnen de vernieuwingen van de jaren zestig heel goed in een evolutionistisch perspectief worden geplaatst.

Bovendien brengt het ontstaan van nieuwe soorten niet automatisch het verdwijnen van de oude met zich mee. Dat gaat bij uitstek voor gezinnen op. Het klassieke model – een gehuwd heteroseksueel paar dat samenleeft met een of meer kinderen – bestaat weliswaar nog steeds, maar daarnaast zijn vele andere gezinsvormen ontstaan. Een formeel huwelijk is al lang niet meer vereist en ongehuwd samenwonen komt steeds vaker voor. Heteroseksueel behoeven de ouders niet meer te zijn en heel wat kinderen groeien met twee moeders op. Men acht het zelfs niet noodzakelijk dat de opvoeding door een paar geschiedt; het eenoudergezin is allesbehalve taboe. Dit betekent niet dat de gezinsvormen vergeleken met het klassieke model slechts eenvoudiger worden – er zijn ook meer gecompliceerde vormen ontstaan. Voorbeelden daarvan zijn gezinnen waarin beide ouders hun kinderen opvoeden terwijl zij op verschillende adressen wonen, met als gevolg dat de kinderen tussen twee woonplaatsen heen en weer reizen. Of het verschijnsel dat een gescheiden ouder gaat samenwonen met iemand die nog voor de kinderen uit een eerder huwelijk te zorgen heeft, zodat er een nieuw type stiefgezin ontstaat. En dat zijn alleen nog maar de situaties waarbij kinderen betrokken zijn. Daarnaast is er een even breed scala van levensvormen dat zich tot twee of meer volwassenen beperkt terwijl er ook velen zijn die als eenling leven en/of gemakkelijk van relatie wisselen. Toch heeft de toename van nieuwe varianten niet tot het 'uitsterven' van oudere geleid. Het feit dát de variatie is toegenomen ofwel het feit dat zich nieuwe vormen hebben verbreid terwijl de oude voortbestaan, is echter cruciaal.

Als men deze nieuwe en oude vormen vergelijkt, treft men zowel verschillen als overeenkomsten aan. Zo zagen wij dat gehuwden, personen die ongehuwd samenwonen en degenen die in een collectief verband leven zich op diverse punten van elkaar onderscheiden. Een relatie waarbij men elkaar als gelijke 'partners' ziet, komt bij de laatstgenoemde levensvorm het vaakst en bij gehuwden het minst vaak voor. De huishoudelijke taken zijn bij gehuwden veelal op een traditionele manier tussen man en vrouw verdeeld, terwijl dat bij samenwonenden minder vaak en bij collectief levenden nóg minder vaak voorkomt. Wat betreft het opvoeden van kinderen zijn de taken beter verdeeld, maar ook in dat opzicht staan de drie levensvormen tegenover elkaar. Alles bijeen genomen zou men kunnen zeggen dat het gezinsleven van de gehuwden doorgaans een 'traditioneel' karakter heeft, terwijl dat van de collectief levenden het meest 'modern' is en dat van degenen die ongehuwd samenwonen ergens tussen deze twee extremen ligt.

Men mag echter niet vergeten dat het hierbij gaat om een relatief verschil: een verschil tussen levensvormen op eenzelfde moment. Maar er zijn ook kenmerken die zij gemeenschappelijk hebben en die voortvloeien uit een ontwikkeling die álle gezinstypen – oude net zo goed als nieuwe – de afgelopen dertig jaar hebben gekend. Zo menen we dat de stabiliteit van het gezinsleven over de gehele linie afgenomen is. Men kan het ook positief formuleren door te zeggen dat er nu meer flexibiliteit bestaat dan dertig terug. Dit uit zich niet alleen in een groter aantal scheidingen maar ook in een sterk toegenomen populariteit van het ongehuwd samenwonen. Men schrikt tegenwoordig vaak terug voor een levenslang engagement, houdt rekening met de mogelijkheid dat er iets mis kan gaan, stelt onomkeerbare beslissingen (zoals het verwekken van een kind) lang uit en slaat de economische, sociale en affectieve zelfstandigheid van de eigen partner hoog aan. Daarbij komt het meer op de kwaliteit van huwelijks- en gezinsrelaties dan op vaste instituties aan.

Nu kan deze kwaliteit – geheel afgezien van de vorm die het gezinsleven aanneemt – aan de hand van twee dimensies bepaald worden. De eerste omschrijven wij met de term 'discipline'. Zij verwijst naar de manier waarop de ouders hun gezag uitoefenen, hun machtsmiddelen, de bewegingsvrijheid van kinderen, het belang van onderhandelen, de huisregels, kortom de 'politieke' dynamiek van het gezinsleven. Voor de tweede dimensie gebruiken we de term 'betrokkenheid'. Zij verwijst naar de atmosfeer in het gezin, de wijze van communiceren, de persoonlijke aandacht voor elkaar, overdracht van waarden en normen, het uitwisselen van ervaringen, kortom de 'affectieve' dynamiek van het gezinsleven. Voor beide dimensies kan men een schaal opstellen: van een zeer dwingende tot een zwakke discipline respectievelijk van een zeer sterke tot een zwakke normering of betrokkenheid. Omdat de 'score' van het gezin op de ene dimensie niet van die op de andere afhangt, is er een viertal combinaties mogelijk. Op grond daarvan kwamen we tot een gezinstypologie die analoog is aan de manier waarop in de antropologische literatuur een indeling naar 'levenswijze' wordt gemaakt. De literatuur over empirisch onderzoek naar het gezinsleven in Nederland bevestigt de relevantie van deze typologie. Zij komt op het volgende neer.

Ten eerste is er de 'autoritaire' gezinscultuur. Hier is ouderlijk gezag van groot belang, kinderen hebben weinig bewegingsvrijheid, de huisregels liggen vast en er is weinig ruimte voor onderhandelen. De omgang is nogal formeel, de uitwisseling blijft conventioneel, het klimaat afstandelijk en er is weinig plaats voor intimiteit. Kortom: de levenswijze berust op een strakke discipline in combinatie met een weinig ontwikkelde betrokkenheid. Ten tweede is er het 'egalitaire' gezinstype. Dit kenmerkt zich door meer gelijkwaardigheid tussen ouders en kinderen, weinig vaste huisregels, veelvuldig onderhandelen en grote vrijheid voor de gezinsleden. Maar de uitwisseling is intensief, de omgang sterk individueel van kleur en intimiteit of affectie zijn van groot belang. Kortom: het gaat om een gezinscultuur die berust op weinig discipline in combinatie met een hoog ontwikkelde betrokkenheid en die in zoverre het tegendeel van de eerste is. Bij het derde type, het 'communautaire' gezin, treffen we een andere samenstelling van deze twee facetten aan. Hier houdt men aan strakke discipline, ouderlijk gezag, vaste huisregels en dergelijke vast, maar in combinatie met intensieve uitwisselingen en een sterk persoonlijke betrokkenheid. Het laissez faire-gezin ten vierde komt voort uit een geringe mate van discipline in combinatie met weinig persoonlijke betrokkenheid.

Ondanks het risico van een te vergaande schematisering kan men beide dimensies met twee belangrijke sociale factoren in verband brengen: sociale klasse en opleidingsniveau. De eerste factor raakt vooral de 'politieke' dynamiek van het gezinsleven. Ouders uit een lagere sociale klasse houden meer aan strakke regels vast, maken eerder van machtsmiddelen gebruik en benadrukken de noodzaak van gehoorzaamheid en aanpassing. Ouders uit een hogere sociale klasse staan hun kinderen in dezen meer bewegingsvrijheid toe. De tweede factor – die feitelijk vaak met de eerste samengaat maar analytisch daarvan te onderscheiden is – raakt met name de 'affectieve' dynamiek van het gezinsleven. Ouders met een hoge opleiding stellen hoge eisen aan hun kinderen, hechten belang aan individuele ontplooiing, lossen problemen op door erover te praten, achten affectieve uitwisseling van groot belang en leggen gemakkelijk contact met niet-gezinsleden.

De gedachte dat men de vier gezinstypen in analytisch opzicht als gelijkwaardige culturen of levenswijzen moet behandelen, is niet in strijd met de stelling dat het zwaartepunt kan verschuiven van de ene naar de andere cultuur. De veranderingen van de afgelopen dertig jaar komen op een dubbele verschuiving neer. Enerzijds de overgang van hiërarchische naar meer gelijkwaardige verhoudingen, anderzijds de overgang van een institutionele naar een meer persoonlijke vorm van betrokkenheid. Als gevolg daarvan ligt het zwaartepunt op dit moment bij het egalitaire gezinstype, terwijl het aanvankelijk bij het autoritaire type lag. Op grond daarvan menen verschillende auteurs dat er één proces van modernisering is dat zich bovendien in één richting beweegt. De veelgehoorde gedachte van 'individualisering' is daar een illustratie van. Maar naar onze mening doen zich ten minste twee vormen van modernisering voor die niet noodzakelijk met elkaar verband houden. Enerzijds kregen de gezinsleden meer vrijheden, vooral in de middenklasse en hogere milieus. Anderzijds kwamen ze voor hogere eisen of normen te staan, vooral wanneer het om de beter opgeleiden gaat.

DEEL III

VOORUITZICHTEN

Hoewel het evolutionisme in het voorgaande reeds een paar keer ter sprake kwam, is het specifieke van deze benadering nog altijd niet aan bod geweest. Het postulaat van de historische verandering – dat ten grondslag lag aan onze schets van de gezinsgeschiedenis – geldt voor elke historische benadering. Het postulaat betreffende de variatie – dat aanleiding tot een typologie van gezinsculturen gaf – geldt ook bij een sociologisch of antropologisch perspectief. Pas met het derde postulaat raken we aan een problematiek die specifiek voor het evolutionisme is. Het gaat dan immers om de vraag welke levensvormen of soorten zullen overleven gezien de wijzigingen in hun omgeving of milieu. Toegepast op het gezinsleven betekent dit dat we moeten nagaan welke veranderingen zich in de maatschappelijke omgeving van de Nederlandse gezinnen aan het voltrekken zijn. Welke ontwikkelingen doen zich in de nabije toekomst voor? Welke druk zal de gewijzigde omgeving op het gezinsleven gaan uitoefenen?

Dat soort vragen staat in dit derde deel centraal. Onze aandacht gaat nu niet uit naar het verleden, maar naar de actuele situatie en de nabije toekomst. We beseffen terdege dat dit een riskante onderneming is. Er vinden in de geschiedenis vaak onverwachte wijzigingen plaats – de hiervóór besproken daling van het kindertal of het proces van secularisatie zijn voorbeelden daarvan – en men kan nooit uitsluiten dat dit de komende decennia opnieuw gebeurt. Niettemin hebben we getracht een beeld te geven van de meest waarschijnlijke ontwikkeling. We baseren ons daarbij vooral op gesprekken met deskundigen. De meesten van hen zijn reeds geruime tijd in een bepaald veld werkzaam en kunnen de grote lijn van de ontwikkeling daar overzien. Wie zich op hun verwachtingen baseert, kan vanzelfsprekend geen echte voorspelling doen. Maar de schets van een plausibel toekomstbeeld lijkt ons toch wel mogelijk.

Thematisch zullen we op eenzelfde manier als in het eerste deel te werk gaan. We bespreken weer eerst de wijzigingen die zich op demografisch en economisch gebied voordoen (hoofdstuk 3.1) en daarna de processen op sociaal en cultureel gebied (hoofdstuk 3.2). Overigens is het ons niet om een volledig overzicht maar om de meest pregnante verschuivingen te doen. We besteden dus relatief weinig aandacht aan zaken die in de toekomst naar verwachting ongeveer hetzelfde als in het heden of recente verleden zullen zijn. Verder hebben we een onderscheid gemaakt tussen de processen die deskundigen voor een nabije toekomst waarschijnlijk achten enerzijds en specifieke knelpunten of problemen die zij in hun beroepspraktijk signaleren anderzijds. In de nu volgende twee hoofdstukken beperken we ons tot een neutrale schets van die verwachtingen – hoofdstuk 4.1 en 4.2 gaan dieper op de problemen in.

3.1   DEMOGRAFISCH-ECONOMISCH: MEER MARKTWERKING

Het is niet erg waarschijnlijk dat de nabije toekomst er in demografisch opzicht heel anders uit zal zien dan het heden. Volgens onderzoekers van het Nederlands Interdisciplinair Demografisch Instituut in Den Haag waren de meest ingrijpende veranderingen reeds midden jaren zeventig voltooid.[1] 'De afgelopen tien jaar is er eigenlijk niet zo veel meer veranderd. De vruchtbaarheidscijfers zijn niet spectaculair gewijzigd en voor echtscheiding geldt ongeveer hetzelfde. Het aantal huwelijken is natuurlijk drastisch teruggelopen maar dat wordt ruimschoots goedgemaakt door de toename van het aantal mensen dat ongehuwd gaat samenwonen. Voorzover die mensen kinderen krijgen is er ook niet veel verschil in stabiliteit tussen deze twee vormen. Mensen die samenwonen hebben toch vaak een soort samenlevingscontract. Verder gaat de gemiddelde leeftijd waarop men zijn eerste kind krijgt nog enigszins omhoog. Die leeftijd bedraagt momenteel 28,5 jaar, waarmee we in heel Europa vooroplopen. De voornaamste factoren daarbij zijn deelname aan het onderwijs (mensen nemen in de regel geen kinderen zolang ze nog een opleiding volgen) en vooral de hogere arbeidsparticipatie van vrouwen (de moeilijkheid om werk en kind te combineren werkt uitstel in de hand). Het is niet te verwachten dat deze situatie de komende jaren zal veranderen.'[2]

Het aantal alleenstaanden zal blijven toenemen. Naar verwachting bestaat omstreeks 2010 reeds 36 procent van alle huishoudens uit één persoon terwijl 31 procent niet meer dan twee personen telt. Echtparen met kinderen zullen tegen die tijd een minderheid vormen. Maar dit verschijnsel wordt – net als tegenwoordig – vooral veroorzaakt door het feit dat steeds meer mensen tijdelijk alleen wonen. Het mag dus niet als een uiting van toenemend individualisme opgevat worden. Ook in de toekomst zullen verreweg de meeste mensen een duurzame relatie nastreven terwijl velen nageslacht wensen. Naar verwachting zullen vier van de vijf vrouwen (ten minste) een kind krijgen en blijft het gezin met twee kinderen veruit het meest populair.[3] Het aandeel van de personen die hun hele leven vrijgezel blijven moet op slechts enkele procenten van de totale bevolking geschat worden.[4] Wat dat betreft zal de situatie in het eerste decennium van de volgende eeuw dus weinig van de onze afwijken.

Hetzelfde laat zich bij de variatie aan levensvormen voorzien. Reeds nu onderschrijven de meeste Nederlanders een brede definitie van het gezin, namelijk 'elke leefeenheid waarin kinderen verzorgd en opgevoed worden'. Daarbij maken ze geen principieel onderscheid tussen een of twee ouders, tussen ouders van verschillend of gelijk geslacht, tussen biologische of adoptief ouders enzovoort. Zo vindt bijna 70 procent dat homoseksuele mannen en vrouwen het wettig huwelijk niet onthouden mag worden. Dit alles wijst op een hoge mate van openheid of tolerantie tegenover 'afwijkende' levensstijlen. Tegelijkertijd legt men voor de eigen situatie vaak strakke en traditionele normen aan. Waar het om de eigen voorkeur gaat, vindt men *twee* ouders doorgaans beter dan *een* ouder, prefereert men het heteroseksuele boven het homoseksuele ouderschap, en geeft men de voorkeur aan biologische ouders boven stiefouders. Wanneer men voor zichzelf spreekt, staat het traditionele kerngezin in Nederland nog altijd bovenaan.[5]

In huishoudelijk en demografisch opzicht zullen de komende decennia dus niet wezenlijk afwijken van de situatie die in het recente verleden is ontstaan. Niettemin tekent zich een aantal wijzigingen af.

Deze worden vooral veroorzaakt door een toenemende invloed van de markteconomie op het gezinsleven. Hierbij moet men het begrip markt niet in een beperkte, strikt economische betekenis opvatten. Het verwijst naar de meer algemene dynamiek die ontstaat (of kan ontstaan) wanneer een bepaald veld niet langer door een centrale macht of een monopolie wordt gecontroleerd. Dit heeft een toename van de rivaliteit en concurrentie tot gevolg wat in de regel ook leidt tot rationalisering, hogere eisen en vermeerdering van productiviteit. De keerzijde van deze dynamiek is dat er scherp wordt geselecteerd. De spelers die het gevecht niet langer aankunnen, worden vroeg of laat geëlimineerd. Commercialisering is een veel voorkomend, maar niet altijd noodzakelijk aspect van een dergelijk proces.

In de twee hoofdstukken van dit deel zullen we een aantal voorbeelden van deze dynamiek bezien. We beginnen met het domein van de menselijke voortplanting, met name waar het gaat om de invloed van medische technologie (paragraaf 1). Dan bespreken we de toenemende belangstelling van het bedrijfsleven voor kinderen als consument (paragraaf 2). Een aanverwante thematiek is de stijgende arbeidsparticipatie door vrouwen (paragraaf 3) en de hogere eisen die de arbeidsmarkt meer algemeen aan werknemers stelt (paragraaf 4). Ten slotte gaan we in op de gevolgen van dit alles voor het gezinsleven. Steeds meer gezinnen krijgen een druk bestaan, zeker wanneer beide ouders betaald werken (paragraaf 5). Het toenemen van de marktwerking – die de deskundigen op al deze gebieden de komende decennia voorzien – heeft voor het gezinsleven dan ook de nodige gevolgen.[6]

1 Medische technologie

Neem bijvoorbeeld de menselijke voortplanting en de toegenomen rol van de medische technologie daarbij. Er doen zich op dit gebied in hoog tempo innovaties voor die ook nieuwe verwachtingen en problemen oproepen. Natuurlijk is het slechts een minderheid van alle echtparen die hier rechtstreeks mee te maken heeft – in verreweg de meeste gevallen komt men pas later in de zwangerschap met medici in aanraking – maar de vragen die de medische techniek oproept, hebben een brede maatschappelijke betekenis. We laten ons daarom voorlichten door professor Van Hall, die gedurende 25 jaar hoogleraar gynaecologie te Leiden was.[7] Hij schetst op welke punten het vakgebied in die tijd veranderde.

'Om te beginnen onderging de diagnostiek een sterke verbetering. Met behulp van echografie en andere methoden kan de toestand van de vrucht tijdens de gehele zwangerschap nauwkeurig onderzocht worden. Verder nam de kunstmatige voortplanting een hoge vlucht. Daarbij zijn met name twee methoden van belang: in-vitrofertilisatie (ivf) en intracytoplasmatische sperma-injectie (icsi). Bij de eerste techniek wordt een eicel uit het lichaam van de vrouw gehaald, bevrucht en vervolgens weer teruggeplaatst. Men past deze werkwijze toe wanneer een gewone bevruchting niet lukt, bijvoorbeeld door verstopte eileiders of doordat de eisprong niet normaal verloopt. De tweede techniek past men vooral toe wanneer het mannelijk zaad onvoldoende vruchtbaar is. Dan wordt de eicel onder een microscoop met zaad geïnjecteerd. Dat zijn heel spectaculaire ontwikkelingen die eigenlijk nog maar kort geleden begonnen zijn. De eerste reageerbuisbevruchting bijvoorbeeld dateert uit 1972. Ik heb wel enige bedenkingen bij het gemak waarmee die nieuwe methoden zich hebben verbreid. ivf bijvoorbeeld paste men aanvankelijk alleen toe als er een duidelijke indicatie was, tegenwoordig beschouwt men het als een reguliere behandeling. Vrouwen die misschien wel zwanger kunnen worden maar bij wie het niet snel genoeg gebeurt, vragen nu ook om ivf. Zo komt er een wisselwerking tussen patiënt en specialist op gang. De specialisten willen graag laten zien wat ze allemaal kunnen en bieden dat aan terwijl de patiënt alleen het allernieuwste en het allerbeste wil. Dat is op het niveau van de betrokken individuen wel begrijpelijk, maar je moet ook kijken naar het geheel. Op medisch gebied bepaalt het aanbod vaker de vraag dan andersom. Dat betekent dus dat elke innovatie tot een stijgende consumptie leidt.'

Bovendien zijn er tal van onbekende risico's. Dat geldt vooral bij een methode als icsi. Het is niet voor niets dat bepaalde zaadcellen spaarzaam, traag of onvruchtbaar zijn. Het passeren van die natuurlijke selectieprocessen lijkt niet zonder risico. Het aantrekkelijke van deze methode is duidelijk, want het succespercentage ligt hoger dan bij ivf, waar tenslotte niet meer dan 20 procent van alle pogingen een zwangerschap tot gevolg heeft. Tegelijkertijd zou er een forse kans kunnen bestaan dat men de mannelijke onvruchtbaarheid door middel van ICSI op de volgende generatie overdraagt. 'Technisch gezien behoeft dat geen bezwaar te zijn want je wordt er niet ziek van. Je kunt die methode later wéér toepassen. Maar dat betekent wel dat je nu al beslissingen voor de volgende generatie neemt. Wie nu tot ICSI overgaat, bepaalt dat een flink aantal mensen in de toekomst eenzelfde behandeling moet ondergaan. Dat vind ik nogal wat. Er moet dus een zekere normering komen want anders is het einde zoek. Vroeger meende ik dat de overheid dat wel in de gaten zou houden of tenminste dat ze erover zou nadenken. Daar ben ik eigenlijk vrij cynisch in geworden. In feite reageert men slechts ad hoc op de ontwikkelingen die zich aandienen.'

Naar verwachting zal de vraag op dit gebied slechts toenemen. Alles moet perfect zijn, voor iets minder is geen plaats. Binnen de medische sector geldt nu eenmaal dat alle klachten moeten verdwijnen, dat men voor alles een strikt medische verklaring zoekt. Dat brengt een grote belasting van de hele gezondheidszorg met zich mee, terwijl we eigenlijk al lang weten dat vele ziektes en problemen mede een sociale achtergrond hebben. 'Langzaam maar zeker gaan de eisen die men stelt omhoog. Vroeger kreeg een vrouw gemiddeld drie of vier kinderen, tegenwoordig zijn dat er maar een of twee. Maar die moeten natuurlijk wel perfect zijn, daar passen geen afwijkingen meer bij. Het kwam vroeger nogal eens voor dat het laatste kind een mongooltje was. Dat werd dan opgenomen in het verband van een kinderrijk gezin. Als je een of twee kinderen wilt en de eerste blijkt al een mongool te zijn, dan is dat natuurlijk iets verschrikkelijks. In die situatie besluit bijna iedereen tot abortus. Maar de kans op een dergelijke situatie groeit, onder meer doordat vrouwen gemiddeld steeds later hun eerste kind krijgen. Veel vrouwen worden voor het eerst zwanger na hun 35ste, dus de kans op een mongool neemt toe. Dat oefent toch een zekere druk in de richting van selectie uit. Dat zal in de nabije toekomst vermoedelijk niet anders zijn. Stel bijvoorbeeld dat homoseksualiteit inderdaad voor een gedeelte aangeboren is en dat de echografie zich blijft verfijnen in het tempo waarin dat nu gebeurt. Dan is het helemaal niet ondenkbaar dat de latere seksuele voorkeur al in een vroeg stadium van de zwangerschap te onderkennen is. Wat dan?'

Van Halls zienswijze wordt goeddeels bevestigd door Bonsel en Van der Maas, de auteurs van een rapport dat de ontwikkeling van de voortplanting tot het jaar 2010 verkent. 'Het staat vast dat de medisch-technische mogelijkheden om in te grijpen in het voortplantings-proces de komende jaren nog aanzienlijk verder zullen toenemen', schrijven ze.[8] Men voorziet dat diverse vormen van IVF alsmede IUI (= intra-uteriene inseminatie) zich tot de voornaamste technieken zullen ontwikkelen.[9] Daarnaast verwacht men een voortgaande specialisatie in de richting van preconceptionele zorg. Hierbij gaat het vooral om vroegtijdige diagnostiek met behulp van DNA. Van alle aangeboren afwijkingen is de ontstaanswijze momenteel in 60 procent van de gevallen onbekend. Maar aangezien het onderzoek zich vooral op veel-voorkomende ziektes richt, is het niet ondenkbaar dat er tussen nu en het jaar 2010 flinke vooruitgang wordt geboekt. Men zal de 'aanleg' voor aandoeningen als suikerziekte, dikke-darmkanker, borstkanker, dementie en dergelijke al in een vroeg stadium kunnen opsporen. Bij dit onderzoek, dat reeds aan de foetus gedaan kan worden, zal steeds minder materiaal benodigd zijn, het zal tijdens de zwangerschap steeds vroeger kunnen plaatsvinden en er zullen ook minder invasieve tech-nieken bij gebruikt worden.[10] Overigens zullen deze technieken zich niet tot de ongeboren vrucht beperken. Ook bij volwassenen groeit het belang van voorspellende DNA-diagnostiek. Daarbij gaat het ener-zijds om cytogenetische bepalingen van aandoeningen die zich reeds geopenbaard hebben, anderzijds om het vaststellen van specifieke risico's op een relatief frequente aandoening.[11]

In samenhang met deze technische ontwikkelingen ontstaat er nieuwe problematiek. Dat blijkt onder meer uit de discussie over het 'kind-naar-wens'. Men zal steeds vaker in staat zijn om de geboorte te voor-komen van een kind met ernstige erfelijke afwijkingen of met een ver-hoogd erfelijk risico op latere ziektes. In beginsel zullen er ook meer mogelijkheden ontstaan om bepaalde gewenste eigenschappen van het kind te kiezen, bijvoorbeeld het geslacht.[12] Het gevaar bestaat dat men zich steeds verder verwijdert van de normale voortplanting, dat deze wordt opgesplitst in een aantal technologisch gedefinieerde fasen met interventies op maat. Bovendien kan men de vraag stellen of niet onbedoeld de indruk wordt gewekt dat dit proces volledig te beheersen is, met als gevolg dat er een vermeend recht op kinderen ontstaat en ongewenste kinderloosheid niet langer wordt aanvaard.[13] Ouders met een zeker risico zullen bij het toenemen van de diagnostische mogelijkheden steeds minder vaak van een zwangerschap afzien, want de wens om 'eigen' kinderen te hebben – ook in genetisch opzicht – blijkt erg sterk. Dit zal vooral tot een groei van pre-implantatiediagnostiek leiden, dat wil zeggen het niet-terugplaatsen van een embryo wanneer de aandoening is aangetoond.[14] Dit alles ondermijnt het onderscheid tussen voortplanting en medische technologie. Ook de normale zwangerschap komt meer en meer in een medisch licht te staan, zoals reeds blijkt uit het gebruik van onschuldige middelen als een zwangerschapstest, het slikken van foliumzuur en het maken van een echo. Daarnaast is er een brede toepassing van technieken die voor specifieke, veelal uitzonderlijke risico's ontwikkeld waren. Ze worden na vrij korte tijd als 'normale' ingrepen aanvaard, niet alleen door de medisch specialist maar evengoed door de bevolking en de verzekeraars. Het gevolg is dat het onderscheid tussen pathologie en fysiologie op den duur vervaagt.

2 Jongeren als consument

Uit het voorgaande is af te leiden dat het krijgen van kinderen in de toekomst heel wat kosten met zich brengt – zowel in emotioneel als in financieel opzicht. Met de opvoeding ervan zal het vermoedelijk niet anders gesteld zijn. We hebben in hoofdstuk 1.1 reeds laten zien dat de investeringen per kind de afgelopen decennia gestegen zijn. Bovendien deed zich een zekere verschuiving voor en wel in die zin dat de uitgaven voor mobiliteit, kinderopvang, ontspanning en opleiding relatief sterk toenamen. Dat komt gedeeltelijk uit het hogere ambitieniveau van de ouders en hun kinderen voort. Maar het is ook zo dat verschillende instanties op deze ambities inspelen. De afgelopen jaren heeft vooral de commerciële wereld 'het kind als consument' ontdekt. Om ons een beeld van de ontwikkelingen op deze snelgroeiende markt te vormen, hebben we ons tot de medewerkers van adviesbureau Kidwise te Amsterdam gewend. We vroegen hoe bedrijven bij het benaderen van jongeren te werk gaan. Mevrouw Van den Heuvel zegt daarover het volgende.[16]

'Voor tal van bedrijven en commerciële instellingen vormen kinderen inderdaad een interessante markt. Een markt ook waarvan het belang nog altijd groeit. Maar een voorwaarde om succes te hebben is dat men de leefwereld van jongeren terdege kent. Afhankelijk van leeftijd en geslacht geeft die een aantal vaste kenmerken te zien. Kinderen van een jaar of zes bijvoorbeeld gaan nog sterk in hun fantasieën op. Bij meisjes draait dan alles om zachte, aaibare dieren zoals poezen of beertjes. Opvallend is dat de kleur roze in dat stadium belangrijk is. Jongens hebben meer interesse voor wilde dieren, spannende gebeurtenissen, prinsen die de held spelen. Dat blijft zo tot een jaar of acht, daarna verschuift de belangstelling naar een andere thematiek. Dat vormt een min of meer constant patroon, maar de feitelijke invulling blijkt sterk van trends of modes afhankelijk te zijn. De aantrekkingskracht van roze is bijvoorbeeld erg oud, maar het ene moment wordt dat belichaamd in een barbiepop en het volgende moment weer niet. Jongens houden van spanning, maar soms zijn dat de Thunderbirds en dan weer dinosaurussen. Dit besef dringt de laatste jaren sterker door tot de bedrijven die zich op de jeugd richten.'

Dit besef vormt ook de reden waarom een onderneming als Kidwise kan bestaan. Het bureau doet onderzoek naar kinderen als consument en geeft op basis daarvan commercieel advies. Producten voor kinderen zijn er natuurlijk altijd wel geweest, maar bij het verkennen van de markt ging men doorgaans van de ouders uit. Of men presenteerde het product op een manier die in de smaak viel bij volwassenen. Die tijd is nu voorbij. 'Als je echt wilt weten wat kinderen willen, dan moet je ook vanuit de kinderen kijken en ze niet als een soort van minivolwassenen benaderen', aldus Van den Heuvel. 'Steeds meer bedrijven zien het belang van een dergelijke aanpak en vragen Kidwise om advies. Het varieert van een bedrijf als Smiths dat wil weten welke flippo's nu het leukste zijn, tot de Postbank die wil weten hoe kinderen tegen een speciale bankrekening aankijken.' Om dat te achterhalen combineren de medewerkers van Kidwise pedagogische en/of psychologische inzichten met kennis uit de commerciële hoek. Het meeste onderzoek is kwalitatief, gebaseerd op diepgaande gesprekken met moeders en hun kinderen.

Overigens maakt het daarbij een groot verschil welke invalshoek je kiest. De verkoop van melk- of zuivelproducten bijvoorbeeld loopt nog altijd via moeders. Want die nemen op dat punt de beslissingen. Maar andere producenten richten zich direct tot de kinderen en laten de ouders links liggen. 'Dat laatste heeft een bedrijf als Nintendo onder andere gedaan. De ouders waren in eerste instantie over al die spelletjes heel negatief. Daarop ging Nintendo die spullen op het schoolplein uitdelen. Zodra bepaalde kinderen een spel hadden, wilden anderen het ook. Uiteindelijk gaven de ouders toe, want die wilden weer niet dat hun kind zou achterblijven bij de rest. De ouders zijn nog altijd niet erg enthousiast, ze hebben Nintendo noodgedwongen geaccepteerd. Dus dat bedrijf heeft zich via de kinderen een positie op de markt veroverd. Weer andere bedrijven zitten tussen deze twee benaderingen in. Die maken iets lekkers of aantrekkelijks en stoppen er wat vitaminen bij, zodat de moeder het gevoel heeft dat ze haar kinderen iets goeds meegeeft. Op zich is elke benadering goed, het gaat er maar om wat je als producent bereiken wil.'

Een en ander neemt niet weg dat ouders bij de aanschaf een flinke stem in het kapittel hebben. Vooral de moeder. 'Bij de aankoop van kinderspulletjes is het nog altijd voor 95 procent de moeder die een beslissing neemt. Dat is in Nederland veel sterker dan in het buitenland. Vrouwen hebben hier vaker de eindregie over het huishouden. De man wil wel eens boodschappen gaan doen, maar dan krijgt hij een lijstje mee. Alleen waar het om meer technische dingen gaat, computerspelletje of zo, heeft hij een eigen rol.' Vaak nemen moeders een wat ambivalente houding aan. Van de ene kant willen ze een bepaald product niet aanschaffen, van de andere kant valt hun kind dan bij leeftijdgenootjes uit de toon. Niet iedereen gaat op dezelfde manier met die spanning om. 'Wij maken graag onderscheid tussen verschillende typen. Je hebt bijvoorbeeld de kindgerichte moeder, die koopt alles als haar kind er maar plezier aan heeft. Het tegenovergestelde type noemen we de verantwoorde moeder. Die geeft haar kind in de eerste plaats een goede opvoeding. Die zegt heel stellig: "Nee, daar doe ik niet aan mee! Ik heb mijn kind het hoe en waarom uitgelegd en dat moet dan voldoende zijn!" Die moeders zijn vaak wat beter opgeleid. Je hebt ook nog de verwennende moeder. Of de controlerende moeder die alles vanuit de keuken in de gaten houdt.'

Volgens Kidwise neemt de druk op kinderen om een eigen mening te hebben en invloed uit te oefenen ongemerkt toe. Er zijn enorm veel kinderproducten op de markt. 'Vroeger kreeg je gewoon een ijsje, nu moet je uit wel honderd soorten kiezen. Bovendien jutten kinderen elkaar behoorlijk op. Ze zeggen: "Je moet dat of dat ijsje aan je moeder vragen, dat is pas lekker." Daar ligt een van de voornaamste redenen waarom ouders tegenwoordig meer geld voor hun kinderen uitgeven.' Een andere reden is wellicht dat er nu vrij veel eenouderge-zinnen zijn. Het kind wordt daar als een volwaardige gesprekspartner gezien. Er is in dat soort gezinnen veel meer overleg. En het hoort er ook een beetje bij dat je kinderen naar hun mening vraagt. Dus niet: 'Willen jullie een ijsje?' maar: 'Wat voor ijsje zal het zijn?'

Al met al is het kind langs drie lijnen voor het bedrijfsleven van belang. Ze vormen in de eerste plaats een eigen markt. Daarbij gaat het om aankopen waarover zij zelf beslissen. Kidwise schat die markt voor Nederland op circa 500 miljoen per jaar. Ten tweede is er een invloeds-markt. Hierbij gaat het om aankopen door ouders waarbij kinderen al dan niet veel invloed uitoefenen. Die markt wordt geschat op 3,5 mil-jard per jaar. En ten slotte is er nog een derde markt, namelijk die van de kinderen als toekomstige consument. Veel bedrijven onderkennen het belang daarvan, zoals banken die rekeningen voor jonge kinderen ontwikkelen. Zij mikken daarmee op de latere klant. De Postbank ver-dient aan zijn kinderrekeningen niets, die kosten voorlopig alleen maar geld. Maar als investering in de toekomst zijn die rekeningen van belang, omdat het kind al vroeg een binding met de bank opbouwt.

3 *Werkende vrouwen*

De dynamiek van de markteconomie zal vermoedelijk meer en meer tot de gezinnen doordringen. Maar dat betekent niet dat deze invloed steeds dezelfde vorm heeft. Zoals we zagen worden kinderen vooral als *consumenten* steeds belangrijker. Voor vrouwen staat de zaak er anders voor. Hoewel hun rol als consumenten ongetwijfeld zeer gewichtig blijft, zullen zij vooral als *producenten* de aandacht op zich vestigen. Hun deelname aan de arbeidsmarkt nam in het recente verleden onmiskenbaar toe en vrijwel iedereen neemt aan dat die ontwikkeling de komende decennia zal doorzetten. Wel is er discussie over de vraag in welk tempo dat gebeurt en over de gevolgen ervan voor het gezin.

Volgens mevrouw Van Doorne-Huiskes, hoogleraar voor eman-cipatie-onderzoek aan de Erasmus Universiteit te Rotterdam, is Neder-land zijn traditionele achterstand op dit gebied sterk aan het inlopen.[17] Momenteel verricht 55 procent van de daartoe in aanmerking komende vrouwen betaalde arbeid buitenshuis. Dat benadert het Europees gemiddelde. Opmerkelijk is dat velen van hen alleen in deeltijd werken. Daar zijn behalve allerlei culturele verklaringen twee economische motieven voor. Ten eerste kent Nederland via subsidies nog altijd vrij veel overdracht naar de gezinnen toe, waardoor de noodzaak van een tweede inkomen niet zo erg wordt gevoeld. Vermoedelijk gaat dat wel veranderen. Ten tweede is er de stelling van de eindregie. De strategie van deeltijdwerk is voor vrouwen mede interessant omdat ze daardoor de eindregie over het huishouden kunnen voeren terwijl ze ook ervaring in het beroepsleven opdoen.

Over het algemeen is het combineren van zorg en werk bij lage functies gemakkelijker dan bij hogere. Een schoonmaakster bijvoorbeeld gaat in de regel na 5 uur 's middags aan de slag. Haar man kan na thuiskomst de zorg voor de kinderen op zich nemen. Bij hoge functies zit men vaker met een tijdsprobleem. Daar schakelt men eerder betaalde hulp in waardoor beide ouders tegelijkertijd naar hun werk kunnen. Maar ook dan blijkt er een voorkeur voor parttimebanen te bestaan. Daarom is zowel de plaatselijke overheid als de rijksoverheid voor vrouwen een aantrekkelijke werkgever. Het indelen van de eigen tijd gaat daar vrij gemakkelijk. Het normale bedrijfsleven gaat er nog steeds van uit dat een behoorlijke baan niet in deeltijd kan. Het belang van een klantvriendelijke benadering vereist nu eenmaal dat je altijd en totaal beschikbaar bent. Op den duur zal het bedrijfsleven echter beseffen dat er een nieuw type werknemer ontstaat. Er zijn steeds meer mannen die bij het opgroeien van hun kinderen betrokken willen zijn. Voorlopig blijft de combinatie van gezin en werk dus een gespannen situatie opleveren. Het is geen toeval dat nog geen 10 procent van de paren met kinderen fulltime werkt. In België, Frankrijk, Engeland of Zweden is dat percentage veel hoger.

Van de overheid verwacht Van Doorne-Huiskes bij het oplossen van deze moeilijkheden weinig hulp. 'Zweden en de overige landen in Scandinavië zijn op dit punt veel verder dan wij. Daar neemt de overheid haar verantwoordelijkheid – zowel voor het opvoeden van kinderen als voor het deelnemen van vrouwen aan de samenleving – vaker serieus. In Nederland werkt de traditie van het corporatisme sterk door. Kinderen worden hier als een private aangelegenheid beschouwd. Er zijn een paar faciliteiten zodra het kind leerplichtig is, maar de eerste vier jaar moet je maar zien hoe de opvoeding geregeld wordt. De kinderopvang kost je handenvol geld: bij een beetje baan zit je voor één kind gemakkelijk op 1000 gulden per maand.' Daar komt bij dat ook andere kosten voortdurend toenemen. Voor veel gezinnen gaan de woonlasten omhoog. Voor milieulasten geldt hetzelfde. Bovendien stijgen de kosten van studerende en schoolgaande kinderen. Goed opgeleide jongeren bemerken al vroeg dat de concurrentie hevig is. Hun ouders vrezen – niet zonder grond – dat hun kinderen minder goed terechtkomen dan zijzelf. Er is een neerwaartse druk waaraan je niet gemakkelijk ontkomt. Universitair geschoolden komen in functies op hbo-niveau terecht en mensen met hbo verdringen op hun beurt de lager opgeleiden van hun plek. Dus de kans dat je lager terechtkomt dan je ouders is bij de huidige generatie groter dan bij de vorige.

'Het opleidingsniveau is voor je latere kansen van beslissende betekenis. Maar het aandeel van de overheid in de totale studiekosten neemt af. Jongeren zien zich gedwongen tot bijverdienen in hun vrije tijd. Ik geloof dat ze gemiddeld wel tien tot twaalf uur per week besteden aan een baantje in de horeca, de detailhandel enzovoort. De regels voor studiefinanciering worden bovendien steeds scherper. Als dat zo doorgaat komt er een moment dat men gaat zeggen: "Houd je geld maar, ik verdien het zelf wel, dan ben ik ook van al die regels af." Men zal gaan lenen bij familie of een bank. Ook de ouders zullen vaker moeten bijspringen. En als ze het kunnen betalen is dat ook geen probleem. Maar het betekent wel dat ouders en kinderen zelf een steeds groter deel van deze kosten opbrengen. Al met al neemt de noodzaak van een tweede inkomen dus toe. Momenteel hebben we gemiddeld 1,4 inkomen per huishouden, een getal dat waarschijnlijk nog omhoog zal gaan.'

Een ontwikkeling in de richting van Scandinavië waarbij de overheid veel van deze kosten op zich neemt, ligt niet in het verschiet. Vermoedelijk gaat het in de nabije toekomst meer in de richting van hoe het er in Engeland toegaat. De politiek zal zich van de zaak afwenden en de markt springt in het gat. Dat zal een groter aanbod van particuliere diensten tot gevolg hebben, en ook meer ongelijkheid tussen de gezinnen onderling. Want sommige huishoudens kunnen zich die diensten goed veroorloven terwijl andere juist zijn aangewezen op een aanvullend inkomen. De behoefte aan allerlei vormen van persoonlijke dienstverlening is op dit moment al groot en die zal alleen maar toenemen. Men denke aan huishoudelijk werk, het naar school brengen van kinderen of het bijhouden van de tuin. Dat is voor laaggeschoolden een aantrekkelijke markt, want in het bedrijfsleven komen zij steeds minder aan de slag.

4 Eisen aan werknemers

De druk om deel te nemen aan de arbeidsmarkt neemt dus voor alle groepen toe: huisvrouwen, werklozen, studenten enzovoort. Die druk heeft behalve een financieel ook een kwalitatief of inhoudelijk aspect. Er worden namelijk steeds hogere eisen aan toekomstige werknemers gesteld. Dat wordt onderstreept door de heer R.W. Hoebee, beleidsmedewerker bij het Stafbureau van het Regionaal Bestuur Arbeidsvoorziening Zuidelijk Noord-Holland. Hij schetst hoe het klimaat in en rond de arbeidsvoorziening de afgelopen jaren geleidelijk veranderd is.[18]

'Zes jaar terug hadden we nog te maken met kinderen die in Haarlem naar de Groene School geweest waren. Ik weet niet wat ze daar precies leerden, maar het paste van geen kanten op de arbeidsmarkt. In hún ogen moest het arbeidsbureau aan de werkgevers uitleggen wat ze op die school geleerd hadden. Het is een wat extreem voorbeeld, maar zulke toestanden kwamen toentertijd nog voor. Die hele golf van zelfontplooiing is momenteel voorbij. De ontwikkeling gaat duidelijk in de richting van meer discipline, meer sancties, ook meer aandacht voor gedragingen en uiterlijk. Ik zie het aan mezelf. Tien jaar geleden had ik nooit gedacht dat ik hier met een stropdas zou zitten, terwijl het nu ondenkbaar is dat je zonder stropdas naar je werk gaat. Ik merk het evengoed aan de scholen of universiteiten als ik daar een lezing geef. Alles draait om het scoren, de cijfers die je haalt. Er zijn studenten die een bestuurlijke functie op zich nemen want dat levert een aantal extra studiepunten op. Je merkt het aan de manier waarop we zelf als arbeidsbureau werken. Begin jaren tachtig stond de zelfwerkzaamheid van de klant centraal, dat is inmiddels helemaal passé. Ons werk kent steeds meer commerciële aspecten op een manier die in eenzelfde ontwikkeling lijkt te gaan als bijvoorbeeld de PTT.'

Dat er steeds meer eisen op de arbeidsmarkt gesteld worden, hangt van een aantal ontwikkelingen af. In de eerste plaats is het natuurlijk zo dat er al vele jaren een groot aanbod van arbeidskrachten is, terwijl het aantal nieuwe vacatures daarbij achterblijft. De werkgever kan – om het maar eens grof te zeggen – vrijwel kiezen wie hij wil. Bij wijze van spreken heeft men het liefst iemand van zestien jaar met een voltooide academische opleiding die veel werkervaring heeft. Dat is hoofdzakelijk een kwestie van geld. Om dezelfde reden vindt men werknemers al snel te oud. De discrepantie tussen vraag en aanbod heeft in zoverre een kwantitatief aspect. Ten tweede speelt er een kwalitatief aspect mee. Vooral bij de hogere functies worden er steeds meer eisen gesteld op subjectief gebied. Wat men vraagt zijn mensen met een markante persoonlijkheid, die een hoge motivatie hebben, in staat zijn alert te reageren. Factoren dus op het vlak van sociale vaardigheden en psychische gesteldheden. Er verschijnen vacatures waarin men bijvoorbeeld iemand met gevoel voor humor vraagt. Dat neemt over de hele linie toe, ook als het om harde banen in de financiële sector gaat.

Een derde ontwikkeling is dat men niet uitsluitend specialisten vraagt. Daardoor nemen de kansen voor mensen met een alfa- of gammaopleiding weer toe. Voor veel banen in het management of bedrijfsleven maakt het eigenlijk niet veel meer uit wat voor soort vooropleiding iemand heeft. Er zijn voorbeelden van filosofen die als directeur bij de Rabobank aan het werk konden. 'De vraag naar specialisten blijft uiteraard bestaan, maar daarnaast ontstaat er een behoefte aan generalisten, aan mensen met een zeker overzicht. De top van een groot bedrijf houdt zich niet met het zoveelste cijfer achter de komma bezig, in dat soort functies gaat het om de vraag hoe je anderen aan het werk zet, hoe je de dingen in een perspectief kunt zien. Een vergelijkbaar verhaal gaat voor de dienstverlening op. Er zijn bijvoorbeeld steeds meer bedrijven op het gebied van de informatica die voor de verkoop van hun product nu juist historici of gedragswetenschappers aanstellen. Want zo iemand moet begrijpen waar de klant mee zit, niet hoe dat apparaat in technisch opzicht functioneert.'

Aan de bovenkant van de arbeidsmarkt voltrekt zich dus langzaam een verandering waarbij niet alleen hoge eisen worden gesteld, maar waarbij die eisen ook een bepaalde kant uitgaan. In het algemeen krijgen psychische en sociale vaardigheden daarbij meer gewicht. Aan de onderkant van de arbeidsmarkt speelt zich merkwaardig genoeg iets vergelijkbaars af. Alleen gaat het daar om groepen met weinig flexibiliteit. 'Neem bijvoorbeeld de eisen die de nieuwe Algemene Bijstandswet aan vrouwen stelt. Zij moeten zich voor de arbeidsmarkt beschikbaar stellen vanaf het moment dat hun kinderen vijf jaar of ouder zijn. Vroeger lag die grens op twaalf jaar. Het gaat vaak om gezinnen waar de man al werkloos is. Bepaalde moeders gaan niet op een vacature in omdat ze geen opvang hebben voor de kinderen. Hun man springt op dat punt kennelijk niet bij. Die is werkloos en gaat liever een dagje vissen. In die milieus versterken de verschillende problemen elkaar. Niet alleen het inkomen is laag, maar ook het opleidingsniveau en de sociale status. Het doorbreken daarvan lijkt soms onmogelijk. We weten niet half hoe moeilijk het is om na een periode van langdurige werkloosheid weer aan de slag te gaan. Heel je dagritme wordt aangetast, je moet opnieuw leren om op tijd te komen. Voor veel vrouwen is het toch al een hele stap om te gaan werken. Dus wanneer zij 's morgens vroeg als enige de deur uit moet terwijl manlief niets met de kinderen wil doen en er ook geen institutionele opvang is, dan wordt het niet eenvoudiger.' Veel werkgevers willen niet voor de kinderopvang opdraaien, want al met al is dat vrij duur. 'Bij een krappe arbeidsmarkt is men vaker bereid om iets te doen in de sfeer van secundaire arbeidsvoorwaarden, maar in de huidige situatie gebeurt dat niet. Die taak valt in de eerste plaats toe aan de overheid. Ik vind dat Nederland op dit punt onvoldoende doet. Men stelt gewoon te weinig geld beschikbaar om een fatsoenlijke opvang van de grond te krijgen', aldus Hoebee.

In Amsterdam pakt dit alles vooral ongunstig voor de allochtonen uit. 'Zowat de helft van alle werkzoekenden die wij in Amsterdam inschrijven is allochtoon. En daarvan wordt 60 procent langdurig werkloos. Zij vonden vroeger in de meer eenvoudige industriële functies werk. Hun situatie wordt er bepaald niet beter op, want de economische groei vindt in andere sectoren plaats. De plaatsing van minderheden op vacatures in de zakelijke dienstverlening blijft zeer sterk achter. Een scherp voorbeeld daarvan is de vraag naar cabinepersoneel bij luchtvaartmaatschappijen door eisen aan taalbeheersing, vooropleiding enzovoort. Als er bij een luchtvaartmaatschappij driehonderd vacatures zijn, zitten daar niet meer dan twee of drie mensen uit minderheden bij. Verder zie je dat de eigen sociale en culturele gewoonten in het nadeel van die minderheden werken. Wij kennen wel gezinnen waar men de waarde van een diploma niet genoeg beseft. Men heeft vaak een andere waardering voor het witteboordenwerk. Dus heeft men ook niet de neiging om door middel van opleiding in de eigen kinderen te investeren. Daar komt bij dat studeren in hoog tempo duurder aan het worden is. Ik ken een gezin waar boeken door de moeder worden weggegooid. Die ziet de waarde ervan voor de toekomst van haar kinderen niet in. Dat pakt op den duur natuurlijk zeer nadelig voor die delen van de bevolking uit.'

5 Een druk bestaan

Vooralsnog zijn er veel gezinnen in ons land die de druk vanuit de arbeidsmarkt weerstaan. De tijd van de man als enige kostwinner is weliswaar voorbij, maar de tijd dat beide ouders volledig werken is nog niet daar.[19] Zoals gezegd streven de meeste huishoudens het model van de 'anderhalfverdieners' na. Toch kan het tweede inkomen al niet meer gemist worden. Uit een recent onderzoek van de Nederlandse Gezinsraad bleek dat velen wel korter wilden werken, maar dat 71 procent dit weinig realistisch vond.[20] Een verdere stijging van de arbeidsdeelname ligt derhalve voor de hand, vooral waar het om gehuwde vrouwen gaat.[21] Men kan zich afvragen wat de gevolgen hiervan zullen zijn. In dit opzicht is het onderzoek van Droogleever Fortuijn naar tweeverdieners instructief. Zou het model van de echte tweeverdieners massaal in praktijk gebracht worden, dan dienen zich – zo blijkt uit haar studie – een viertal consequenties aan.

Ten eerste zou dit tal van praktische problemen tot gevolg hebben. De institutionele structuur is in Nederland nu eenmaal niet op tweeverdieners afgestemd en zeker niet op gezinnen met twee ouders die fulltime werken. Kinderdagverblijven vormen bijvoorbeeld nog altijd een schaars artikel in ons land. De meeste openingstijden kennen weinig marges.[22] Daardoor komen werkende ouders vaak voor ingewikkelde logistieke opgaven te staan. Het brengen en halen van kinderen beslaat slechts een bescheiden deel van de totale kinderverzorging, maar het roept talrijke problemen op. 'Het is meer dan welke activiteit ook aan strikte tijdstippen gebonden: begin- en eindtijden van school, club, zwem- of balletles en afspraken met huisarts, tandarts, ziekenhuis of consultatiebureau liggen vast en kennen geen marge. Het begeleiden van kinderen heeft bovendien een sterk versnipperend effect op het tijdbudget, doordat het meestal korte episoden betreft die zich slecht met andere activiteiten laten combineren. En bij activiteiten als sport, zwemmen, ballet of muziekles heeft men de keus tussen kort na elkaar twee keer heen en weer gaan of blijven wachten en de verrichtingen van het kind gadeslaan. Slechts een enkeling slaagt erin de tijd tussendoor voor iets anders te benutten.'[23]

In de tweede plaats vergt het tweeverdienersgezin een uiterst doelmatig tijd-ruimtelijk arrangement. Zolang een van beide partners bereid is de eigen carrière op een laag pitje te zetten of zich te concentreren op het huishouden gaat het nog wel. Maar gezinnen waar beide ouders hun carrière van belang vinden en bovendien aan een zekere symmetrie hechten, komen onder grote druk te staan. Daar is een hoge mate van flexibiliteit vereist, zowel in sociaal als in ruimtelijk en temporeel opzicht. 'Twee volledige banen lijken alleen maar haalbaar wanneer beide partners dicht bij huis werken en/of beide partners over een auto beschikken om zich snel te kunnen verplaatsen.' Een andere maatregel is het verschuiven van huishoudelijk werk naar de avonduren of het weekend.[24] Behalve met de tijd, moet men ook doelmatig met de ruimte omspringen. Het is dan ook geen toeval dat carrièregerichte huishoudens vooral in de omgeving van de binnenstad woonachtig zijn. Daar bevinden zich arbeidsplaatsen, stedelijke functies en voorzieningen voor kinderen op korte afstand van elkaar. Dit leidt onder meer tot een sortering van bewoners en instellingen. Het maakt voor huishoudens immers veel uit of ze wonen in een omgeving met veel of weinig deeltijdbanen, veel of weinig kinderdagverblijven, goed of slecht openbaar vervoer. Er vinden meer verhuizingen dan vroeger plaats omdat huishoudens actief zoeken naar een omgeving die aan hun specifieke eisen kan voldoen. Zo zullen de sociale differentiatie en de ruimtelijke differentiatie elkaar wederzijds versterken.[25]

Ten derde zou een forse toename van het verschijnsel tweeverdieners waarschijnlijk een taakverzwaring voor vrouwen tot gevolg hebben. Uit de studie van Droogleever blijkt dat een symmetrische taakverdeling in huis nog altijd zeer veel moeite kost. Ook als beide partners evenveel uren buitenshuis werken heeft dat tot op heden geen gelijke verdeling van de huiselijke taken tot gevolg.[26] Uit het recente onderzoek van de Nederlandse Gezinsraad blijkt dat eveneens. Daaruit blijkt dat in gezinnen waar man en vrouw ongeveer evenveel uren betaald werken, het meeste huishoudelijke werk op de vrouw neerkomt. Slechts in 28 procent van de gevallen wordt dit min of meer gelijk verdeeld. Alleen waar het om kleine reparaties gaat, neemt de man de meeste taken voor zijn rekening. Maar strijken, de was doen, stof afnemen, bedden opmaken en in iets mindere mate stofzuigen en koken zijn taken die in de grote meerderheid door vrouwen gedaan worden. Bij de verzorging van kinderen zien we dat mannen relatief het meest doen aan het voorlezen van kinderen en helpen met het huiswerk. Zou de omvang van het betaalde werk door vrouwen toenemen, dan zou dat voor hen waarschijnlijk een verzwaring van de totale taak tot gevolg hebben.[27]

Het is dan ook geen wonder dat de huishoudens die het zich kunnen permitteren tot uitbesteding van een aantal taken overgaan. 'Carrièregerichte huishoudens met jonge kinderen besteden gedurende vele uren per week de verzorging van hun kinderen op formele wijze uit: zij maken gebruik van kinderdagverblijven of zij hebben een betaalde oppas met wie zij een zakelijke relatie hebben. En zij voeren een strategie van risicospreiding door verschillende opvangvormen te combineren: een crèche en een vaste oppas of twee verschillende oppassen, met familie of buren achter de hand voor noodgevallen...'[28] Dit strookt met de opmerkingen die Van Doorne over dienstverlening maakt. De hiermee gepaard gaande financiële lasten vormen geen bezwaar aangezien het gezinsinkomen van tweeverdieners doorgaans hoger dan gemiddeld is. Maar daarmee raken we wel aan een vierde consequentie van deze ontwikkeling, namelijk dat er meer inkomensongelijkheid tussen de huishoudens ontstaat. Uit een schatting van Dessens voor de inkomensontwikkeling tot het jaar 2011 blijkt onder meer dat een grotere arbeidsdeelname van vrouwen bij de individuele inkomens meer gelijkheid tot gevolg heeft. Maar op het niveau van de huishoudens als geheel doet zich een toenemende inkomensongelijkheid voor.[29]

3.2   SOCIAAL-CULTUREEL: TOENEMENDE SELECTIE

Zoals we in het vorige hoofdstuk hebben gezien, neemt de druk op het gezinsleven geleidelijk maar onmiskenbaar toe. Er ontwikkelt zich een commerciële dynamiek die in de eerste plaats een verharding van de economische omgeving tot gevolg heeft. In dit hoofdstuk vragen wij ons af welke invloed dit heeft op de sociale en culturele omgeving van het gezinsleven.

We zullen deze kwestie aan de hand van een paar voorbeelden behandelen en vertrouwen daarbij opnieuw op de ervaring van enkele deskundigen. Zij verwachten dat de dynamiek van marktwerking op sociaal en cultureel terrein inderdaad steeds vaker merkbaar zal zijn. Dat geldt onder meer voor een onderwerp als partnerkeuze, waar door middel van contactadvertenties of professionele bemiddeling een nationale huwelijksmarkt tot ontplooiing komt (paragraaf 1). Het geldt eveneens voor het basisonderwijs, waar steeds meer nadruk komt te liggen op toetsing en doelmatigheid (paragraaf 2). Bij de media stelt men dezelfde ontwikkelingen vast, zeker wanneer het om commerciële televisie gaat (paragraaf 3). Op al deze gebieden tekent zich een dubbele beweging af. Enerzijds doet zich een differentiatie van het aanbod voor, anderzijds neemt de wisselwerking met het gezinsleven een intensieve vorm aan.

Overigens heeft deze wisselwerking in beide richtingen gevolgen. Weliswaar dringen allerlei maatschappelijke instanties zoals het onderwijs, de media of het uitgaansleven diep in de gezinnen door, *maar het omgekeerde gebeurt ook*. De kansen op falen of succes in het onderwijssysteem hangen mede af van het gezin waaruit men komt (paragraaf 4). De souplesse waarmee men zich in het menselijk verkeer beweegt, staan vaak met de sociale vaardigheden van de ouders in verband. Kinderen die affectief en intellectueel niet voldoende kapitaal mee krijgen, zijn later minder goed tegen maatschappelijke tegenslag bestand. Met andere woorden: de kwaliteiten van het gezinsleven zijn van groot belang voor de flexibiliteit en kracht waarmee de volgende generatie op de markt opereert (paragraaf 5). In die zin doet het gezin nog altijd als een sorteermachine dienst en het zou zelfs kunnen zijn dat die functie in de toekomst belangrijker wordt dan in de afgelopen decennia.

1 De huwelijksmarkt

Men behoeft slechts één blik te slaan op de vele pagina's met contactadvertenties om te beseffen dat een groot aantal personen naar de ware Jacob aan het zoeken is en dat die ware Jacob aan een groot aantal, vaak specifieke, eisen moet voldoen. In hoeverre al die zoekenden inderdaad een partner vinden en of die relaties standhouden, blijft daarbij onduidelijk. We namen daarom contact op met mevrouw Annelies Penning.[1] Zij bezit reeds jarenlang een eigen bemiddelingsbureau en tracht mensen die een duurzame relatie zoeken op diverse wijzen behulpzaam te zijn: door adviezen, door haar cliënten meer inzicht in zichzelf te geven, door workshops en niet in de laatste plaats door hen in contact te brengen met anderen die eveneens een partner zoeken. Daartoe beschikt mevrouw Penning over een ruim cliëntenbestand, voor het merendeel afkomstig uit de sociale bovenlaag:

'Ik vraag van mijn cliënten dat ze zelfstandig zijn – op zowel materieel als immaterieel vlak. Verder is het belangrijk dat ze zorgvuldig zijn. Je mag best een beetje romantisch flirten of verkennen, maar als je op zoek bent naar een duurzame relatie ga je zorgvuldig met je eigen en andermans gevoelens om. Ook moeten mensen een zeker zelfrespect tonen. Dat heeft niets te maken met de vraag of je mooi of lelijk bent. Het gaat erom hoe je over jezelf denk en hoe je jezelf goed over het voetlicht brengt. Veel mensen denken: als ik eenmaal een partner heb, dan gaat alles wel goed. Maar dat vind ik niet reëel. Zoiets legt een veel te grote belasting op de ander. Er zijn mensen die nog veel te leren hebben op relationeel gebied.' Penning illustreert dat aan de hand van een paar gevallen die ze in haar praktijk regelmatig tegenkomt: jongemannen van een jaar of dertig die in een religieus of beschermd milieu zijn opgegroeid. Ze hebben vaak een academische of technische opleiding voltooid maar zijn niet in staat om op een min of meer natuurlijke manier met vrouwen om te gaan. 'Ook zijn er mensen die met een blauwdruk in hun hoofd lopen. Ze zijn zich daar vaak niet bewust van; ze zijn heel sterk op een bepaald type partner gericht door een conditionering uit het verleden. Toch worden ze niet gelukkig. Om dat wel te bereiken, moeten er vaak eerst oude patronen worden doorbroken.'

Mevrouw Penning zorgt ervoor dat er altijd evenveel mannen als vrouwen in haar bestand zitten. Het is evenwel een feit dat er zich veel meer vrouwen tot een bureau wenden dan mannen. Mannen komen vaker met traditionele verwachtingen naar een bemiddelingsbureau, maar de moderne vrouw wil eigenlijk steeds meer. 'Dat komt doordat vrouwen zich meer zijn gaan ontwikkelen. Ze hebben meer mogelijkheden gekregen, kunnen beter voor zichzelf zorgen. Hun baan of hun eigen huis is vaak al op orde, alleen die man hebben ze nog niet. Maar ja, naarmate je als vrouw zelf méér hebt, zijn er natuurlijk minder mannen die daaraan beantwoorden. Ik zeg altijd: "Het lijkt wel alsof 80 procent van de vrouwen op zoek is naar een man waarvan er maar 10 procent zijn". De meeste vrouwen die hier komen, willen een man die groter is dan zij. Hij moet ook iets meer verdienen, hij moet een zeker aanzien hebben en hij moet sociaal vaardig zijn. Hij moet zich inzetten voor zijn werk maar ook voldoende tijd vrijmaken voor zijn partner en zijn toekomstige gezin. Hij moet evenwichtig zijn en een sterke schouder bieden maar ook gevoelsmatig goed ontwikkeld zijn. Dat is nogal wat...'

Men wordt ook wel eens teleurgesteld als blijkt dat er geen kandidaten zijn die hieraan voldoen. Mevrouw Penning gaat op het voorbeeld van de lichaamslengte in. 'Vrijwel alle vrouwen die hier komen zien het liefst een grote man. Of ze nu zelf 1.60 meter of 1.80 meter zijn, ze willen graag een man die langer is. Bij zo'n man voelen zij zich geborgen. Ik zeg soms dat je mannen van 1.95 meter hebt die heel onvolwassen zijn terwijl sommige mannen van 1.70 meter een sterke persoonlijkheid hebben, maar dat maakt doorgaans weinig indruk. Ze houden aan die elementaire keuze vast. Wat dat betreft valt de voorkeur van mannen in het algemeen wat leuker uit...'

Het voorgaande illustreert de veranderingen die zich op de huwelijksmarkt aan het voltrekken zijn. Daartoe behoort ook het feit dat het aanbod van potentiële partners tegenwoordig veel groter is dan in het verleden.' De kring van gegadigden was vroeger minder groot en de patronen lagen vast. Je ontmoette iemand via het werk of een vereniging, het was het vriendje van je broer of het zusje van je vriend. Nu is de wereld enorm groot geworden. Achter elke heuvel ligt misschien een nóg aantrekkelijker partner op je te wachten. Vooral in de stad is het aanbod van mogelijke partners erg groot. Dat brengt voor veel mensen de nodige verwarring met zich mee, zeker als het in hun huwelijk een tijdje minder gaat. Dan speelt die overvloed aan kandidaten soms een negatieve rol. Stel je relatie loopt op een bepaald moment niet optimaal en een van de twee profiteert van het grote aanbod door vreemd te gaan. Dat veroorzaakt dan zoveel boosheid en ellende dat er niets meer valt op te lossen. Doordat de verleiding zoveel groter is, kun je eerder in een situatie terechtkomen dat je tegenpolen wordt.' Een andere trend is dat mensen relaties vaker als een investering zien. Ze doen er moeite voor maar ze willen er ook iets voor terug hebben. Sommigen kunnen daarvoor niet genoeg geduld opbrengen. 'Als mensen elkaar gevonden hebben zeg ik altijd: "Gevoelens alleen zijn niet genoeg, die moeten ook gevoed worden." Het gevoelsleven is niet iets wat vanzelf blijft bestaan. Het moet onderhouden worden door de dingen die je samen doet. Of het nu de verzorging van je moeder op haar sterfbed is, of het leggen van een nieuwe grasmat in de tuin, dat maakt niet uit. Maar zonder uitwisseling blijven die gevoelens niet bestaan.'

Volgens mevrouw Penning hebben heel wat mensen met het onderhouden van hun relatie nog altijd moeite. Dat relaties stuklopen is niet zozeer uit onwil, maar uit onmacht of onwetendheid. Veel mensen hebben onvoldoende inzicht in zichzelf, weten nauwelijks wat je wel en niet van een relatie kunt verwachten. Ze hebben weinig oog voor de vraag wat de ánder bij hen zoekt. Het kost vaak grote moeite om over gevoelszaken te communiceren. 'De meesten zeggen dat een relatie zo niet het belangrijkste, dan toch een van de voornaamste dingen in hun leven is. Maar als je daarover doorpraat, vraagt wat voor soort relatie zij zich voorstellen en wat hun eigen aandeel daarin is, dan weten ze vaak weinig te vertellen. Ze hebben een romantische opvatting over liefde maar denken weinig over zichzelf na. Ze geloven bijvoorbeeld in liefde op het eerste gezicht. Of ze denken dat een relatie goed is omdat het seksueel fantastisch gaat. Of dat ware liefde alles overwint. Allemaal van die misvattingen waardoor ze voor iemand kiezen terwijl ze een roze bril op hebben. In het begin is dat natuurlijk prachtig, maar op den duur is er toch meer vereist. Wat mij opvalt, is dat er dan tussen de partners maar weinig openheid bestaat. Ik zeg altijd: een relatie is meer dan het bed met elkaar delen. Je moet ook je gedachten en gevoelens met elkaar uitwisselen en dat gaat niet als je niet praat. Wat dat betreft zijn die praatprogramma's op tv bedrieglijk. Ik geloof echt niet dat de mensen hun privé-zaken zo gemakkelijk aan elkaar blootgeven. Je hoort veel te vaak dat ze langzaam uit elkaar groeien en na tien jaar is het plotseling te laat.'

2 Gedrag op school

Ook het onderwijs vormt een domein dat – meer dan vroeger – aan marktwerking en selectie onderhevig is. Dat blijkt onder meer uit het verhaal van de heer Cees Kaaij.[2] Hij is hoofd van De Zevensprong, een katholieke basisschool in Cuijk, en kan op 25 jaar ervaring als onderwijzer terugkijken. Hij verwacht dat de meer zakelijke benadering in het (lager) onderwijs zich de komende jaren zal handhaven. Het proces van schaalvergroting zal zich doorzetten, het schoolbestuur zal verder geprofessionaliseerd worden. Men zal scherper letten op de vraag of de juiste mensen op de juiste plaatsen aan het werk zijn. Er wordt minder nadruk op het eigen karakter van de school gelegd. Ook inhoudelijk liggen de jaren zeventig echt achter ons. Toen ging de aandacht voornamelijk uit naar de ontplooiing van de leerlingen, hun algemene vorming. In de loop van de jaren tachtig verplaatste het accent zich naar effectiviteit, het volgen en toetsen van de leerlingen, het werken op resultaat.

'Dat laatste neemt inmiddels sterk toe. De kinderen worden nu een paar keer per jaar op lezen en rekenen getoetst. Daarmee houd je de ontwikkeling goed bij. Voor driekwart van de gevallen is dat misschien niet zo noodzakelijk, die kinderen zullen zich toch wel ontwikkelen. Maar voor degenen die uit de boot dreigen te vallen is het een goede zaak dat je dit vroegtijdig onderkent. De screening begint al in groep 2. Aan het einde van groep 3 kijken we naar leesvaardigheid en rekenvaardigheid. Tot groep 7 worden de kinderen per jaar een keer of vier getoetst op lezen, spellen en rekenen. We gebruiken daarbij de instrumenten die door CITO ontwikkeld zijn. We letten speciaal op kinderen die in de gevarenzone zitten, die duidelijk onder het gemiddelde scoren. Als je dat eenmaal weet, kun je gaan kijken naar de aard van het probleem en werken aan een oplossing. Dat doen we hier binnen de school, met behulp van een remedial teacher die voor elk kind een speciaal programmaatje ontwikkelt. Na een aantal jaren kun je ook de algemene lijn nagaan, zien of een kind vooruitgaat of op hetzelfde niveau blijft staan.'

Kaaij gelooft niet dat dit systeem voor de leerlingen erg belastend is. Het komt zelfs voor dat kinderen op school beter functioneren dan thuis, juist omdat het onderwijssysteem een zekere regelmaat en helderheid te bieden heeft. Er zijn nu eenmaal bepaalde taken en verwachtingen. Sommige kinderen voelen zich daarbij op hun gemak. Thuis zijn ze vaak lastiger omdat het daar aan structuur ontbreekt. Ook in sociaal opzicht houdt men op De Zevensprong duidelijke normen aan. 'We hebben bijvoorbeeld een speciaal project gehad over pesten. We gebruikten daarvoor materiaal dat was ontwikkeld door de Riagg in Boxmeer. Van belang is hoe je als leerkracht persoonlijk op zulke situaties reageert. Als je ook maar een spoortje ruikt van dat soort gedragingen, moet je meteen ingrijpen. Dus vroeg of laat moet je zeggen: "Jongens, dit of dat pikken we niet op deze school." Je moet als school bepaalde normen handhaven.

Sommige ouders vinden trouwens dat we daar niet ver genoeg in gaan. Die zien liever een school die nog wat strenger is. Vaak zijn dat ouders met een hogere opleiding. Die formuleren heel duidelijk welke eisen ze aan hun kind stellen. Zij oefenen duidelijk druk uit op de school. Dat is vooral voelbaar aan het einde van groep 8, als de keuze voor een vervolgopleiding aan de orde komt. Natuurlijk vonden de ouders dat vroeger ook van groot belang. Maar je mag wel zeggen dat de druk om het kind naar de hoogst mogelijke opleiding te sturen, duidelijk is toegenomen. Daar bemoeien de ouders zich zeer nadrukkelijk mee en dat levert vaak forse confrontaties op: enerzijds de verwachtingen van ouders met betrekking tot hun kind, anderzijds de opinie van de leerkracht in groep 8, al dan niet ondersteund door een nader onderzoek. Hetzelfde geldt voor de gevallen waarin blijkt dat een kind eigenlijk naar het speciaal onderwijs toe moet. Dat kunnen zeer indringende gesprekken zijn, het gaat er soms heel emotioneel aan toe. Want de ouders beseffen terdege dat daar over de toekomst van hun kind besloten wordt', aldus Kaaij.

Er is dus sprake van een zekere druk vanuit de ouders op de school. Kinderen op de basisschool zijn heel gevoelig voor allerlei rages. De ene keer zijn het flippo's, de andere keer skeelers. 'Er bestaan bijvoorbeeld duidelijke normen over de manier waarop je gekleed moet zijn, het soort schoenen dat je draagt, een T-shirt met dit of dat speciale merkje erop, een fiets met zoveel versnellingen. De kinderen zien dat op het schoolplein en de ouders willen ze niet teleurstellen. Die willen per se niet dat hun kind uit de boot valt en geven vrij gemakkelijk aan al die wensen toe. Een vergelijkbaar punt is het verjaardagspartijtje. Het begint al met een schriftelijke uitnodiging. Die moet op zijn minst met een computer gemaakt zijn. De groep vriendjes moet elk jaar weer groter zijn en het uitstapje steeds verder weg. Je blijft toch niet in Cuijk of bij iemand thuis? Nee, er moeten ouders worden geregeld om in Nijmegen naar de schaatsbaan toe te gaan. Dát is pas een gaaf partijtje... Die ouders doen vrijwel altijd mee, want hun status is evengoed in het geding. Er zal niet gauw een ouder zijn die zegt: "Dat wordt me te gek, daar pas ik voor..." Dat kan wel bepaalde spanningen oproepen. Want er zijn natuurlijk ook kinderen die het thuis wat minder breed hebben. Maar die willen evengoed zo'n mooie zonnebril, of een mountainbike. Soms kun je voorspellen hoe dat later gaat. Van bepaalde kinderen weet ik dat ze straks in de gevarenzone terechtkomen als je ze nu niet extra in de gaten houdt. Ze onderscheiden zich door hun gedrag op school, in het voortgezet onderwijs vallen zij als eerste uit. Dat gaat dan van kwaad tot erger.

De thuissituatie speelt dus een voorname rol. In dat opzicht treffen we op De Zevensprong soms grote verschillen aan. Je merkt het bijvoorbeeld aan het tijdstip waarop de kinderen naar bed moeten. In sommige gezinnen is dat 7 uur of half 8, maar er zijn ook ouders voor wie dat helemaal niet hoeft. Er bestaat momenteel geen standaardsituatie meer. Over het algemeen geldt: hoe beter de ouders zelf zijn opgeleid, des te hoger zijn de eisen die zij aan hun kind stellen. In gezinnen waar vader en moeder beiden werken, bestaat doorgaans een strak patroon. Die kinderen hebben het ook beter. Daar is meestal een auto in huis, soms wel twee. Hun vakanties zijn beter, hun kleding eveneens. Kinderen uit een lager milieu komen ook met een andere motivatie naar school. Zij ervaren de structuur en de taken van het onderwijs meer als een keurslijf dan als een hulpmiddel, meer iets wat ze door anderen wordt opgelegd dan iets waar ze zelf de zin van zien. Wij merken ook dat veel van die kinderen vrijwel ongelimiteerd tv-kijken. Als ik 's morgens om 8 uur naar school fiets, staat bij verschillende gezinnen de tv al aan. Vooral programma's als *Goede Tijden Slechte Tijden* zijn bijzonder populair. Daar kijkt men vaak met het hele gezin naar. Er is een categorie kinderen die thuis veel video's bekijkt, Rambo-achtige films en zo. Ik kan niet zeggen dat we er op school veel problemen mee hebben. Het is meer dat we ons afvragen of ze die dingen op die leeftijd nu al moeten zien...'

3 Invloed van de media

In deze paragraaf belanden we bij de rol van televisie en andere media in de opvoeding. Jongeren kijken vrij veel tv, waarbij het verschil tussen een commerciële en een publieke omroep er nauwelijks toe doet. De omroepen van hun kant gaan uitdrukkelijk op de leefwereld en vragen van deze kijkers in, zoals uit het bestaan van diverse jeugdprogramma's blijkt. Om na te gaan hoe een en ander in zijn werk gaat, spraken we met mevrouw Muriloff.[3] Zij is bij RTL 4 als uitvoerend producente verantwoordelijk voor *Telekids*. Dit tv-programma wordt elke week live uitgezonden en wel op zaterdagochtend van 7.00 tot 12.00 uur. Het richt zich speciaal op kinderen van vier tot twaalf jaar. De twee presentatoren, Irene Moors en Carlo Boszhard, vullen een groot deel van het programma zelf in, maar aan de voorbereiding en uitvoering van het geheel werkt een team van ongeveer twintig personen mee. Over de voorbereiding vertelt Muriloff het volgende. 'Het programma roept meestal een groot aantal reacties op. Soms krijg je wel veertig brieven, allemaal van kinderen die zich in een probleem herkend hebben. Op grond daarvan bepalen we de onderwerpen die de volgende keer aan bod komen. Maar we sturen ook wel enquêtes naar bepaalde scholen toe. In zo'n enquête kunnen ze ook aangeven wie ze graag als Vraag-maar-raak-gast zouden zien. Meestal is dat iemand uit de wereld van tv of popmuziek. Die is dan bij *Telekids* te gast en de kinderen stellen allerlei vragen aan hem of haar.' Op die manier trachten de makers van het programma zo veel mogelijk aan te sluiten bij de ervaringswereld van kinderen.

Opnieuw blijkt – ook onze gesprekspartners bij Kidwise wezen erop – dat die leefwereld sterk van leeftijd en geslacht afhangt. Meisjes tussen acht en twaalf bijvoorbeeld zijn altijd met paarden of pony's in de weer. Een onderwerp als 'verkering' speelt eveneens heel sterk. Op dat punt verschillen jongens en meisjes duidelijk. 'Jongens hebben een vriendinnetje maar daar houdt het wel zo ongeveer mee op. Meisjes beleven dat intensiever, die komen er veel vroeger mee. We zien vaak dat drie of vier meisjes één bepaalde jongen leuk vinden, terwijl die jongen daar vrij onverschillig onder blijft. Dat verschil in belangstelling werkt in het programma zelf door. De twee presentatoren spelen op dit punt een eigen rol. Irene Moors doet bijvoorbeeld *Mijn Geheim*, een rubriek die speciaal aan brieven van die meisjes wordt gewijd.

Carlo Boszhard kijkt dan samen met de jongens even de andere kant op. Dat romantisch getut met brieven en zo... Wij zijn er even niet hoor. Het vorige seizoen werd dat verschil breed uitgemeten. Dan haalde Carlo de jongens van de tribune af om naar buiten te gaan. Ondertussen behandelde Irene met de meisjes al die ontboezemingen. Het komt nogal eens voor dat een meisje zegt: "Nou heb ik toch al zo lang verkering met die jongen. Maar hij doet nooit wat of hij zegt nooit wat." Toch moet je zo'n "verkering" niet te zwaar opvatten. We gaan wel eens naar een school om de kinderen te vragen of ze een leuk stelletje kennen. Dan wijst iedereen in de klas naar Barbara en Rogier, die zijn toch zo leuk... Maar een week later blijken Barbara en Rogier al lang niet meer te praten met elkaar. Dan moet je Leon en Saskia hebben. Dat wisselt allemaal zo snel...'

Hoewel een programma als *Telekids* dicht bij de leefwereld van de kinderen aansluit, brengt het wel bepaalde accenten aan. Er wordt weinig aandacht besteed aan problemen als eenzaamheid of echtscheiding, onderwerpen die op de laatste pagina van de VPRO-gids altijd de hoofdmoot van de ingezonden brieven uitmaken. '*Telekids* is in de eerste plaats amusement voor kinderen. Het is zaterdagochtend, dus we hebben even lol. Als je een probleem wilt behandelen, kun je dat beter in een ander soort programma doen', aldus Muriloff. 'Overigens hebben wij de ervaring dat kinderen heel bewuste consumenten zijn. Ze kennen goed het verschil tussen reclame en realiteit. We hebben dat ook wel eens expliciet behandeld. Dan was er een jongen die heel graag iets van 150 gulden wilde hebben. Dat mocht niet van zijn ouders en toen ging Carlo naar hem toe. Hij liet die jongen zien hoeveel geld dat was, hoeveel auto's hij daarvoor moest wassen. Ik vind dat je kinderen moet leren bewust om te gaan met geld. Ik ben het dan ook niet eens met degenen die beweren dat ons programma de kinderen tot consumptie aanzet. We sluiten aan bij wat er leeft. Ga maar eens in Amsterdam op straat lopen, dan zie je hoe stoer en "cool" jongetjes van tien zich al gedragen. Dat hebben ze echt niet van tv, dat leren ze op straat. Ik zeg niet dat het allemaal in orde is. Ik vind het juist jammer dat kinderen tegenwoordig eigenlijk geen kind meer kunnen zijn. Maar dat is niet de schuld van degenen die tv maken. Wij spelen alleen maar in op iets wat al lang bestaat...'

Over het algemeen is er vrij veel kritiek op het feit dat een commerciële zender als RTL 4 kinderprogramma's maakt. Muriloff: 'Tot vorig jaar september was de aanpak inderdaad meer commercieel. Dan maakten we bijvoorbeeld een programma over de barbiepop, de manier waarop die is ontstaan, hoe die is verbreid enzovoort. Daar zat ook een prijsvraag aan vast. Het feit dat men voor dat programma heeft betaald, leverde ons enorm veel verwijten op. Niet eens wegens het geld, maar vooral vanwege de verkeerde uitwerking van zo'n programma op ons publiek. Men beschouwde ons als een stelletje wolven in schaapskleren. We zouden die kinderen koopziek maken. Over het feit dat we op dezelfde basis met het Wereld Natuur Fonds samenwerkten, hoorde je niemand.' Een vergelijkbaar punt is het vertonen van geweld. 'Naar mijn ervaring bestaat er een groot verschil tussen getekend en gefilmd geweld. Zolang het getekend is, lachen de kinderen erom. Ze zien Batman wel van driehoog naar beneden springen maar het komt niet in ze op om ook zoiets te doen. Bij een serie als de *Power Rangers* ligt het wat anders. Dat zijn net echte mensen, dat soort agressief gedrag doen kinderen veel eerder na. Het is erg jammer dat men overal in Europa ongeveer dezelfde series uitzendt. Het is inderdaad allemaal nogal gewelddadig. Gelukkig zenden wij de *Power Rangers* bij *Telekids* niet langer uit. Ouders moeten op zaterdagochtend rustig in bed kunnen blijven terwijl hun kinderen naar ons programma kijken. Wij laten dus niet zien hoe je met een aansteker het huis in de fik kunt steken.'

4 Gevolgen van kennis

Zoals men tegenwoordig op elke straathoek kan beluisteren zijn wij op weg naar een kennismaatschappij. Door de onstuimige groei van informatie- en communicatietechnologie neemt de beschikbaarheid en circulatiesnelheid van kennis sterk toe. Verder is Nederland zich tot een postindustriële, vooral op dienstverlening gerichte maatschappij aan het ontwikkelen. De plaats van handarbeid wordt steeds meer overgenomen door hoofdarbeid en het belang van kennis als economische productiefactor groeit daardoor. De gevolgen van dit proces zijn dermate ingrijpend dat de overheid in 1996-1997 een nationaal kennisdebat heeft opgezet.[4]

Nu is het ontstaan van de kennissamenleving niet alleen een toekomstige ontwikkeling. In feite gaat het om een proces dat zich reeds geruime tijd voltrekt en waarvan de gevolgen vrij goed te voorspellen zijn. Een groep van sociologen heeft hier zelfs een speciale studie aan gewijd, zij het dat ze vooral het verband tussen opleiding en een mogelijke tweedeling onderzocht hebben. Wij doelen op *De sociale segmentatie van Nederland in 2015*, onder redactie van H. Ganzeboom en W. Ultee. De conclusies van dit werkstuk lijken ons ambivalent. Want enerzijds maken de auteurs aannemelijk dat de verschillen qua opleiding in Nederland nog altijd afnemen. Ook blijkt dat het genoten onderwijs steeds minder door het scholingsniveau van de ouders wordt bepaald. 'Wanneer deze trend zich blijft voortzetten, zal in Nederland rond 2015 de opleiding van personen nauwelijks meer van de opleiding en het beroep van hun vader afhangen.'[5] Dat zou dus betekenen dat sociale segmentatie op basis van een opleiding in de nabije toekomst niet waarschijnlijk is. Maar anderzijds blijven de sociale scheidslijnen als gevolg van opleiding bij allerlei maatschappelijke activiteit bestaan. Belangstelling voor een hobby of vereniging is vooral een zaak van mensen met een hoge opleiding en dat zal in de toekomst niet veranderen. Het opleidingsniveau speelt eveneens een rol bij het deelnemen aan de politiek. Bij verkiezingen blijven de lager opgeleiden eerder thuis terwijl hoger opgeleiden vaker politiek actief worden – zowel op een conventionele als een onconventionele manier. Dit verband – dat we bij een andere gelegenheid eveneens hebben vastgesteld – wijst erop dat opleiding ook in de toekomst een voorname graadmeter voor maatschappelijke participatie is.[6] De gedachte dat de sociale verschillen in een toekomstige kennismaatschappij minder scherp zouden zijn, ligt daarom geenszins voor de hand.

Veel aannemelijker lijkt dat de vorm van die sociale verschillen een verandering zal ondergaan en dat het onderwijs daarop van invloed is. Blijkens een onderzoek van De Vijlder tekenen zich in dit opzicht vier ontwikkelingen af.

Ten eerste zal de oorspronkelijke functie van het onderwijs veranderen. Omdat het cognitieve leren straks overal gebeurt, verliest de school haar monopolie op dat punt. Andere functies van het onderwijs worden dan belangrijker, zoals het opvangen van leerlingen, het adviseren van de ouders en de sociale ontmoetingsplaats in wijk of buurt.

Die tendens wordt slechts versterkt door een verdere ontplooiing van de informatietechnologie. De groei van wereldwijde netwerken als Internet zal iedereen in staat stellen om op een uiterst doelmatige manier de meest uiteenlopende vormen van kennis in huis te halen. De oude functie van de school als aanbieder van kennis kalft zodoende af. Tegelijkertijd neemt de behoefte aan persoonlijke contacten of advies juist toe en daar liggen de nieuwe kansen voor het onderwijs.[7]

Ten tweede leidt het grotere belang van opleiding tot een herverdeling van de arbeidsmarkt. Hooggeschoolden hebben bijna altijd beter werk en verdringen de laaggeschoolden uit hun baan. 'Deze verdringing begint soms al tijdens de studieperiode, bijvoorbeeld doordat studenten werk doen op plaatsen die voorheen door laagopgeleide jongeren zijn bezet, zoals de bediening van kassa's in warenhuizen en supermarkten, uitzendbanen in de administratieve sector, et cetera.' Uit een comparatief onderzoek blijkt dat stijging van het onderwijsniveau gemakkelijk tot een segmentatie van de arbeidsmarkt leidt. Op die manier kan opleiding óók dienst doen als een mechanisme van sociale uitsluiting.'[8] Dit proces heeft tot gevolg dat de betekenis van hogere diploma's in de toekomst devalueert en dat lagere functies meer en meer door hoogopgeleide mensen bezet worden.[9]

Een derde consequentie van de kennismaatschappij is dat de selectieve werking van het onderwijs versterkt wordt. De opkomst van het moderne onderwijs ging gepaard met een meritocratisch ideaal: sociale kansen zouden niet van afkomst maar van aanleg en prestatie moeten afhangen. Zolang het onderwijs expandeerde was dit ideaal gemakkelijk te handhaven. Maar vanaf het moment dat iedereen een opleiding gevolgd heeft en het economische belang van intellectuele vaardigheden alom wordt erkend, evolueert de school tot een systeem dat verschillen tussen burgers fixeert. Er dreigt opnieuw een harde classificatie van burgers, nu niet op grond van afkomst maar van prestaties in het onderwijs.[10] In dat opzicht deelt de school het lot van vele andere voorzieningen, die oorspronkelijk dienstdeden als verzekering, maar die door een groeiend inzicht in risicofactoren steeds vaker selectief gaan werken. Wie het aids-virus draagt of een afwijkend gen bezit, wordt uitgesloten van een levensverzekering, tenzij dat bij wet verboden is. Wie een geringe opleiding heeft, wordt uitgesloten van de arbeidsmarkt, van het sociale leven of van culturele voorzieningen.[11]

De vierde consequentie is dat deze selectie zich naar een steeds vroeger stadium van de levensloop verplaatst. Het zojuist genoemde risico van uitsluiting is de overheden niet ontgaan. In verschillende Europese landen heeft men daarom getracht de dreigende achterstand voor bepaalde groepen weg te werken. De overheid voert een compensatie-politiek. 'Het doel ervan is verschillen in leerprestaties onder invloed van herkomst zo veel mogelijk te verminderen. Verschillen tussen kinderen worden daartoe op steeds jongere leeftijd geïdentificeerd. (...) Het is het verplaatsen van de *brain race* aan de bovenkant van het onderwijssysteem door middel van onderwijsexpansie naar het funderend onderwijs en de voorschoolse fase en dat is precies de richting die er nog meer toe zal leiden dat fysieke verschillen en verschillen in de vroegste ontwikkeling van kinderen een allesbepalend effect op hun levenskansen zullen gaan hebben', aldus De Vijlder.[12] Achterstands-beleid heeft volgens hem dan ook een averechts effect. Naarmate de poging om een achterstand te signaleren en te bestrijden naar een vroeger stadium van de ontwikkeling verschuift, neemt het vermogen van de ouders om dit beleid te saboteren toe. Ze grijpen die maatrege-len slechts aan om de cognitieve en sociale ontwikkeling van hun kind met eigen middelen te bevorderen. De competentieverschillen tussen kinderen uit diverse milieus nemen daardoor niet af maar toe.[13]

5 Cultureel kapitaal

Het thema van deze laatste paragraaf raakt opnieuw de interactie tus-sen gezinsleven en onderwijs, maar nu vanuit een nieuwe invalshoek bezien.[14] Het succes op school hangt namelijk ten dele af van het 'cul-turele kapitaal' dat in het gezin van herkomst opgeslagen is. Deze term stamt van Pierre Bourdieu, een Franse socioloog die vaststelde dat de ongelijke schoolprestaties van kinderen uit verschillende milieus niet zozeer op inzet of aanleg teruggaan, maar op het feit dat het intellectuele kapitaal op een ongelijke wijze over de sociale klassen is verdeeld.[15] De waarde van bepaalde zaken zoals een opleiding of diplo-ma, een boek of schilderij, een begrippenstelsel of muzikale vaardig-heid is immers alleen te realiseren als men over een cultureel erfgoed beschikt. De overdracht daarvan geschiedt nog altijd via het gezin. Veel hangt dus af van de hoeveelheid tijd en moeite die ouders investeren in hun kinderen én van de mate waarin die kinderen zelf in staat zijn om zich de culturele rijkdom van vorige generaties toe te eigenen. Dat alles speelt zich reeds lang vóór de eerste schooldag af en oefent nog lange tijd na het einde van de opleiding invloed uit. Vandaar dat Bourdieu de overdracht van cultureel kapitaal in het huiselijk milieu 'de best verborgen en sociaal meest doorslaggevende educatieve investering' noemt.[16]

In feite blijkt het sociale en culturele kapitaal waarmee kinderen op school komen zeer ongelijk over gezinnen verdeeld. De Utrechtse jeugdarts Rensen formuleert het pregnanter en stelt: 'Een goed gezin is heel goed voor kinderen maar een slecht gezin is erg slecht. Daar zit maar weinig tussenin, juist omdat kinderen zich volop ontwikkelen. Vroeger kon je misschien zeggen: "Ach, in elk gezin is er wel iets." Maar in de huidige samenleving treedt al snel een scheiding op. Sommige gezinnen hebben bijzonder veel in huis en andere juist niet.'[17]

Kinderrechter mevrouw Quick-Schuyt sluit zich hierbij aan. Zij heeft veel te maken met gezinnen waarin allerlei problemen door elkaar lopen. 'Het begint vaak met ruzie of moeilijkheden in de relationele sfeer. Om het nog een beetje gezellig te houden gaat er veel drank doorheen. Dit leidt dan weer tot problemen op het werk met als gevolg dat men ontslagen wordt. Dat werkt allemaal op elkaar in en uiteindelijk is het zo'n puinhoop dat ik ermee te maken krijg. De meesten denken dat het in de omgekeerde volgorde gaat. Dat mensen door werkloosheid of anderszins in de problemen terechtkomen en dat daardoor hun gezinsleven naar de knoppen gaat. Maar volgens mij gebeurt het vaker andersom. Er zit dan iets in die mensen waardoor het gezin ontregeld raakt en dát roept vervolgens allerlei problemen op.'[18] Op de vraag hoe die ontregeling in zijn werk gaat, zullen wij nog terugkomen. Voorlopig stellen we vast dat de uitgangspositie van gezinnen zeer verschillend kan zijn.

De eveneens in Utrecht werkzame Cees Komduur stuit als politieman op dezelfde verschijnselen.[19] Hij komt vaak in gezinnen waar geweld en gevoelens van onveiligheid bestaan. De kinderen ontvluchten dat. Ze gaan de straat op, krijgen leer- en gedragsproblemen op school en zullen vroeg of laat ook zelf voor veel moeilijkheden zorgen. 'Wij proberen steeds om in contact te blijven met jongeren die overlast veroorzaken. Maar het haalt alleen wat uit als de ouders meewerken. Je moet als kind toch het gevoel hebben dat er aandacht voor je is, dat je ouders iets voor je over hebben, dat ze moeite voor je doen. Als ik terugkijk naar mijn eigen jeugd, herinner ik me vooral de dingen die ik samen met mijn ouders deed. Bijvoorbeeld een wandeling door de bossen of een museum dat je hebt bezocht. Dat hebben we ook altijd gezegd tegen de ouders van kinderen die met de politie in aanraking geweest waren: "Investeer er tijd en moeite in want je krijgt het later dubbel terug." Maar je moet er wel op tijd mee zijn. Wat kinderen nodig hebben is veiligheid, geborgenheid, het gevoel dat ze gewenst zijn. Het is eigenlijk allemaal heel simpel, maar je moet het wel geleerd hebben. Veel ouders hebben dat vroeger blijkbaar niet gehad, met als gevolg dat ze het nu ook hun eigen kinderen niet kunnen aanbieden.'

Op dat punt pakt de eigen cultuur van veel allochtone gezinnen ongunstig voor de kinderen uit. Nederlandse kinderen kennen vaak een eigen wereldje, terwijl ze in een allochtoon gezin meer meedoen met de volwassenen. Marion van Schaijk, een psychotherapeute die veel met allochtonen werkt,[20] zegt hierover het volgende: 'Die kinderen gaan wel braaf naar school, maar voor de extra's zoals een schoolreisje hebben de ouders vaak weinig belangstelling. Het komt in Amsterdam wel voor dat allochtone kinderen op de kleuterschool een puzzel in handen krijgen en dan niet weten wat ze daarmee aan moeten. Of een kleurstift en dan niet weten dat je daarmee kunt tekenen. Ik heb het laatst ook zelf meegemaakt, toen er een kennisje uit Afrika bij ons te logeren was. Die wist niet wat haar overkwam toen ze het speelgoed van onze dochter zag. Toch ligt dat niet aan het sociale milieu, want haar moeder is daar academica en zelf gaat ze naar de highschool toe. Maar een eigen kinderwereld heeft ze nooit gekend. Haar moeder speelt ook nooit met haar. Als ze thuiskomt, gaat ze met een pot thee op de bank liggen. Wil haar dochter een verhaal vertellen, dan doet ze dat aan de keukenmeid of zo. Dat is binnen die cultuur volstrekt normaal. Als haar man voorstelt om samen naar de kermis te gaan – die komt daar een keer in de vier jaar langs – dan hoeft dat voor haar niet. Dat meisje hoeft toch niet naar de kermis! Hier is dat ondenkbaar. Voor ons is dat bijna een vorm van kindermishandeling of op zijn minst van enorme verwaarlozing. Maar daar niet. Daar spelen de kinderen met een stokje op straat en vindt men niet dat ouders naar de verhalen van hun kinderen moeten luisteren.'

* * *

In dit onderdeel hebben we de vraag gesteld welke ontwikkelingen voor de nabije toekomst te verwachten zijn. Daarbij is – conform het derde postulaat van onze evolutionistische benadering – vooral gekeken naar de omgeving van het gezin. Zelf zullen de gezinnen de komende decennia nauwelijks veranderen. Hun aandeel op het totaal van alle huishoudens neemt tot ongeveer een derde af, maar daaruit volgt niet dat de Nederlanders weinig betekenis aan het gezin toekennen: verreweg de meeste mensen streven nog altijd een duurzame relatie na en velen willen kinderen. Hoewel er op het gebied van de levensvormen een grote tolerantie blijft bestaan, gaat de eigen voorkeur uit naar het traditionele kerngezin. Men erkent de gelijkwaardigheid van man en vrouw, maar in de praktijk komt het huishoudelijk werk vooral op vrouwen neer. Men waardeert de eigen inbreng van kinderen, maar stelt er in de praktijk bepaalde grenzen aan. Aldus verschilt het globale beeld voor de nabije toekomst niet wezenlijk van het tegenwoordige. De maatschappelijke omgeving van het gezin zal echter wel degelijk veranderen. Doordat het leven steeds meer onder invloed van de markt komt te staan, groeit de druk van buitenaf en wel in drie opzichten.

Ten eerste is dat bij de gezinsvorming als zodanig het geval. Naar verwachting zal de huwelijksmarkt zich de komende decennia tot een echte markt ontwikkelen. We zien enerzijds een differentiatie van de vraag waarbij men uitdrukkelijk bepaalde eisen formuleert ten aanzien van een partner. Anderzijds treedt er een aanmerkelijk verruiming van het aanbod op, niet alleen doordat men opereert op nationale schaal maar ook doordat meer huwelijken op een scheiding uitlopen. Bovendien worden vraag en aanbod doelmatig bij elkaar gebracht door advertenties of professionele bemiddeling. Daardoor zal het proces van partnerkeuze in toenemende mate aan een commerciële dynamiek beantwoorden. Eenzelfde ontwikkeling verwachten we ten aanzien van de menselijke voortplanting. Het belang van de medische technologie zal in dezen blijven toenemen. Specialistische technieken worden na korte tijd als een normale behandeling aanvaard. Het aantal ingrepen rond de bevalling neemt toe omdat men zelfs de kleinste risico's wil uitsluiten. De snelle uitbreiding van DNA-diagnostiek zal tot gevolg hebben dat men steeds vaker van een kind met mogelijke afwijkingen afziet. Zo spelen medici op de wensen van (aanstaande) ouders in en breidt de medicalisering van de voortplanting zich uit.

Ten tweede zal de invloed van de markt op het gebied van de consumptie sterk voelbaar zijn. Er ontstaat een zeer gedifferentieerd aanbod van kinderspullen en op het schoolplein heerst de ene rage na de andere. Ouders komen onder druk te staan, deels omdat zij niet willen dat hun kind bij anderen achterblijft, deels omdat het bedrijfsleven zich rechtstreeks tot de jonge consumenten richt. Dit kan echter alleen wanneer bedrijven zich verdiepen in de eigen leefwereld van kinderen en hun producten afstemmen op de specifieke vraag van een bepaalde leeftijdsgroep, een bepaald geslacht en het sociaal milieu, waarin de kinderen opgroeien, enzovoort. Commerciële adviesbureaus zijn daarbij behulpzaam. Een vergelijkbare ontwikkeling voltrekt zich bij commerciële media die speciale programma's voor de jeugd maken. Zij trachten via ingezonden brieven, enquêtes of schoolbezoek te achterhalen wat er leeft en spelen daar actief op in. Vervolgens kan deze thematiek al dan niet voorzien van commentaar naar de huiskamer worden teruggesluisd.

Ten derde werken veranderingen op de arbeidsmarkt direct in de gezinnen door. Zo zal de arbeidsdeelname van vrouwen verder toenemen, ook in de fase dat ze kleine kinderen hebben. Dat brengt veel praktische problemen met zich mee, bijvoorbeeld omdat men een functie niet in deeltijd kan vervullen of omdat er te weinig kinderopvang is. Vooral de echte tweeverdieners zullen het druk krijgen. Zij moeten zowel in tijd-ruimtelijk als in sociaal opzicht grote flexibiliteit aan de dag leggen en zijn gedwongen een deel van het huishoudelijk werk tegen betaling door anderen te laten doen. Daardoor neemt de markt voor dienstverlening toe. Degenen die nu nog van de sociale zekerheid leven, zullen steeds meer in deze vorm van dienstverlening aan het werk moeten. Overigens correspondeert dit met een verschuiving op de arbeidsmarkt als geheel, waarbij het zwaartepunt zich van de relatief laaggeschoolde arbeid in de industriële sector naar hooggeschoolde arbeid in de (zakelijke) dienstverlening aan het verplaatsen is.

Naar het zich laat aanzien zal het gezinsleven de komende decennia dus meer en meer in het teken van de markt staan. Het spreekt voor zich dat dit belangrijke economische gevolgen heeft. Het heeft echter ook bepaalde sociaal-culturele gevolgen die in dit verband minstens zo belangrijk zijn. Het ambitieniveau zal bijvoorbeeld over de hele linie toenemen. We zeiden al dat de partner aan een lange lijst van eisen moet voldoen. Als een relatie duurzaam blijkt, wil men het liefst 'eigen' kinderen. Technieken als IVF zullen ertoe bijdragen dat onvrijwillige kinderloosheid niet langer wordt aanvaard en dat men streeft naar 'kinderen-op-maat'. Zodoende gaan de eisen op het gebied van aanleg en gezondheid geleidelijk omhoog. Ook in het domein van de betaalde arbeid hanteert men steeds hogere verwachtingen. Bij fulltimebanen gaat men van een volledige beschikbaarheid en een totale inzet uit. Voor de sector dienstverlening komen daar nog persoonlijke kwaliteiten en sociale vaardigheden bij. Dat laatste is niet in softe zin bedoeld. De tijd van zelfontplooiing is voorbij, het gaat om discipline, omgangsvormen en zakelijk succes. Ten slotte ontstaat er – onder andere bij de overheid – een nieuwe houding tegenover jongeren. Er is groeiende behoefte aan duidelijke normen en bij overtreding mogen de sancties best wat harder zijn. Al met al ontwaren wij de contouren van een nieuw beschavingsoffensief dat in diverse sectoren ingezet wordt en waarvan de kern met trefwoorden als kwaliteit, zorgvuldigheid en effectiviteit omschreven kan worden.

Deze sociaal-culturele verschuiving is ook van invloed in het onderwijs. Daar tekent zich een meer zakelijke aanpak af waarbij schaalvergroting, professioneel bestuur, een nadruk op effectiviteit alsmede het vroegtijdig screenen en voortdurend toetsen van leerlingen onvermijdelijk lijken. Een en ander kan een grotere deelname aan en doelmatigheid van het onderwijs tot gevolg hebben. Naast voordelen heeft deze ontwikkeling vermoedelijk drie nadelen. Ten eerste zou er op de arbeidsmarkt een proces van verdringing kunnen ontstaan, waarbij hoogopgeleiden de plaats innemen van lager opgeleide werknemers. Ten tweede zal een hoger opleidingsniveau tot gevolg hebben dat de selectieve werking van het onderwijs toeneemt. Het ontstaan van zwarte en witte scholen wijst daar nu reeds op. Ten derde zal de selectie zich verplaatsen naar een eerder stadium van de ontwikkeling. De 'brain race' die zich vroeger afspeelde in het hoger onderwijs, wordt zodoende naar de basisschool verplaatst. Screening op zeer jonge leeftijd met het oog op eventuele achterstanden zal dit probleem niet oplossen maar juist verergeren.

Vermoedelijk groeit de ongelijkheid tussen gezinnen de komende decennia in drie opzichten: financieel, sociaal en cultureel. Ten eerste zullen veel gezinnen – mede door een weinig toeschietelijke houding van de overheid – met hogere uitgaven voor kinderen geconfronteerd worden. De kosten voor kinderopvang en opleiding moeten steeds vaker door de ouders zelf worden opgebracht. Een aanvullend inkomen wordt dan onvermijdelijk. Het gevolg hiervan is evenwel dat er meer financiële ongelijkheid tussen huishoudens ontstaat. Ten tweede zal er ook in sociaal opzicht steeds meer verschil ontstaan tussen gezinnen waar de vrouw fulltime moeder is en gezinnen waar zij al dan niet fulltime buitenshuis gaat werken. In het laatste geval kent het gezinsleven veel stress en moeten er verschillende diensten worden uitbesteed aan anderen. Een meer gelijke verdeling van huishoudelijke taken tussen man en vrouw tekent zich echter ook dan niet af. Ten derde zullen de gezinnen zich in toenemende mate van elkaar onderscheiden doordat de betekenis van hun culturele kapitaal steeds groter wordt.

Terwijl opleiding de komende decennia steeds belangrijker wordt voor de kansen op maatschappelijk succes, hangt het succes op school in toenemende mate van het gezin van herkomst af. De intellectuele en affectieve investeringen van de ouders zijn zo mede van invloed op latere kansen van hun kinderen. Maar het culturele kapitaal waarover de ouders kunnen beschikken is zeer ongelijk verdeeld. Ouders die een hoge opleiding gevolgd hebben, zijn ook in het opvoeden vrij ambitieus. Ze hebben de nodige verwachtingen van hun kinderen en stellen hoge eisen aan de school. Zij hebben zelf veel te bieden, zowel op intellectueel als op communicatief gebied. Ook nemen zij relatief actief aan het sociale en politieke leven deel. Door dit alles bouwen hun kinderen een voorsprong op waarvan de betekenis vooral blijkt bij toenemende concurrentie in onderwijs en maatschappij. Voor laagopgeleide ouders geldt juist het tegendeel. Zij verwachten – niet ten onrechte overigens – minder kansen op maatschappelijk succes en stellen vaak minder eisen aan hun kinderen. De regels van het onderwijs worden eerder als een vreemd keurslijf ervaren, het belang van een vervolgopleiding soms onvoldoende ingezien. Men beschikt niet over die sociale en communicatieve vaardigheden die op de moderne arbeidsmarkt, bijvoorbeeld in de zakelijke dienstverlening, geëist worden.

Door deze ontwikkelingen zal de betekenis van het gezinsleven in de nabije toekomst toenemen, niet alleen in subjectieve zin (zie deel I) maar ook objectief. Het besef is groeiende dat het gezin voor de primaire socialisatie van kinderen in geen enkel opzicht te vervangen is en dat problemen tijdens de eerste levensjaren verregaande gevolgen voor het latere leven kunnen hebben. Maar dat is niet het enige. We menen dat het gewicht van deze eerste levensfase voor later daadwerkelijk zal toenemen en wel door de gecombineerde druk die van een hoger opleidingsniveau en meer sociale rivaliteit uitgaat. Door het samengaan van deze twee tendensen worden selectiemechanismen naar een vroeger stadium verplaatst. Het gezin zal in de kennissamenleving steeds vaker een sorteermachine zijn, een apparaat dat – juist door de liefde en inzet van de ouders – voor de kansen van hun kinderen beslissend is. Het kan eigenlijk – overdreven gezegd – maar twee kanten opgaan. Of het gaat goed en de kinderen zijn affectief, sociaal en intellectueel uitstekend voorbereid op de strijd die hen in onderwijs en maatschappij te wachten staat. Of er gaat bij deze voorbereiding iets mis en daarmee zijn de kansen op maatschappelijk succes voorgoed voorbij. Het kan zijn dat de lezer dit vooruitzicht wat al te pessimistisch vindt. Maar in feite is een dergelijk proces van 'schifting', waarbij het gezin van herkomst een centrale rol vervult, reeds nu in volle gang. Om dat te illustreren zullen we in deel IV een aantal specifieke problemen rond het gezinsleven behandelen.

PROBLEMEN

Voor de lezer die ons tot nog toe gevolgd heeft, komt de strekking van dit vierde deel wellicht als een weersomslag op zomerdag. Zo'n dag waarop er plotseling een windvlaag opsteekt, de lucht betrekt en iedereen binnen de kortste keren drijfnat is. Op die manier ervaart de lezer wellicht de overgang van het voorafgaande naar dit vierde deel. We hebben hiervoor zowel constanten als verschuivingen gezien. We maakten onderscheid tussen diverse vormen van gezinsleven en verkenden de nabije toekomst, waarbij we zelden op omvangrijke problematiek stuitten. De inhoud van de hoofdstukken in dit deel kan op twee manieren doen denken aan genoemde weersomslag. Ten eerste handelen ze specifiek over de schaduwzijden van het gezinsleven in Nederland; ten tweede hebben ze betrekking op het feit dat de overgang van licht naar donker zich vaak plotseling voltrekt.

De wat sombere toon van dit vierde deel komt ten dele voort uit de opzet van dit boek. De vorige hoofdstukken handelden over kenmerken en veranderingen van het *modale* gezinsleven. Daarbij gingen we niet al te diep in op spanningen en weerstanden. In het volgende staan de problemen juist centraal. Daardoor kan men gemakkelijk de indruk krijgen dat we het over een heel andere planeet hebben. Toch vloeit dit contrast niet alleen uit onze werkwijze voort, maar weerspiegelt dit ook een tegenstelling in de realiteit. Wie een wandeling door de Nederlandse steden maakt, wordt getroffen door het feit dat er per wijk enorme verschillen zijn. Er zijn buurten waar de atmosfeer erg deprimerend is terwijl men twee, drie kilometer verderop tussen fijne villa's loopt. Wat voor het straatbeeld geldt, gaat waarschijnlijk nog veel sterker voor de binnenkant van al die huizen op. In sommige gezinnen treffen hulpverleners een regelrechte puinhoop aan terwijl het leven in andere gezinnen vrijwel vlekkeloos verloopt.

Wij zullen ons in dit onderdeel beperken tot de problemen rond het gezinsleven. Daarbij kiezen wij voor een kwalitatieve benadering. Het gaat ons louter om de vraag wat voor *soort* problemen er in Nederlandse gezinnen (kunnen) voorkomen en welke *mechanismen* daarbij aan het werk zijn. Volledigheid streven we niet na. Evenmin zullen we uitvoerig ingaan op de wetenschappelijke literatuur die op dit gebied voorhanden is. We beperken ons tot het schetsen van een vijftal knelpunten, lopend van zeer ernstig tot meer alledaags (hoofdstuk 4.1). Vervolgens zullen we een aantal van de achterliggende mechanismen bij dat soort moeilijkheden behandelen (hoofdstuk 4.2). Dat geeft ons tevens aanleiding om terug te komen op het vierde postulaat van de evolutietheorie: het verschijnsel van de overerving. Dit doet zich namelijk niet alleen bij de overdracht van intellectuele en culturele reserves voor (zie hoofdstuk 3.2, paragraaf 5) maar strekt zich eveneens tot problemen en tekorten uit. Wie negatieve jeugdervaringen heeft opgedaan, zoals verwaarlozing of mishandeling, kan die op de volgende generatie overdragen. Maar laten we eerst bezien wat de voornaamste moeilijkheden zijn.

4.1   VIJF KNELPUNTEN

Hoewel het vaststaat dat er in Nederland nog heel wat gezinsproblemen zijn, lijkt een betrouwbare uitspraak over de omvang of spreiding ervan vooralsnog onmogelijk. Daartoe is het beschikbare materiaal te onvolledig. Zo zijn er nota's van de overheid die stellen dat 15 procent van de jongeren psychosociale problemen kent, de school niet afmaakt of tot criminaliteit vervalt. Een in Zuid-Holland gehouden onderzoek liet zien dat 6 procent van de kinderen ernstige en 20 procent matige psychopathologische problemen had. Ongeveer 10 procent zou in de klinische range vallen – overigens een percentage dat bij andere populaties eveneens aangetroffen wordt.[1]

Dit soort 'exacte' cijfers zijn evenwel bedrieglijk. In publicaties over jeugdproblemen geeft men vaak geen aanwijzing over de frequentie waarmee de moeilijkheden voorkomen. De schattingen lopen zeer uiteen, definities van probleemgedrag al evenzeer. De werkwijze van Diekstra – die een op de vijf jongeren als 'bedreigde jeugd' betitelde – komt volgens velen op een overdrijving neer. Deskundigen worden veelal door ernstige maar weinig voorkomende stoornissen geobsedeerd.[2] Uit een overzichtsstudie bleek dat het redelijk goed gaat met de meeste jongeren. Slechts een klein deel van hen kampt met een ernstige problematiek. Vooral kinderen uit eenoudergezinnen en/of lagere statusgroepen en kinderen van allochtone afkomst lopen hierbij een groter risico. Bij hen doen zich vaker gezondheidsproblemen en leer- of gedragsmoeilijkheden voor, maar ook kindermishandeling, heftige conflicten et cetera komen meer voor.[3]

Hieronder bespreken we vijf duidelijke knelpunten. Deze kwamen naar voren tijdens de gesprekken die we hebben gevoerd met een aantal deskundigen. We hebben het eerst over het verschijnsel van de 'multi-problem-family' (paragraaf 1). Dan volgt het vraagstuk van de kindermishandeling en aanverwante onderwerpen als seksueel misbruik en verwaarlozing (paragraaf 2). Vervolgens bespreken we de kwestie van de jeugdcriminaliteit (paragraaf 3) en de moeilijkheden die met het allochtone gezin verband houden (paragraaf 4). We besluiten met een meer algemene problematiek, namelijk de geleidelijke erosie van sociale netwerken die zich met name in de arme wijken van grote steden aan het voltrekken is (paragraaf 5). In het volgende hoofdstuk kunnen we dan dieper op de mogelijke samenhang van deze verschijnselen ingaan.

1 Marginale gezinnen

Om te beginnen zijn er gezinnen waar de verschillende problemen elkaar versterken. Ze hebben vaak een laag inkomen of leven van de bijstand, wonen in een slechte buurt, de kinderen gedragen zich onaangepast of spijbelen van school, de ouders hebben relationele problemen of zijn gescheiden, er is sprake van verslaving aan alcohol of drugs, de jongeren begeven zich op het criminele pad of er komen psychische problemen voor. Uiteraard treft men zelden al deze moeilijkheden aan bij hetzelfde gezin, maar het komt regelmatig voor dat er verschillende tegelijkertijd spelen. In de Engelse literatuur spreekt men van 'multi-problem-families': gezinnen waar diverse gezinstaken ontregeld zijn. De problemen rond het opvoeden zijn verweven met moeilijkheden op het vlak van de financiën, het huishouden, de partnerrelatie enzovoort. In veel gevallen is het een chronische problematiek. Het gezin heeft doorgaans een lange maar wisselvallige geschiedenis van (pogingen tot) hulpverlening achter zich. Het gaat bijna altijd om een gezin dat niet alleen veel moeilijkheden *heeft* maar ook veel moeilijkheden *geeft*.[4]

Nu zou het onjuist zijn te geloven dat dit een recent verschijnsel is. Herman Baartman, die als universitair hoofddocent en bijzonder hoogleraar verbonden is aan de vakgroep Pedagogiek aan de Vrije Universiteit, zegt daarover het volgende.[5] 'Begin jaren tachtig ontstond er plotseling een massale belangstelling voor de "multi-problem-family". Dat leek toen helemaal iets nieuws. Maar in feite hebben we dat soort marginale gezinnen altijd gehad. In de negentiende eeuw kwamen ze veelvuldig onder de armste lagen van de bevolking voor. Onder invloed van de socialistische beweging sprak men van het "proletarische gezin". Daarmee doelde men op delen van de arbeidersklasse die niet aan de normen van de middenklasse konden of wilden beantwoorden. Later duidde men ze als "sociaal ontoelaatbare gezinnen" aan. Dat waren geen fatsoenlijke huurders want die stookten het aanrecht in de keuken op. Medio twintigste eeuw werden het "onmaatschappelijke gezinnen", die stuurde men naar aparte woonwijken toe. Soms sprak men van sociale sanatoria. Na de Tweede Wereldoorlog plaatste men deze gezinnen in kampementen, waar men trachtte ze "mores" bij te brengen. In de jaren zestig was het opeens afgelopen. Toen kon er van alles en maakte men zich niet langer druk over die gezinnen. Maar tegen het begin van de jaren tachtig is die groep van marginalen weer terug. Sommigen spreken over "LIBO-gezinnen", dat wil zeggen: Laag Inkomen, Beroep en Opleiding. Daar kunnen de therapeuten niet veel mee. Therapeuten werken graag met gemotiveerde cliënten die in staat zijn tot zelfreflectie. Deze gezinnen voldoen in hun ogen evenwel onvoldoende aan deze vereisten. Daarbij verwarren therapeuten vaak maar al te gemakkelijk het gemotiveerd zijn van cliënten met het gemotiveerd zijn voor de door de therapeut voorgestane vorm van therapie.'

Zo zien we dat elke maatschappelijke constellatie haar eigen uitvallers definieert. Dat vormt voor de professionals altijd een uitdaging.

Ze proberen nieuwe methodieken te ontwikkelen in de hoop die marginale groep te bereiken, maar het verschijnsel als zodanig blijft bestaan. Overigens is het – zeker tegenwoordig – niet erg omvangrijk. Het zal om niet veel meer gaan dan een paar procenten van het totaal. Wat wel verandert, is het perspectief waarin men die gezinnen ziet. Vandaag de dag stellen we het interne functioneren graag centraal. We vinden de kwaliteit van de betrekkingen tussen ouders en kinderen of tussen ouders onderling van groot belang. Belangrijker bijvoorbeeld dan de relatie tussen dat gezin en de samenleving als geheel. Als gevolg daarvan krijgen die probleemgezinnen een eigen kleur. De disfunctionaliteit spitst zich nu op de communicatie toe en op de vraag of de gezinsleden wel voldoende autonomie ontwikkelen. In dat opzicht vormen zij het negatief van de waarden die fundamenteel zijn in de meerderheidscultuur.

Hoewel de aard van de problemen dus telkens verschuift, zou het heel goed kunnen zijn dat het aandeel van de echt problematische gezinnen in de loop der tijd nauwelijks stijgt. Van belang is evenwel dat men tegenwoordig meer aandacht voor dit soort moeilijkheden heeft. Dat stelt bijvoorbeeld Thijs Malmberg, die zich binnen het ministerie voor Volksgezondheid, Welzijn en Sport met deze kwestie bezighoudt. 'Dat er de laatste tijd méér gezinnen problemen krijgen, geloof ik niet', aldus Malmberg.[6] 'Maar het is wel waar dat de politieke erkenning van die problematiek toeneemt. De regering schrijft niet voor niets een nota over armoede. Bovendien heb ik de indruk dat het voor een bepaalde groep bijzonder ingewikkeld wordt. Het gat tussen de "haves" en de "have-nots" neemt een nieuwe vorm aan en het wordt moeilijker om daarvoor een oplossing te vinden. Die groep van probleemgevallen omvat 2, 5 of 10 procent van het totaal, afhankelijk van de definities die je hanteert. Je moet ook niet het idee hebben dat de overheid dat soort vraagstukken echt kan oplossen. Met het grootste deel van de gezinnen gaat het inderdaad heel goed, de echte harde problematiek betreft niet meer dan 2 procent. Maar dat zijn wel een paar honderdduizend gezinnen in ons land.'

Men mag deze gezinnen niet alleen als het slachtoffer van de heersende cultuur beschouwen. Processen van uitsluiting spelen weliswaar een rol, maar tegelijkertijd vindt er ook een vorm van zelfuitsluiting plaats. 'In het eigen milieu doen deze mensen het vaak goed, maar in relatie tot de wijdere omgeving staan ze met lege handen. Er bestaat vaak een groot verschil tussen de waarden en normen in de eigen kring – ook bij het opvoeden – en datgene wat in de rest van de samenleving voor normaal doorgaat. Men kan prachtig feestvieren en met de sociale vaardigheden is niets mis, maar o wee als men naar het stadhuis toe moet. Van die buitenwereld begrijpt men niets, daar kijkt men zeer argwanend tegen aan. Overigens is dat omgekeerd net zo. De mensen met een beter inkomen of meer opleiding begrijpen niets van die marginale groep. Een eerste stap zou kunnen zijn dat je die twee werelden eens naast elkaar legt, ze zonder vooroordelen vergelijkt. Je zou dat vraagstuk vanuit een interculturele benadering moeten behandelen. Doen we dat niet, dan komen we over twee of drie generaties op een situatie uit zoals die nu in Los Angeles bestaat. Daar heb je twee totaal verschillende werelden die elkaar zeer vijandig gezind zijn. Dat vergt een geweldige inzet op culturele verandering. En dan nog: er zal altijd wel een kleine rest blijven die bewust of onbewust afstand neemt van de meerderheidscultuur.'

2 Kindermishandeling

Hoewel we nog altijd in het duister tasten over de ware omvang van kindermishandeling, staat vast dat deze veel groter is dan men altijd heeft gedacht.[7] Dat geldt eveneens voor twee andere hieraan verwante verschijnselen: seksueel misbruik en lichamelijke of geestelijke verwaarlozing. Voor seksueel misbruik bestaat sinds enige tijd toenemende belangstelling.

Men kan niet zeggen dat deze problemen zich tot één sociale klasse beperken. Seksueel misbruik komt in alle lagen van de bevolking voor en vermoedelijk geldt dat ook voor mishandeling en verwaarlozing. Niettemin zijn de sociale verschillen van belang. In hogere milieus kan mishandeling samenhangen met het feit dat een kind voor de persoonlijke ontplooiing of carrière van de ouders als hinderlijk ervaren wordt. Alcoholgebruik, eenzaamheid en psychische stoornissen spelen eveneens een rol. In lagere milieus zijn – naast psychische en relationele problemen – veelal ook lage inkomens, werkloosheid of slechte behuizing in het geding. Dat verklaart onder meer waarom het Bureau Vertrouwensartsen relatief veel meldingen over gezinnen met drie of meer kinderen ontvangt. Kinderen die met druilerig weer op driehoog-achter binnen moeten blijven, worden nu eenmaal gauw vervelend. De irritatie neemt toe naarmate mensen dichter op elkaar wonen. Mensen hebben behoefte aan ruimte voor zichzelf. Om soortgelijke redenen zijn er veel meldingen over eenoudergezinnen. Meestal gaat het om alleenstaande moeders die na een scheiding de kinderen opvoeden. Deze vrouwen hebben het bijzonder zwaar. Ze kampen met de naweeën van hun stukgelopen huwelijk, een daling van hun inkomen, kinderen die naar een andere school moeten. Dat loopt eerder uit de hand. Over het algemeen gaan kindermishandeling en gezinsproblemen hand in hand.[8]

In eerste instantie laat kindermishandeling vaak geen merkbare sporen na. Bij 80 procent van de kinderen die seksueel misbruikt worden, treft men geen fysieke schade aan. Onderzoek door een arts levert dus geen resultaten op. Lichamelijke of geestelijke verwaarlozing komt alleen in extreme gevallen aan het licht. Op latere leeftijd zijn de consequenties echter aanmerkelijk. De adolescentie is toch al een moeilijke periode maar als men mishandeld is, neemt de ernst van die moeilijkheden toe. Zo heeft 70 procent van de mishandelde adolescenten leerproblemen, een derde gebruikt drugs, een kwart vertoont roekeloos of zelfdestructief gedrag, 38 procent denkt aan zelfmoord en 40 procent loopt met moorddadige gedachten rond. Seksueel misbruik heeft in het latere leven eveneens psychische gevolgen: 60 procent van de mensen met een borderlinesyndroom is in de jeugd geconfronteerd met seksueel misbruik. Ook verwaarlozing – de meest voorkomende vorm van mishandeling – werkt sterk door. Het gevoel van eigenwaarde wordt aangetast, men is niet langer in staat om affectieve relaties aan te gaan, wisselt veelvuldig van partner en draagt die houding gemakkelijk over aan de eigen kinderen.[9]

Aldus het weinig opbeurende panorama dat Rensen in 1990 schilderde inzake de mishandeling van kinderen. Het zou kunnen dat de situatie inmiddels duidelijk verbeterd is. Toch ziet Rensen, die als jeugddarts in een van de armste wijken in Utrecht werkt, nog altijd weinig redenen tot optimisme. Hij erkent dat er nu meer aandacht voor deze problematiek bestaat.[10] 'Ik denk dat men de problemen vandaag eerder signaleert. De mensen worden er toch gevoeliger voor. Toen tien jaar geleden die golf van verhalen over incest en mishandeling naar buiten kwam, keek iedereen vreemd op. Velen dachten dat het niet waar kon zijn. Tegenwoordig weten we iets meer. Momenteel schat ik dat ongeveer 1 procent van alle kinderen in Nederland mishandeld wordt. En dan bedoel ik niet dat er af en toe een klap valt, maar een situatie waarin het kind dagelijks lichamelijk onderuitgehaald wordt. Dat zijn nog altijd 50.000 kinderen! In deze wijk ligt dat aandeel een stuk hoger, ik schat ergens tussen de 5 en 10 procent. Ongeveer een derde van alle gevallen betreft kinderen die nog geen zes jaar zijn, een derde betreft schoolgaande kinderen en een derde kinderen die ouder zijn. Het is haast niet voor te stellen maar toch gebeurt het overal. Het overgrote deel van de gevallen wordt nog altijd niet ontdekt. De gevallen die men wél ontdekt, doen zich relatief vaak in de lagere sociale klasse voor. Dat is logisch, want daar heb je gemiddeld meer instanties die zich met de gang van zaken in een gezin bemoeien dan in de hogere sociale klasse. Daar kan men misbruik of mishandeling niet zo gemakkelijk wegstoppen. Het gaat dus om vrij algemene problematiek.'

Behalve binnenshuis signaleert Rensen veel onveiligheid op school en in de straat. 'Een onveilige thuissituatie heeft levenslang gevolgen. Die zijn vaak ernstiger dan bij een afwijking op het fysieke vlak. Als ik moest kiezen tussen geboren worden met een lichte handicap en opgroeien in een goed gezin óf normaal geboren worden en opgroeien in een probleemgezin, dan zou ik voor het eerste kiezen. Want de effecten van al die kleine trauma's die je dagelijks moet ondergaan zijn schadelijker dat het eenmalige trauma waarbij je de steun van anderen geniet. Daarom zeg ik altijd dat geweld binnen het gezin veel harder doordreunt dan geweld erbuiten. Overigens roept het een het ander op. Kinderen die thuis mishandeld worden, gaan zich anders gedragen. Ze zijn op school eerder geïsoleerd, zien er wat verwaarloosd uit, soms stinken ze doordat ze in bed plassen of ze durven geen vriendjes mee naar huis te vragen omdat vader dronken op de divan ligt. Ze wijken op een negatieve wijze af en worden daardoor eerder het slachtoffer van agressie door leeftijdgenoten. Vaak worden ze zó erg gepest dat ze niet meer naar school kunnen. Maar liefst 40 procent van de kinderen in het speciale onderwijs is weggepest van de gewone school. Dat wordt door de ontwikkeling van het onderwijs alleen maar erger. Er zijn hier klassen van meer dan dertig leerlingen, waarvan de helft problematisch is. De scholen moeten fuseren, veel leerkrachten

werken maar een paar dagen per week, de juf heeft zwangerschaps-
verlof, het schoolhoofd is overspannen... Ik begrijp het allemaal wel,
maar per saldo neemt de onrust sterk toe en dat heeft zijn weerslag op
de kinderen.

Neem bijvoorbeeld deze maandag eens. Ik heb hier de dossiers
van de kinderen die vanmorgen aan de orde zijn geweest. De eerste was
een Grieks meisje dat sterk autistisch reageert. Ze vermoedt dat papa
niet haar echte vader is en maakt moeilijkheden op school. Het heeft
veel pijn en moeite gekost om haar op die school te houden en nu wil
haar vader per se een andere school. Zij accepteert dat niet. Hij dreigt
dat ze dan terug moet naar Griekenland, wat bijzonder slecht zou zijn.
Ze krijgt nu pas een intake bij de Riagg terwijl ik al drie jaar bezig ben
een verwijzing voor dat kind te regelen. Het tweede geval is een moeder
die in paniek opbelt. Haar zoontje heeft de juf voor kakhoer uitge-
maakt. Nou, dat is een keurig nette juf ergens uit de Achterhoek dus
dat werd bijna slaande ruzie. Die moeder komt dan bij mij om te
vragen of ik niet kan regelen dat haar kind niet met het schoolreisje
mee hoeft. De derde was de Marokkaanse vader van een jongetje dat
niet wordt aangenomen op school. Het is een heel slim baasje maar
volstrekt ongestructureerd. Wat moeten we daarmee? Vader zegt dat
zijn vrouw bijna overspannen is. Het vierde geval: jongetje uit een
gezin van vier kinderen terwijl vader en moeder aan de alcohol zijn.
Een buurvrouw heeft mij gevraagd om eens naar het meisje te kijken.
Zij is tien jaar en wordt 's avonds uit bed gehaald om in het buurtcafé
de nodige drank te halen. Het kind groeit niet en ziet er heel bleek uit.
Bij het broertje zie je dat hij ver onder de groeilijn zit, ontstoken ogen
heeft, slecht eet, slecht slaapt, nog in bed plast, altijd binnen zit, afgebroken tanden heeft, een gebrekkige spraakontwikkeling en een rood
piemeltje heeft enzovoort. Er is van alles mis mee. Maar ja, die ouders
gaan niet zo maar naar de huisarts toe. Moeder zit op de rand van over-
spannenheid. Ze durft haar vier kinderen niet alleen te laten, is bang
dat ze uit huis worden geplaatst. Het vijfde voorbeeld gaat over een
kind dat bijna de helft van de tijd op school verzuimt, maar zonder
ziek te zijn. Haar moeder lijkt een beetje fobisch, ze is bang om alleen
te zijn en dus houdt ze dat kind maar thuis. Als zesde heb ik hier een
brief van de logopediste over een jongetje dat geen vorderingen maakt.
Eigenlijk moet ie naar een school voor moeilijk lerende kinderen maar

de ouders willen dat onder geen beding. Dus dat kind wordt alsmaar ongelukkiger. Zevende geval: een klein druk Surinaams jongetje dat ontzettend wordt verwend. Hij is vier jaar en nog maar twee keer op het consultatiebureau geweest. Zijn ontwikkeling loopt erg achter. Hij wordt gebracht door een halfzus maar die weet nauwelijks iets van dat jongetje. Moeder kon niet komen want die moest werken. Dat is het wel zo'n beetje.'

3 Jeugdcriminaliteit

De keerzijde van het geweld tegen jonge kinderen is gewelddadig gedrag dat kinderen later zelf aan den dag leggen. Uit een studie naar de *Achtergronden van jeugdcriminaliteit* door Huub Angenent blijkt onder meer dat dit verschijnsel meestal bij een specifieke levensfase hoort. Tijdens of kort voor de puberteit beginnen jongeren eraan mee te doen. Het neemt toe totdat ze achttien zijn en neemt vervolgens weer af. Het gaat vaak om relatief onschuldige vormen van criminaliteit die vanzelf overgaan. Ze vloeien voort uit de behoefte om zich los te maken van het ouderlijk milieu en zich te verzetten tegen de normen uit de kindertijd. Daardoor ontstaat tijdelijk een moreel vacuüm waarin jongeren gevoelig zijn voor afwijkende gedragingen. Voorbeelden daarvan zijn vandalisme en onderlinge geweldpleging. Seksuele delicten komen zelden voor, maar obscene praatjes en gebaren, ongepaste voorstellen, uitdagend gedrag en stoerdoenerij zijn heel normaal. Winkeldiefstal, zwartrijden en spijbelen komen eveneens veelvuldig voor. Bijna elke jongere haalt wel iets uit dat wettelijk verboden is, maar na verloop van tijd gaat het weer voorbij.[11]

Terwijl de normen van het ouderlijk milieu in de puberteitsfase verbleken, neemt de invloed van leeftijdgenoten omgekeerd evenredig toe. De jongeren vormen een eigen subcultuur waarin een voorname plaats voor uiterlijk (haardracht, kleding), omgangsvormen, taalgebruik en muziek is weggelegd. Ze conformeren zich sterk aan de code van de groep en volgen elkaar veelvuldig na. Eén ding staat in hun zelfbeeld centraal: niet afgaan in de ogen van anderen. Of beter: zich handhaven en geaccepteerd worden. Of nóg beter: indruk maken en populair worden. Juist om die reden is de vriendenkring van groot gewicht. Het is geen toeval dat delinquente jongeren vaak delinquente vrienden hebben. Maar het omgekeerde geldt ook: 'Niet-delinquente vrienden zijn een rem op jeugdcriminaliteit, delinquente vrienden het tegendeel. Op dit punt moet men de invloed van vrienden niet onderschatten. In sommige gevallen doet die invloed niet onder voor die van het gezin. Deze invloed is groter bij zwaardere jeugdcriminaliteit dan bij lichtere vormen.'[12]

Het is opmerkelijk dat jeugdcriminaliteit – net als seksueel misbruik, verwaarlozing en kindermishandeling – zelden op zichzelf staat. Jongeren die zich in één opzicht afwijkend gedragen, doen dat vaak ook in andere. Verder lijkt het erop dat jeugdige criminelen zich in het algemeen niet tot één type delict beperken. De opvoedingssituatie is mee van invloed op de ontwikkeling van afwijkend gedrag. Sommige kinderen vertonen al zeer vroeg onaangepast gedrag. Ze zijn prikkelbaar, reageren impulsief, hebben last van woedeaanvallen enzovoort. Of die houding zich verder ontwikkelt hangt mede af van de reacties in het gezin. Een kind dat thuis niet leert zich aan te passen, gedraagt zich elders ook onaangepast. Dat roept daar meestal een afwijzende reactie op waardoor het kind nog meer problemen krijgt en uiteindelijk in een vicieuze cirkel terechtkomt. Afwijkend gedrag op jonge leeftijd correleert doorgaans met slechte sociale aanpassing op school, wat moeilijkheden met medeleerlingen en leerkrachten tot gevolg heeft, wat op zijn beurt weer tot slechte schoolprestaties, spijbelen en voortijdig schoolverlaten leidt. Daar deze kinderen niet door hun klasgenoten geaccepteerd worden, ontwikkelen zij zich gemakkelijk tot randfiguren. Als ze zich bij andere minder aangepaste jongeren aansluiten, is er een grote kans dat de problemen toenemen.[13]

Uit de groei van de meer ernstige jeugdcriminaliteit in Nederland blijkt wel dat het risico van deze vicieuze cirkel allerminst denkbeeldig is. Vooral geweldsmisdrijven door jongeren nemen in een zorgwekkend tempo toe. Daarbij gaat het vaak om jongeren die zich reeds op zeer vroege leeftijd afwijkend gedragen. Het is hoogst uitzonderlijk dat iemand plotseling het pad van de criminaliteit inslaat. We zien telkens opnieuw dat het vanaf het eerste begin de foute kant op gaat. Eerst thuis, dan op school en vervolgens in de buurt of in de vrije tijd. Om ons een nader oordeel te vormen over deze verandering spraken we met mevrouw Quick-Schuyt.[14] Zij heeft als kinderrechter in Utrecht een jarenlange ervaring met criminele jongeren. Formeel kunnen kinderen vanaf hun twaalfde voor de rechtbank verschijnen, maar in de praktijk zijn ze meestal een jaar of vijftien wanneer dat voor het eerst gebeurt. Volgens mevrouw Quick komt het de laatste tijd steeds vaker voor dat jonge kinderen zich voor de rechter moeten verantwoorden. 'Bovendien wordt de aard van het delict inderdaad steeds ernstiger. Bij tasjesroof en overvallen wordt soms grof geweld gebruikt – óók door jongeren. Het zijn meestal jongens die zich op een brommer van zo'n tasje meester maken zonder zich om het slachtoffer te bekommeren.'

Op de vraag hoe we deze ontwikkeling kunnen duiden, antwoordt mevrouw Quick: 'Naar mijn indruk staan jongeren er tegenwoordig te veel alleen voor. Ze moeten het zelf maar uitzoeken. Hun angst leidt ertoe dat ze vaker met een wapen rondlopen. De ouders zijn soms aan hun zoveelste relatie bezig en maken weinig tijd vrij voor de kinderen. Maar er zijn ook gezinnen waar beide ouders werken zodat ze evenmin tijd hebben. Bijstandsmoeders moeten zich fulltime voor de arbeidsmarkt beschikbaar stellen als hun kinderen zes jaar zijn, vroeger was dat twaalf jaar. Het gevolg is dat kinderen al heel vroeg op eigen benen moeten staan. Juist als kinderen in de schoolgaande periode zitten pakt dat nadelig uit. Je moet er zijn als zíj dat nodig hebben, later hoeft het niet meer. Als je er een aantal keren niet bent terwijl het nodig is, dan zoeken ze het zelf uit. Dan gaan ze te rade bij leeftijdgenootjes en krijg je een begin van clanvorming. De meeste ouders hebben veel te laat in de gaten wat er dan gebeurt. Soms sta ik werkelijk verbaasd hoe lang een kind kan blijven spijbelen zonder dat de ouders er enig benul van hebben. De emancipatie draagt er ongetwijfeld ook toe bij. Voor veel vrouwen staat hun rol als huismoeder niet langer centraal en de emancipatie van de man schiet niet erg op. Daar ontstaat dus een soort vacuüm. Als je veel geld verdient kun je dat een tijdje opvangen, maar bij pubers voldoet een betaalde oppas niet meer. In die leeftijd moeten kinderen bij hun eigen ouders terechtkunnen.'

Ook gaan veel ouders tegenwoordig conflicten uit de weg. De *Libelle* schetst altijd een beeld waarbij ouders en kinderen als vrienden met elkaar omgaan – gezag wordt als iets verkeerds gezien. Soms proberen ouders wel enig gezag uit te oefenen, maar als het erop aankomt passen ze geen sancties toe. De kinderen komen daardoor onbedoeld tekort. Ook de buren zouden zich actiever mogen opstellen. 'Er bestaat momenteel een grote schroom om te melden dat er in een gezin wellicht iets aan de hand is. De Raad voor de Kinderbescherming heeft een slechte naam en het Bureau Vertrouwensartsen ook. Bovendien speelt de individualisering mee. De mensen merken wel dat het kind van de buren regelmatig klappen krijgt, maar ze branden er liever niet hun vingers aan. Volgens mij was die sociale controle vroeger sterker. Kinderen voelen zich veiliger als ze weten dat er ook buiten het gezin op hen wordt gelet. Anders denken ze al gauw dat ze op straat van alles kunnen flikken. In dat opzicht houd ik mijn hart vast waar het gaat om drugs. Ik heb altijd gedacht dat je softdrugs maar het beste uit de criminele sfeer kunt halen om je te concentreren op harddrugs, maar ik vraag me steeds vaker af of dat zo werkt. Kinderen moeten heel sterk in hun schoenen staan om er niet aan mee te doen want ze zijn overal te krijgen. Als het goed met ze gaat, zullen ze af en toe experimenteren en is het verslavingsrisico beperkt. Maar als het slecht met ze gaat, wordt het een ander verhaal.'

4 Allochtone gezinnen

De allochtonen vormen een geval apart waar het om gezinsproblemen gaat. Hun sociaal-economische positie is in de regel slecht omdat zij vaker dan gemiddeld zonder werk zitten, een lage opleiding hebben en in oude buurten wonen. Daar komen nog specifieke moeilijkheden bij zoals gebrekkige kennis van het Nederlands en een relatief groot aantal jongeren dat het criminele pad opgaat. En ten slotte is het natuurlijk zo dat er in Nederland wel degelijk vormen van racisme zijn, misschien niet in een vijandige en openlijke vorm, maar wel voldoende sterk om de kansen van allochtonen op de arbeidsmarkt, in onderwijs en het openbare leven nadelig te beïnvloeden.[15] Wij pretenderen niet dit probleem volledig te behandelen en noemen slechts een paar facetten van het gezinsleven die mogelijk met de genoemde achterstanden in verbinding staan. We gingen daartoe te rade bij mevrouw Hoogcarspel, die ruim tien jaar als huisarts in Rotterdam-Zuid gewerkt heeft.[16] Ze was verbonden aan een gezondheidscentrum in de Afrikaanderwijk. Doordat haar cliëntenbestand voor 80 procent uit allochtonen bestond, raakte zij goed op de hoogte van de medische en sociale problemen van hun gezinsleven.

'Veel allochtone gezinnen staan helemaal onder aan de maat-

179

schappelijke hiërarchie. Ze hebben alle energie nodig om het hoofd boven water te houden. Vrij veel huisvaders zijn depressief. Ze kwamen hier naartoe om het te gaan maken maar met al die bedrijfssluitingen zijn ze eruit gegooid. Ze kunnen hun rol als gezinshoofd zo niet waarmaken. In Turkije zijn ze de rijke Nederlander, maar hier stellen ze niets voor. Hun kinderen hebben het evenmin gemakkelijk. Als zij op hun vierde naar school gaan, spreken ze vaak geen Nederlands. Daarmee staan ze meteen op achterstand. Dat komt omdat hun moeders meestal binnenshuis blijven en zelf geen Nederlands spreken. De kinderen blijven de eerste jaren thuis, dus die hebben nauwelijks contact met Nederlandse volwassenen of kinderen. Als ze naar school gaan, kan hun moeder ook niet met de juf praten. De moeders zelf komen vaak nauwelijks op straat, hebben weinig lichaamsbeweging, hun gezondheid schiet tekort. Ze zijn eigenlijk de gevangene van hun gezinsleven. Al met al belanden ze gauw in een vicieuze cirkel. Hoe slechter de arbeidspositie van de mannen is, des te belangrijker vinden zij het dat hun vrouw thuisblijft. Hoe slechter het gaat, des te meer wordt er ook afgewenteld op die vrouw. Dan zijn er ook meer ge- en verboden in huis.'

Het uithuwelijken van dochters is een probleem dat nu en dan in de pers opduikt. 'Je ziet wel dat ouders in het thuisland een huwelijkskandidaat voor hun dochter uitzoeken, hoewel dat meisje hier is opgegroeid. Dat leidt veelal tot een problematisch huwelijk. Zo'n vrouw is hier op school geweest of gewend aan allerlei vrijheden die de traditionele cultuur niet kent. Haar man leeft wel vanuit die achtergrond, hij staat op zijn eer, hij wil niet dat zijn vrouw te veel naar buiten gaat. Behalve met haar man krijgt ze moeilijkheden met haar schoonmoeder. Oma wil de hele dag met de baby op schoot zitten en zij mag dan het huis soppen. Misschien is dat in Turkije heel gebruikelijk, maar hier levert dat problemen op. Het verschil is bovendien dat die meisjes daar veel onderling contact hebben. Dat valt hier weg. Het is niet vreemd dat zo'n schoondochter allerlei klachten gaat ontwikkelen. Ze begint te hyperventileren en moet ten slotte naar de huisarts toe. Dan komt het hele verhaal eruit. Dat geeft wel een zekere opluchting, maar evenzeer verdriet. Je moet erkennen dat het allemaal zo hopeloos is en dat je de situatie niet meer kunt veranderen.'

Daarnaast stuitte mevrouw Hoogcarspel in haar praktijk regelmatig op problemen rond seksualiteit. Bij Marokkanen en Turken kwam dat meestal uit traditionele mores voort. 'Mannen hebben altijd recht op seks. Voor de vrouw is van belang dat ze spoedig in verwachting raakt. De voortplanting speelt in haar gevoel van eigenwaarde een voorname rol. De zwangerschap laat zien dat haar man potent is en dat ze zelf nog als vrouw meetelt. Er zijn wel vrouwen die voorbehoedmiddelen gebruiken, maar daar wordt vaak mee gerommeld. Soms nemen ze de pil pas ná de gemeenschap in of ze nemen hem een tijdje in en dan weer niet. We hadden ook een paar slimme vrouwen: die lieten een spiraaltje plaatsen zonder dat hun man het wist.

Intussen gaan veel mannen naar de hoeren toe. Condooms worden niet altijd gebruikt, ook niet als het om heroïnehoertjes gaat, waar de kans op allerlei besmettingen veel hoger is. Mannen doen dat soms terwijl hun vrouw hoogzwanger is. Als arts krijg je dan natuurlijk sterk de neiging om in te grijpen. Toch moet je dat voorzichtig doen, want anders ben je zo'n patiënt meteen weer kwijt. Dat is een zorgelijke ontwikkeling. Ik zou wel eens willen weten hoe het gesteld is met de seropositiviteit in de Turkse gemeenschap.'

Wat betreft de psychische problemen onder allochtonen lieten we ons voorlichten door Marion van Schaik.[17] Zij werkt als psychotherapeute bij een Riagg in Amsterdam die zich speciaal met allochtonen bezighoudt. De behandeling van deze cliënten is nogal complex omdat er grote verschillen met autochtone Nederlanders zijn. Van Schaik somt een aantal van die verschillen op. 'Ten eerste leven wij hier sterk in een ikcultuur terwijl bij hen de wijcultuur meer op de voorgrond staat. Daarin ben je als individu minder belangrijk, je maakt je dienstbaar aan het grotere geheel. Als er moeilijkheden zijn los je die bij voorkeur in de familie op.'

Een van de meest algemene problemen bij allochtone cliënten is dat het grotere familieverband uit elkaar gerukt is. 'Zelf heb ik veel cliënten met een Surinaamse en creoolse achtergrond', aldus Van Schaik. 'Onvolledige gezinnen met een matriarchale structuur zijn daar niet ongewoon. Veel kinderen worden door hun alleenstaande moeder opgevoed. De vaders komen soms langs, al dan niet met geld en vaak zijn er verschillende vaders tegelijkertijd in beeld. Toch stonden die moeders in het oude systeem er nooit alleen voor. Er waren netwerken waarin vrouwen elkaar konden ondersteunen. En dát valt in de Nederlandse situatie meestal weg. Je ziet wel dat vrouwen opnieuw steun bij elkaar zoeken, bijvoorbeeld via het badhuis, de winkel of de speeltuin, maar dat is niet te vergelijken met de wederzijdse hulp van vroeger. Gezinnen uit het mediterrane gebied kennen eenzelfde probleem. In het oude familieverband was er altijd wel een oudere oom of opa die zei hoe een en ander moest. Dat gaat niet meer omdat een deel van de familie in het thuisland zit. Dat tast het probleemoplossend vermogen van dat systeem in hoge mate aan.'

Het gezag van de ouders loopt daardoor schade op. In allochtone gezinnen zijn de gezagsverhoudingen oorspronkelijk veel hiërarchischer dan in het Nederlandse gezin, maar op den duur is die autoriteit onmogelijk te handhaven. Marokkaanse jongeren begrijpen vaak niet dat Nederlandse kinderen hun ouders respecteren terwijl ze hen met je en jij aanspreken. 'Zo'n jongen begrijpt ook niet waarom de politie hem niet meteen een lel verkoopt als hij de regels overtreedt. Hij kan voor die agent dus ook geen respect opbrengen. Het gevolg is dat deze jongeren heel snel van het ene uiterste naar het andere doorschieten. Voor de ouders zelf is het meestal een gevoelige krenking dat hun kinderen niet luisteren, al brengen ze dat liever niet naar buiten. Ze nemen afwisselend een toegeeflijke en autoritaire houding aan. Dat pakt soms dramatisch uit voor de meisjes die hier groot geworden zijn. Zo'n meisje wil zelf graag een man uitzoeken en in eerste instantie gaan de ouders daarin mee. Maar als puntje bij paaltje komt wordt de keuze toch door hen gemaakt. Voor het meisje is dat dan een donderslag bij heldere hemel, maar het kan niet zomaar ongedaan worden gemaakt. Die meneer uit Turkije is bij wijze van spreken al op weg hierheen. Terwijl zij helemaal niets in hem ziet en hij misschien ook niets in haar.'

'Ik heb daar eens een heel schrijnend voorbeeld van meegemaakt. Het ging om een Hindoestaans meisje dat in Suriname een heao-opleiding deed. Op de dag van haar diploma-uitreiking kreeg ze van haar vader te horen dat ze naar Nederland toe moest om met haar zwager te trouwen. Ze mocht niet eens afscheid nemen van het vriendje dat ze in Suriname had. Na het huwelijk begon die zwager haar te slaan. Het werd alsmaar erger en op een zeker moment kwam ze bij de eerste hulp terecht. In de familie werd alleen maar afwijzend op haar klachten gereageerd. "De vrouw moet nu eenmaal meer verdragen", werd er dan gezegd. Uiteindelijk besloot ze te scheiden met als gevolg dat ze door haar familie verstoten werd. Haar zussen reageerden niet, niemand nam de telefoon meer aan, brieven kwamen onbeantwoord terug uit Suriname. Ze stond helemaal alleen. Na een suïcidepoging belandde ze ten slotte bij ons. We hebben toen gesproken over de vraag wat ze in haar situatie zou kunnen doen. Ze was actief geworden in een of andere christelijke gemeenschap en via die contacten ging ze naar een andere woonplaats toe. Maar haar depressies gingen niet voorbij en op een zeker moment bleef ze bij mij weg. Toen bleek dat ze uit eenzaamheid toch weer contact met haar man had opgenomen. Uit pure wanhoop ging ze naar haar familie terug, hoewel die haar als een baksteen liet vallen. Ze wilde naar haar vader toen die op sterven lag maar die heeft haar niet eens willen zien. Dat is toch een vreselijke toestand, die conflicten tussen je eigen gevoelens enerzijds en je loyaliteit ten opzichte van de familie anderzijds!'

5 Sociale erosie

Vooral in de grote steden van ons land treedt een opeenstapeling van ongunstige ontwikkelingen op. Sommigen wijzen op het gevaar van gettovorming. Er zou een onderklasse van werkloze, laagopgeleide en sociaal geïsoleerde groepen ontstaan, wat uiteraard ook gevolgen voor de gezinnen in die wijken heeft. Tegen die achtergrond is het begrijpelijk dat de regering extra geld voor de problematiek van grote steden uitgetrokken heeft. Omdat er reeds diverse studies over dit onderwerp verschenen zijn, leek het ons nuttig eens een kijkje te nemen in de praktijk. Daartoe spraken we met Cees Komduur die al 25 jaar bij de Utrechtse politie werkzaam is.[18] Hij houdt zich vooral bezig met relationeel geweld of partnergeweld en vertelt welke veranderingen zich de afgelopen jaren hebben voorgedaan.

'De openheid over mishandeling of geweld binnen relaties is in een aantal golven ontstaan. In de jaren zeventig ging het vooral over aanranding, verkrachting en andere vormen van seksueel geweld. In de jaren tachtig kwam daar een onderwerp als incest bij en weer wat later geweldpleging in huis. Aanvankelijk wist de politie niet goed hoe ze daarmee om moest gaan, nu is het een belangrijk stuk van ons dagelijks werk. Vooral Anneke Visser en Greta Kostwinder hebben zich als chefs van de jeugd- en zedenpolitie in dat opzicht zeer verdienstelijk gemaakt. Dat waren mensen met een visie. Ze pikten signalen uit de samenleving op en waren niet bang voor een beleidsverandering. Daardoor gingen we bij de jeugd- en zedenpolitie anders aankijken tegen kinderen die van huis weglopen, die stelen of zich agressief gedragen. Het is niet voor niets als kinderen dat doen, dat heeft vaak te maken met een onveilige situatie in huis. Op zich is zo'n winkeldiefstal geen ernstig probleem. Vergelijk het maar met de appels die wij vroeger zelf jatten. De meeste kinderen doen op die leeftijd wel iets wat niet mag. Als ze tegen een agent oplopen, krijgen ze op hun lazer en daarmee houdt het in 80 procent van de gevallen op. Maar als het een tweede of derde keer gebeurt, is er meestal iets anders aan de hand. Daarom gaan we tegenwoordig eerst kijken naar de situatie thuis. Vroeger maakte je snel een proces-verbaal en stuurde dat naar justitie toe. Maar dat duurde veel te lang en het haalde ook niets uit. Het is veel beter om eens met die ouders te praten, of op school langs te gaan. Verreweg de meeste ouders hebben daarvoor wel degelijk belangstelling.'

Komduur en zijn collega's menen te merken dat het sociale verband in hun wijk aan het verdwijnen is. 'De mensen kunnen steeds minder op hun eigen netwerk terugvallen. Vroeger speelden familieleden, goede vrienden of kennissen nog wel een rol, maar nu staan die gezinnen vaak alleen. In de jaren zestig woonde hier een redelijk gegoede middenklasse, maar die vertrekt. Nu wonen er op het Kanaleneiland veel werklozen, er bestaat een grote instroom van allochtonen, er zijn veel eenoudergezinnen en ook veel mensen die leven van een uitkering. Dat is begrijpelijk, want de flats zijn hier betrekkelijk goedkoop. Maar het brengt toch ook een ander sociaal klimaat teweeg. Mensen die een trappenhuis delen, kennen elkaar nauwelijks. Bij geluidsoverlast bellen ze meteen naar de politie. Dat wordt nog eens versterkt door de aanwezigheid van uiteenlopende culturen. Vaak verstaat men elkaar niet eens. Verder speelt een rol dat de woningtoewijzing nu grotendeels via de markt loopt. Hier en daar heb je een plukje koopwoningen, daar besteden de mensen misschien wat meer geld en zorg aan hun huis. Bij die goedkope flats gebeurt dat niet. Dat is allemaal niet erg bevorderlijk voor de gemeenschapsvorming in deze wijk.'

Zelf is Komduur vooral met geweld in gezinnen en relaties bezig. Meestal gaat het dan om een vrouw die door haar man geslagen wordt, of door haar ex-man. 'Dat soort dingen vind je in elk sociaal milieu.

Alleen zijn mensen uit de middenklasse beter in staat om hulp te zoeken. Ze hebben meer geld, wat meer contacten ook. Ze kunnen voor een tijdje ergens anders gaan wonen. In de lagere milieus is die speelruimte veel kleiner. Men heeft er geen financiële reserves of kan de situatie niet veranderen. Het escaleert dus veel sneller als er moeilijkheden zijn, er vallen eerder klappen en de zaak ligt meteen op straat. Dat is heel bedreigend voor de kinderen, want die houden evenveel van hun vader als van hun moeder. Ze reageren er vaak heftig op, bijvoorbeeld door van huis weg te lopen. Of ze krijgen leerstoornissen, gedragen zich op school onaangepast en worden agressief. Naar mijn indruk neemt de ernst van dat soort moeilijkheden toe. De scholen voor zeer moeilijk opvoedbare kinderen kunnen de vraag niet aan.'

De toename van schooluitval is een bedenkelijke zaak. Veel kinderen gaan spijbelen en zien dat er op straat iets valt te verdienen. 'Als iemand hier in de buurt met een dikke BMW rondrijdt, dan is die wagen beslist niet verdiend met vakken vullen bij de Albert Heijn. Het is een slecht voorbeeld voor kinderen van acht of negen jaar. Die letten daar scherp op. Hun ouders leven van een uitkering, ze hebben zelf weinig perspectief maar ze komen wel in aanraking met een wereld waarin geld en glamour heel belangrijk zijn. Op school moet je Nikes dragen of een trainingspak dat in de mode is. Maar als je ouders dat niet kunnen betalen terwijl de meeste andere kinderen ermee rondlopen, ga je nadenken. Waarom zij wel en ik niet? Dan moet je als kind sterk in je schoenen staan, wil je een gemakkelijke verdienste afwijzen. Ouders staan aan dezelfde verleiding bloot. Die gaan zich ook dingen afvragen. Wie komt er voor míj op? Hoe komen we ooit uit deze woning weg? Wat is ons toekomstperspectief? Er ontstaat dan gemakkelijk een klimaat van desinteresse. Wat maakt het ook allemaal uit! Als je een duur trainingspak van 300 gulden voor 75 gulden kunt kopen, dan ben je toch wel gek als je dat niet doet! Wat doet het ertoe waar het vandaan komt? Pak het maar! Ik word zelf evengoed gepakt! Kijk maar wat er op tv gebeurt. Wat de politici niet doen! Hoe de zaak door hoge heren wordt getild! Dat zijn allemaal geluiden die wij hier in de wijk regelmatig te horen krijgen. Langzaam maar zeker komt er een tweedeling tot stand. De onderlaag moet maar zien hoe zij het redt. Nou die redt zich inderdaad, maar dan wel op háár manier.'

4.2 ACHTERLIGGENDE MECHANISMEN VAN SOCIALE UITSLUITING

Uit de inventarisatie in het vorige hoofdstuk blijkt dat gezinnen soms met grote risico's geconfronteerd worden. Er kunnen interne problemen opduiken maar het kan ook zijn dat de omstandigheden ernstig verslechteren. Toch heeft dat niet altijd een crisis tot gevolg. Sommige gezinnen zijn kennelijk in staat te overleven in een omgeving die zeer ongunstig of zelfs vijandig voor hen is. Andere weten zich soepel aan te passen aan een wijziging van het milieu. En er zijn evengoed gezinnen waar het een puinhoop wordt door tegenslagen die op zichzelf vrij bescheiden zijn. Blijkbaar spelen er nog andere factoren mee dan de omgeving alleen. Het vermogen om moeilijkheden het hoofd te bieden lijkt nogal ongelijk verdeeld. Vandaar de relevantie van het vierde postulaat uit onze evolutionistische benadering. Dit houdt in dat er processen van overerving zijn waardoor zowel reserves als tekorten van de ene op de andere generatie kunnen overgaan. Degenen die op grond van hun persoonlijke of familiale voorgeschiedenis over grote reserves beschikken, zijn in het voordeel wanneer de omstandigheden verslechteren.

Overigens willen wij hier onmiddellijk aan toevoegen dat het ontstaan van ernstige gezinsproblemen niet alleen een kwestie van sociale overerving is. Daartoe dragen, zoals wij hieronder nog uitvoerig zullen zien, vele andere factoren bij. Bijvoorbeeld de mate waarin het gezin is opgenomen in een sociaal netwerk waardoor het hulp en steun van anderen kan mobiliseren. En ook de mate waarin diverse stressfactoren elkaar versterken. Al met al vormen gezinsproblemen een gecompliceerde aangelegenheid. Deze complexiteit wordt duidelijk wanneer men zich in de wetenschappelijke literatuur over dit onderwerp verdiept. Opvallend is dat elk specialisme een eigen invalshoek hanteert. Er zijn theorieën die een centrale rol toekennen aan de ouders en hun persoonlijkheid, terwijl andere theorieën het gewicht van sociaal-economische factoren benadrukken.

Het oordeel over de vraag welke invalshoek het meest vruchtbaar is, laten wij graag over aan de specialist. Wij stellen ons pragmatisch op en kiezen uit het ruime aanbod een beperkt aantal (mogelijke) verklaringen. Tezamen vormen ze een theorie die althans een paar van de hiervóór gesignaleerde verschijnselen inzichtelijker maakt. We beginnen echter met de vraag of het aantal gezinsproblemen aan het stijgen is (paragraaf 1). Vervolgens bespreken we de rol die het incasseringsvermogen van de gezinnen speelt (paragraaf 2). Daarop komt het vraagstuk van de sociale overerving aan bod (paragraaf 3). Ten slotte gaan we op de kwestie van het sociale netwerk in (paragraaf 4) en op het risico van een maatschappelijke tweedeling dat uit het samengaan van deze verschijnselen ontstaat (paragraaf 5).

1 Meer problemen?

De omvang en frequentie waarmee gezinsproblemen voorkomen is – zoals we zagen – voor het heden niet bekend. Dat maakt het vrijwel onmogelijk om na te gaan of de problematiek verminderd dan wel vermeerderd is. Als we op de media afgaan, nemen verschijnselen als seksueel geweld, kindermishandeling of agressie bij kinderen de laatste jaren hand over hand toe. Het zal niet helemaal uit de lucht gegrepen zijn. Een ervaren kinderrechter als mevrouw Quick laat zich tenminste ook in die zin uit. Over incest zegt ze bijvoorbeeld: 'In de zaken die ik vroeger behandelde, kwam dat eenvoudigweg niet voor. Je weet natuurlijk niet of het ook niet bestond, maar het speelde voor de rechtbank in elk geval geen rol. De laatste jaren neemt het schrikbarend toe. Ik heb geen zitting meer zonder dat er een vermoeden van seksueel misbruik aan de orde komt. Er zijn verschillende gradaties in, maar het wordt bijna altijd genoemd. Meestal door moeders. Die zien het als een oorzaak voor het probleemgedrag van hun kinderen. De ene keer denk je: ach kom, ze hebben wat uit de krant opgepikt, en dan leg je dat snel naast je neer. Maar de andere keer gaat het om een hele serieuze zorg. Dan denk je: er is toch iets gebeurd. Misschien geen volledige gemeenschap maar wel meer dan even aanraken. Soms geven de vaders toe dat ze zich door hun scheiding eenzaam voelden en dat er ontoelaatbare dingen zijn gebeurd. Maar er zijn veel omgangsregelingen waarbij de vader van incest beschuldigd wordt zonder dat je precies kunt uitmaken wat er voorgevallen is.'[1]

Het vermoeden dat incest tegenwoordig vaker voorkomt dan voorheen wordt ook door anderen geuit. Bijvoorbeeld door het schrijversduo Threes van Dijck en Jan Peijnenburg te Eindhoven.[2] Zij waren tot in de jaren zestig als sociaal werkster respectievelijk priester in het zuiden van Nederland actief en als zodanig zeer vertrouwd met het dagelijks leven van de plattelandsbevolking. Toch kwamen ze met een vraagstuk als incest tijdens hun werk nooit in aanraking. Zij menen dat het inderdaad relatief weinig voorkwam en hebben daar een dubbele verklaring voor. 'Ten eerste stond het haaks op de omgangsvormen in het gezinsleven. Het gezin vormde destijds een hechte eenheid en de rolpatronen lagen vast. Moeder had een verzorgende taak, vader was de gezagsdrager en kinderen stonden buiten het huwelijksleven van de ouders. Een doorbreking van dat rolpatroon kon men zich haast niet voorstellen. Er was uiteraard wel affectiviteit maar die werd niet vaak geuit. Kinderen werden slechts zelden geknuffeld of gekust – op hun verjaardag kregen ze een hand. De afstand tussen deze sobere en strikte omgangsvormen en een incestueuze doorbreking van alle barrières was uitermate groot. Het zal wel eens voorgekomen zijn maar het bleef om allerlei sociale redenen toch hoogst uitzonderlijk.'

Verder verzette ook de toenmalige seksuele moraal zich tegen een dergelijke stap. 'Vanuit de christelijke leer – die kort na de Tweede Wereldoorlog niet veel anders dan in de voorgaande periode was – vormde seksualiteit tussen ouders en kinderen een zwaar beladen onderwerp. Dat riep onmiddellijk de gedachte aan eeuwige verwerping op. Men bedenke dat zaken als zelfbevrediging, seks buiten het huwelijk of gemeenschap tijdens de zwangerschap reeds als zondig werden opgevat. Liefde voor kinderen, voor dieren of personen van gelijk geslacht was helemaal omgeven met hel en verdoemenis. In die zin vormde incest het absolute kwaad.' Het vergt ongetwijfeld een apart historisch onderzoek – en de nodige vindingrijkheid ! – om vast te stellen welke vormen van seksualiteit de afgelopen decennia daadwerkelijk toegenomen zijn. Dát er een toename bestaat lijkt ons evenwel aannemelijk, mede vanwege de manier waarop seksualiteit thans met het leven van alledag vervlochten is. Het zou erg vreemd zijn als de massieve inzet van erotiek en seksuele prikkels via reclame, mode, porno, uitgaan enzovoort, geen enkel effect heeft in de sfeer van het gezinsleven. Een groei van seksueel misbruik ligt onzes inziens voor de hand, al tasten we volkomen in het duister over het tempo van die groei.

Toch speelt er nog een tweede factor mee, namelijk dat eventuele problemen tegenwoordig eerder worden waargenomen. Dat komt deels omdat het gezin thans een open netwerk is, deels omdat er vele instanties zijn die zich met problematische gevallen bemoeien (consultatiebureau, school, huisarts, sociale dienst, politie, et cetera) en deels omdat deze professionals thans alerter reageren dan voorheen. Het zijn vooral de artsen, psychiaters en andere hulpverleners die zich op dit punt verdienstelijk gemaakt hebben. Zij vangen vaak als eersten de signalen op en benadrukken dat incest of mishandeling meer voorkomt dan men denkt.[3] Niettemin lopen zij het risico van een zekere eenzijdigheid. Ze komen dagelijks in aanraking met gezinnen waar de zaken mislopen en extrapoleren dat gemakkelijk naar de bevolking in zijn geheel. Bovendien moeten ze voortdurend geld en aandacht mobiliseren om iets aan de ergste gevallen te kunnen doen. Het gevolg is dat ze zelden een neutraal, laat staan een optimistisch oordeel over het gezinsleven ontwikkelen. Daarmee doen wij niets af aan de ernst van de misstanden die door professionals gesignaleerd worden. We moeten alleen goed in gedachten houden dat deze misstanden zich bij een beperkt deel van de Nederlandse gezinnen en vaak in een specifieke omgeving of sociale laag voordoen.

En dan is er nog een derde ontwikkeling. Het is niet alleen zo dat eventuele gezinsproblemen eerder gesignaleerd worden maar ook dat ze – eenmaal gesignaleerd – veel breder in de openbaarheid komen dan voorheen. Dat doet zich het duidelijkst met seksualiteit en aanverwante onderwerpen voor, maar evengoed bij kindermishandeling, verwaarlozing en dergelijke. Deze toegenomen aandacht hangt samen met een nieuwe sensibiliteit. Gedragingen die vroeger heel gewoon waren – fysieke straffen, strikte gehoorzaamheid – worden nu als een vorm van mishandeling beleefd. En wat voorheen alleen in meer beschaafde kringen gangbaar was – problemen uitpraten, kinderen respecteren – wordt nu in elk damesblad gepropageerd. De verschuiving in de richting van meer communicatie, psychologisch inzicht, emotionele competentie en sociale vaardigheden – die we eerder vaststelden bij de volwassenen – leidt er eveneens toe dat oude omgangsvormen met kinderen in een nieuw licht komen te staan. Wat vroeger 'een gezond pak slaag' heette, is nu een zaak van de kindertelefoon.[4]

Samenvattend menen we dat de 'toename' van gezinsproblemen het resultaat van drie ontwikkelingen is. Ten eerste lijkt het ons voor bepaalde problemen aannemelijk dat ze werkelijk vaker voorkomen dan enkele decennia terug. Incest en andere vormen van seksueel misbruik zijn hier een voorbeeld van. Voor ernstige vormen van jeugdcriminaliteit geldt vermoedelijk hetzelfde. Ten tweede is onze waardering van situaties en gedragingen gewijzigd en wel in die zin dat we thans veel afwijzen wat vroeger wellicht in brede kring gebruikelijk was. Ten derde dragen verschillende instanties en deskundigen bij tot de vroegtijdige signalering en/of behandeling van deze kwesties in het openbaar. Het is vrijwel onmogelijk te meten wat het relatieve gewicht van deze drie ontwikkelingen is. Misschien vormt dat ook niet de kern van de zaak. Belangrijk is dat deze veranderingen elkaar versterken en samen tot het inzicht leiden dat bepaalde gezinssituaties uiterst problematisch zijn.

2 Draaglast en draagkracht

Nu mag men uit het feit dat een gezin problemen heeft, geen overhaaste conclusies trekken. Lang niet iedereen die onder ongunstige omstandigheden opgroeit, krijgt later zelf moeilijkheden. Omgekeerd kan het heel goed zijn dat iemand zwaar in de problemen komt hoewel zijn of haar jeugd heel zonnig was. Op dit gebied treft men zelden een strikt determinisme aan. Er zijn nu eenmaal aanzienlijke verschillen wat het incasseringsvermogen van kinderen, ouders en hele gezinnen betreft. Daarom wordt in de literatuur onderscheid tussen 'kwetsbare' en 'weerbare' kinderen gemaakt. In haar studie naar *Opgroeien onder moeilijke gezinsomstandigheden* schrijft Rita Vuyk onder meer: 'Algemeen gesteld kan men bij elk type moeilijke gezinsomstandigheden kinderen onderscheiden die de problemen niet aankunnen, van wie de ontwikkeling tijdelijk of blijvend gestoord wordt, van anderen die zich daarentegen wel handhaven, al zijn zij eventueel een tijdlang verdrietig en ongelukkig. De eersten, die wij kwetsbaren noemen, zijn gebaat bij deskundige hulp om een stoornis van de ontwikkeling te verhelpen of te voorkomen dat deze erger wordt. De laatsten, die wij weerbaren noemen, zijn gebaat bij troost en steun, maar kunnen er verder op eigen kracht komen.'[5]

Hoewel er dus vele vormen van stress bestaan, moet men beseffen dat deze niet door iedereen op eenzelfde manier verwerkt worden. Wat voor de een bedreigend is, kan voor de ander een extra uitdaging vormen. Nemen we bijvoorbeeld de gevolgen van echtscheiding – een onderwerp dat al vaak is onderzocht. Daaruit blijkt dat de voorgeschiedenis grote invloed heeft op de manier waarop een dergelijk probleem verwerkt wordt. Vuyk wijst erop dat kinderen die zich vóór het uiteengaan van de ouders gunstig ontwikkeld hebben, het minste risico lopen. Bij kinderen met gedragsproblemen blijkt dat deze slechts voor een klein deel tot de echtscheiding zelf te herleiden zijn. Vaak houden onderzoekers onvoldoende rekening met stoornissen die zich al geruime tijd vóór de scheiding bij het kind manifesteerden. Daarmee wordt natuurlijk niet ontkend dat echtscheiding altijd heel vervelend is. Kinderen tussen acht en twaalf jaar hebben het vaak moeilijk als hun gescheiden ouder een nieuwe partner krijgt. Ze begrijpen op die leeftijd weinig van het seksuele leven van hun ouders, al hebben ze nog zoveel voorlichting gehad. Toch hangt veel af van de vraag over welke competenties het kind beschikt als er plotseling een situatie van stress ontstaat. 'Als het kind goede verwerkingsmethodes geleerd had, problemen had leren zien als een uitdaging om een oplossing te zoeken, vertrouwen had gekregen in zijn eigen competentie en de mogelijkheid zo nodig steun van anderen te krijgen, is de kans groot dat een moeilijke levensgebeurtenis op den duur gunstig verwerkt kan worden...', aldus Vuyk.[6]

Daarmee wordt de vraagstelling min of meer verplaatst. Want de volgende vraag luidt uiteraard: waar hangt dit vermogen tot verwerken respectievelijk incasseren van af? Daarin speelt ongetwijfeld ook een element van aanleg mee. Sommige kinderen hebben het nu eenmaal gemakkelijker dan andere, zoals het ene kind al vroeg en het andere pas laat tot rijping komt. De belangrijkste vraag is evenwel hoe de ouders reageren wanneer zich een moeilijkheid voordoet. Op dat punt blijken de 'transactionele' processen in een gezin van groot belang. 'Transacties' zijn wisselwerkingen op lange termijn tussen een organisme en (een deel van) zijn omgeving die een spiraalvormig verloop hebben. Men kwam deze processen op het spoor toen bleek dat kinderen met bepaalde pre- of perinatale stoornissen zich in sommige gezinnen ongunstig ontwikkelden maar in andere juist niet. Sommige ouders waren kennelijk in staat tot het opvangen van die stoornissen terwijl andere veel minder of niet daartoe in staat waren. We verlaten zodoende het oude theoretische dilemma van aanleg versus opvoeding. 'De uiteindelijke ontwikkeling wordt bepaald door voortdurende, spiraalvormige wisselwerkingen tussen het kind en de ouders of verzorgers. Een ongunstige ontwikkeling is het resultaat van een wisselwerking tussen een ongunstige inbreng van het kind en een ongunstige inbreng van de ouder, *zonder dat ieders bijdrage kan worden onderscheiden*.'[7]

Kortom: het gedrag, de inzet en het vermogen van de ouders spelen wel degelijk een rol, ook al hangt het resultaat uiteindelijk van de wisselwerking met andere factoren af. Een duidelijk voorbeeld daarvan is het proces van 'hechting' dat reeds direct na de geboorte op gang komt en binnen één jaar wordt afgerond. Het kind ontwikkelt allerlei gedragingen waarbij het zich meer en meer aan zijn verzorg(st)er hecht. Vanuit deze gehechtheid kan het vervolgens in een wijdere kring op onderzoek uitgaan. De mogelijkheden voor dit programma liggen genetisch vast, maar de mate waarin het tot ontplooiing komt hangt vooral van de reacties van de verzorg(st)er af. Door samen te spelen en te knuffelen wordt de hechting over en weer versterkt. Het is in wezen deze wisselwerking die de kwaliteit van de relatie tussen ouder en kind bepaalt. De aard van die relatie is voor de latere ontwikkeling van doorslaggevende betekenis. 'Bij de vergelijking van de gehechtheidscategorie met twaalf maanden en gedrag met twee à vijf jaar blijkt telkens weer een positief verband tussen veilige gehechtheid en gunstig gedrag op andere gebieden: competentie in de omgang met leeftijdgenoten, zelfvertrouwen, nieuwsgierigheid, verwerken van nieuwe situaties, verwerken van falen, enthousiasme en doorzetten bij het oplossen van problemen, zelfstandigheid en het ontbreken van probleemgedrag.'[8]

Deze processen beperken zich niet tot de eerste levensjaren van een kind, hoe gewichtig die ook zijn. Ze beperken zich bovendien niet tot de uitwisseling met de primaire verzorg(st)er. In feite komen er in de loop der jaren transactionele processen met alle gezinsleden op gang.[9] De kwaliteit van de gezinsrelaties speelt dan ook een voorname rol bij de vraag hoe de kinderen een plotselinge verandering of traumatische gebeurtenis verwerken. Gezinnen waar een sterke onderlinge band bestaat, helpen de kinderen zich bij nieuwe omstandigheden aan te passen. Een harmonieuze relatie tussen de ouders werkt als buffer tegen risicofactoren zoals een moeilijk temperament, geldzorgen of tegenslag op school. Omgekeerd leiden een slecht huwelijk, conflicten tussen ouders en kinderen of gestoorde communicatie in het gezin eerder tot probleemgedrag bij kinderen.[10] Men kan hieruit de conclusie trekken dat stress, problemen, conflicten of ongunstige omstandigheden tijdens de opvoeding vaak niet te vermijden zijn, maar dat het schadelijke effect ervan geringer is naarmate er vanuit de ouders en het gezin adequater wordt gereageerd.

Het is evenwel duidelijk dat dit vermogen tot adequate reacties ook zijn grenzen kent. In sommige gezinnen treedt een cumulatie van risicofactoren op, zoals slechte sociaal-economische omstandigheden, sociaal isolement of gebrek aan steun vanuit de omgeving, irreële verwachtingen van ouders, cognitief of affectief onvermogen jegens de kinderen, veelvuldige ziekte of ziekenhuisopname, een kind met gedragsproblemen of moeilijk karakter, enzovoort. Wanneer diverse vormen van stress elkaar versterken, wordt het veel moeilijker deze te verwerken. Opvoedingsproblemen zijn in die situaties dan ook eerder regel dan uitzondering.[11] Hoe omvangrijker en diverser de problemen zijn, des te meer wordt er uiteraard van het vermogen tot incasseren of compenseren van de gezinsleden gevraagd. In een wat andere formulering kan men zeggen dat het niet alleen om de te dragen last, maar ook om de draagkracht gaat. Het is de *onderlinge verhouding van draagkracht en draaglast* die bepaalt of een kind respectievelijk een gezin in grote moeilijkheden komt. Bij de vraag naar welke kant die balans doorslaat zijn drie elementen van belang. Ten eerste de aard en omvang van de lasten die een gezin te dragen heeft. Ten tweede de mate waarin het in staat is die lasten op eigen kracht het hoofd te bieden. Ten derde de mate waarin het – als dat niet lukt – een beroep kan doen op hulp van buitenaf. Wij zullen deze drie elementen eerst afzonderlijk behandelen en gaan vervolgens op het effect van hun wisselwerking in.

3 Sociale erfelijkheid

Laten we beginnen met het minst grijpbare aspect.[12] Wat bepaalt de draagkracht van ouders en andere gezinsleden als ze in een moeilijke situatie terechtkomen? Of negatief geformuleerd: wat maakt dat iemand op een zeker moment onvoldoende reserves heeft voor het incasseren van tegenslag? Hoe komt het dat ouders niet in staat zijn díe ondersteuning aan elkaar of aan hun kinderen te geven die gezien de situatie nodig is?

We staan hier voor het omgekeerde van de theorie over het symbolische en sociale kapitaal die in hoofdstuk 3.2 aan de orde kwam. Daar zagen we dat kinderen die van huis uit over een groot cultureel erfgoed beschikken, later ook het best in staat zijn om gebruik te maken van de kansen die het onderwijssysteem hun biedt. Nu zouden we kunnen zeggen dat kinderen die van jongs af aan in sociaal of affectief opzicht tekortkomen, later minder goed tegen spanning of conflicten opgewassen zijn. In beide gevallen speelt het gezin van herkomst een cruciale rol. Dat strookt met een verschuiving in de klinische psychologie, waar steeds meer aandacht voor de gezinsachtergronden ontstaat. Bij problemen als seksueel misbruik of kindermishandeling gaat men tegenwoordig uitdrukkelijk op het gezin van herkomst in.

De klinische psycholoog Baartman licht deze verschuiving als volgt toe.[13] 'Er zijn – als ik me even beperk tot mijn vakgebied – ten minste drie ontwikkelingen die tot een grotere belangstelling voor het gezin hebben geleid. Ten eerste deed zich in de psychologie, de psychiatrie en ook in de pedagogiek in de jaren zestig een verschuiving van de aandacht voor. Men keek niet langer naar het individu op zich en kreeg steeds meer oog voor zijn functioneren in de gezinscontext. De algemene systeemtheorie bood het theoretische kader waarmee die context te beschrijven was. Men kwam ook terug op het uit huis plaatsen van kinderen. Gaandeweg groeide het besef dat het problematisch functioneren van een kind ten nauwste met het hele gezinssysteem verbonden is. Een tweede ontwikkeling was dat er meer aandacht voor het proces van hechting kwam. Men ging onderkennen dat de kwaliteit van die hechting zeer belangrijk is voor de individuele ontwikkeling. Tegen die achtergrond zou het uit huis plaatsen van een kind een verkeerde ingreep zijn. De derde ontwikkeling gaat terug op de ideeën van Nagy over loyaliteit in het gezin. Hij onderstreepte het belang van gezinsgeschiedenis en de balans van wederzijdse verdiensten in een gezin. Volgens die theorie verwerft iemand alleen autonomie door de ervaring dat hij of zij iets voor een ander kan betekenen. Deze drie ontwikkelingen zijn niet allemaal op hetzelfde moment ontstaan, maar ze werken tot op heden in de benadering van gezinsproblemen door.'

De theorie van de 'wederzijdse verdiensten' is vooral op gezinnen met sterk disfunctionele relaties van toepassing. Daar kun je bijna altijd een verstoorde balans in het proces van geven en nemen aantreffen. 'Een veelvoorkomende situatie is dat het kind van zijn ouders veel te weinig aandacht, bevestiging en dergelijke ontvangen heeft terwijl het zelf juist veel trouw en loyaliteit tegenover zijn ouders aan de dag legde. Als dat kind dan later ouder wordt – ouder in dubbele betekenis – zal het proberen zo'n tekort ongedaan te maken via een eigen kind. Eindelijk is er iemand voor wie hij iets kan betekenen! Vroeger probeerde hij ook altijd iets voor een ander te betekenen maar dat werd toen niet gewaardeerd. Dit leidt echter gemakkelijk tot hooggespannen verwachtingen. Het zijn ouders die zelf veel moeten inhalen en dan gaat er gemakkelijk iets fout. Ze hebben een beperkt incasseringsvermogen. Zo kan er een onevenwichtigheid in het proces van geven en nemen tussen ouders en kinderen ontstaan, dat echter zijn wortels in een onevenwichtigheid tussen de voorgaande generaties heeft. Nu hoeft dat niet altijd tot ernstige problemen te leiden, maar je moet wel een beetje mazzel hebben. Bijvoorbeeld doordat je kind of partner een gemakkelijk temperament heeft. Of doordat je een ruim inkomen en een hoge sociale status krijgt. In dat soort omstandigheden pakken die onevenwichtigheden niet slecht uit. Maar het wordt een heel ander verhaal als béide partners zo'n achtergrond hebben, als het karakter van je kind heel lastig blijkt of als je door tegenslag getroffen wordt. Dán hangt er heel wat van je incasseringsvermogen af en dan blijkt ook dat een juiste balans van geven en nemen in je eigen opvoeding zeer belangrijk is.'

Ouders die vroeger in dit opzicht tekortkwamen, lopen vaak met een blijvend gevoel van onvoldaanheid rond. 'Ze hebben de neiging het allemaal te willen inhalen bij hun kinderen. Maar de kans is groot dat ze *juist daardoor* hun kinderen tekortdoen en aldus bevorderen dat de situatie van hun eigen jeugd zich in die van hun kinderen herhaalt. Op die manier worden bepaalde tekorten van de ene generatie doorgegeven aan de andere. Bij kindermishandeling zien we vergelijkbare "transgenerationele verschijnselen". Het is bekend dat ouders die zelf als kind mishandeld zijn een grotere kans lopen om later ook hun eigen kinderen te mishandelen. Hetzelfde geldt voor ouders die op het gebied van de "attachment" een probleem hebben en dat aan hun kinderen doorgeven. Van de andere kant is hierbij geen determinisme

aan het werk. Voor een grote groep geldt zelfs dat hun negatieve jeugd-
dervaringen bij het eigen opvoeden níet herhaald worden. Men heeft
ook onderzocht waardoor die cirkel doorbroken wordt. Dan blijkt dat
de kans op een herhaling afneemt naarmate de eigen negatieve jeugdervaringen beter overwonnen zijn.'

In de geschiedenis van verwaarloosde, mishandelde of misbruik-
te kinderen is het dus van groot belang dat ze de kans krijgen zo'n ervaring te verwerken. Ze moeten op zijn minst de kans krijgen hun verhaal te vertellen. Het gaat ook om de vraag of een kind, dat door zijn
ouders zo ernstig tekort wordt gedaan, wellicht elders de ervaring
opdoet dat het wél iets voor een ander kan betekenen. 'Als je thuis
wordt gekoeioneerd, maar je kunt op school een mooi opstel schrijven
of goed voetballen, dan geeft dat toch de nodige bevestiging. Als je
redelijke schoolprestaties hebt, kun je misschien doorleren of een
zeker aanzien verwerven en zo alsnog de ervaring van je eigen betekenis opdoen. Maar de ellende is uiteraard dat veel situaties waarin kinderen ernstig tekortkomen, ook in economisch, sociaal en cultureel
opzicht zeer ongunstig zijn. Je ziet opnieuw dat de duivel op één hoop
schijt en dat de verschillende problemen elkaar doorgaans versterken.
Daarom moet je bij gezinnen waar het opvoeden niet vlekkeloos verloopt óók altijd aandacht schenken aan de uiterlijke omstandigheden.
Financiële tekorten, de afwezigheid van vrienden, gebrekkige scholing
– het draagt er allemaal toe bij dat de ervaring van een negatieve jeugd
in sommige milieus van generatie op generatie doorgegeven wordt.'
Wie in zijn eigen jeugd al met een negatief kapitaal of deficit begint,
heeft kennelijk meer kans om te vervallen in dezelfde fout dan iemand
die zonder affectieve en sociale tekorten groot geworden is.

4 Verbroken netwerken

Terwijl dit eerste mechanisme zich in de tijd voltrekt – overdracht van
tekorten van de ene generatie op de andere – strekt het tweede zich als
het ware in de sociale ruimte uit. Wij doelen op het wegvallen van
ondersteuning en netwerken op het moment dat de problemen van
een gezin zijn draagkracht eigenlijk te boven gaan. Op zichzelf is een
dergelijke overschrijding heel gewoon. Iedereen kent van die perioden
waarin de eigen krachten tijdelijk tekortschieten gezien de taken of
eisen waar men voor staat. Een bescheiden ondersteuning door buren,

vrienden of kennissen, familieleden respectievelijk professionele hulpverleners doet dan soms al wonderen. Omgekeerd geldt dat degenen die niet kunnen rekenen op een dergelijke steun het bijzonder zwaar krijgen. Ze zijn in een mum van tijd door hun reserves heen en is dat stadium eenmaal bereikt dan is het gevaar van een neerwaartse spiraal allerminst denkbeeldig meer.

Ongetwijfeld zijn er in Nederland vele gezinnen die over een sociaal netwerk beschikken. Evenwel beginnen er vooral in de oudere buurten van grote steden situaties te ontstaan, waar die netwerken verbrokkelen. In een wijk als het Utrechtse Kanaleneiland doet dit zich onmiskenbaar voor. Een ander voorbeeld is de Bijlmer. Dat blijkt uit de woorden van de heer Niamut, hoofd van een basisschool in Amsterdam Zuid-oost.[14] Deze school telt ongeveer 400 leerlingen, van wie de meeste in de hoogbouw van de Bijlmer wonen. Hun gezinnen komen doorgaans uit een andere cultuur en zijn zich nu hier aan het wortelen. Het gaat vooral om Antillianen, Surinamers, Ghanezen, Pakistanen en Indiërs. Een groot deel van de leerkrachten is zelf allochtoon. In totaal komen er op school zo'n dertig verschillende nationaliteiten voor.

'Een groot aantal kinderen bij ons op school komt uit eenoudergezinnen. Men zegt altijd dat zoiets niet ongewoon in de Caraïbische cultuur, maar er bestaat een groot verschil tussen de situatie daar en hier. Daar maakt een moeder met haar kinderen deel van de familiestructuur uit, hier moet ze de opvoeding in haar eentje doen. Voor de kinderen op onze school pakt het ontbreken van een vader vaak nadelig uit. Tegen het einde van de basisschool zie je heel duidelijk dat ze een identificatiefiguur missen. Er is dan niemand die ze helpt bij het verkennen van hun grenzen en zo nodig een correctie aanbrengt. Daardoor schuiven die grenzen steeds verder op. Sommige jongens van twaalf of dertien jaar zijn thuis zo indringend aanwezig, dat hun moeder in feite niets meer te vertellen heeft. Ze verliest het van haar kinderen, bijvoorbeeld omdat ze met haar bescheiden inkomen niet aan alle wensen kan voldoen. De kinderen vragen om dure schoenen of om merkkleding. Moeder is van goede wil maar het gáát eenvoudig niet. En dan is er geen vader die zegt dat het afgelopen is. De talenten van die kinderen komen zo niet tot ontwikkeling. We hebben regelmatig leerlingen die bij de eindtoets van het basisonderwijs duidelijk boven het gemiddelde niveau zitten. Die zouden best naar de havo of het vwo kunnen. Maar na een paar jaar zitten ze al weer op het lbo of vbo. Dat komt doordat ze van huis uit te weinig begeleid en ondersteund worden. In dat opzicht vormen eenoudergezinnen een probleem. Het is er vaak heel gezellig hoor, maar de begeleiding schiet tekort omdat er maar één ouder is. De cijfers maken dat ook duidelijk. Het grootste deel van de kinderen uit eenoudergezinnen maken onvoldoende van hun eigen potentieel gebruik.'

Het gebrek aan ondersteuning in deze gezinnen wordt slechts verergerd doordat de sociale netwerken in de wijk verbrokkelen. Het proces van gemeenschapsvorming komt in de Bijlmer niet goed op gang. 'Vorig jaar stelden we vast dat kinderen nauwelijks bij elkaar op verjaardagen komen. Ze vieren het in de eigen familiekring, maar vriendjes of vriendinnetjes van school zijn er niet bij. Wij vonden dat toch belangrijk en begonnen verjaardagen te vieren in de klas. Dat had aanvankelijk wel enige uitstraling maar na een tijdje zakte het weer weg. Er is momenteel vrij veel vervlakking, het onderhouden van vriendschappen kost blijkbaar grote moeite. De meeste van onze kinderen zijn niet gewend om over en weer bij elkaar te logeren of eens een vriendje mee naar Artis te nemen. Je ziet het ook terug in de manier waarop ze hun vrije tijd besteden. Er is in de Bijlmer nogal wat groen, maar als bij ons om half vier de school dichtgaat, is het buiten binnen een kwartier helemaal leeg. Veel kinderen verdwijnen naar de donkere catacomben onder de flats. Anderen gaan naar huis en kruipen achter de tv. De hele recreatie is erg passief. Er zijn maar weinig kinderen die met elkaar spelen. Het is bovendien zo dat de voornaamste sportvoorzieningen aan de andere kant van de stad liggen. Waarom zou de gemeente niet wat meer kunnen doen op het gebied van sport in onze wijk? Hetzelfde geldt voor muziek. Muzikale vorming is voor onze kinderen van groot belang, want daarmee kunnen ze snel laten zien dat ze goed in iets zijn. Sport en muziek dragen sterk bij tot hun gevoel van eigenwaarde.'

De mogelijkheden om eventuele problemen in sociaal verband op te vangen, zijn in een wijk als de Bijlmer dus tamelijk beperkt. Dat heeft ook gevolgen voor de houding die wijkbewoners zelf aannemen. 'In veel gezinnen kijkt men niet zo positief tegen de samenleving aan. Er heerst soms grote argwaan tegenover degenen die haar vertegenwoordigen zoals politieagenten, tramconducteurs of mensen van de sociale dienst. Voor allerlei zaken moet je formulieren invullen en dat schrikt veel mensen af. Men is gewoon om de dingen heel anders te regelen. Het incassobureau kan bijvoorbeeld wel een brief versturen, maar daar kijkt niemand naar. Vreemd genoeg werkt ons sociale stelsel dit soort problemen in de hand. Het verleidt de mensen om te gaan wonen op een ander adres en zo meer inkomsten te verwerven. Er zijn gevallen dat een man formeel van zijn vrouw en kinderen gescheiden is terwijl hij met hen samenwoont; zijn eigen huis wordt dan in onderhuur door een andere persoon bewoond. Dat leidt tot allerlei oneigenlijke toestanden. De kinderen groeien zo op in een sfeer van wantrouwen tegenover de maatschappij. Men gebruikt de mogelijkheden van de sociale zekerheid alleen om zichzelf te redden, niet omdat men dat stelsel als zodanig respecteert. Wat dat betreft heeft de afbraak van het maatschappelijk werk en het jongerenwerk de zaak geen goed gedaan. De loyaliteit ten opzichte van de samenleving wordt daardoor nog minder dan zij al was. De commercie heeft zich nu op het vacuüm gestort. Houseparty's vormen een bedreiging voor onze jongeren, het wordt voor hen steeds moeilijker om nee te zeggen tegen die pillen.'

Al deze problemen in het gezins- en buurtleven hebben een nadelige invloed op de kansen van de jeugd. Niamut meent dat dit de komende 25 jaar een van de meest dringende vraagstukken zal vormen en zegt: 'Voor de Bijlmer en omgeving zien wij die kansen momenteel in hoog tempo achteruit hollen. De meeste kinderen bij ons op school hebben een dubbele handicap: ze moeten niet alleen hun cognitieve en intellectuele achterstand inhalen maar ook een achterstand op het vlak van waarden en normen. De laatste vijf à tien jaar gaat het sterk achteruit. Er is een hoge concentratie werkloosheid in de wijk, de inkomens zijn laag, er leven diverse etnische groepen bij elkaar, de mogelijkheden om aan de samenleving deel te nemen zijn gering. Bovendien is er een hoge mutatiegraad: op mijn school van 400 leerlingen zijn er per jaar 160 die van adres veranderen. Gemiddeld blijven de kinderen maar drie jaar op dezelfde school. De ouders bedoelen het vaak goed, ze willen graag voor hun kind een goede opleiding, ze beseffen dat die school de enige toegang tot de samenleving is. En toch groeit het aantal jongeren tussen de zestien en de twintig jaar die in de stad rondlopen zonder afgemaakte opleiding. Dat vormt in alle grote steden een probleem, maar het doet zich hier in de Bijlmer bijzonder scherp voor.'

5 Naar een tweedeling?

We zijn inmiddels beland bij het derde en meest zichtbare element van onze problematiek: het feit dat sommige gezinnen aan een gevaarlijke opeenstapeling van moeilijkheden blootstaan.

Het probleem voor gezinnen uit een lagere sociale klasse is immers dat daar diverse risicofactoren bij elkaar komen. In de sociale wetenschap vindt men zelden een directe samenhang, maar hier hebben we er een: als men op de ene as het aantal stressfactoren en op de andere as het gezinsfunctioneren zet, dan ziet men een direct verband. Dat is voor uiteenlopende situaties getest, van gezinnen in Amerika tot een Palestijns vluchtelingenkamp. In 90 procent van de Nederlandse gezinnen komen een of twee stressfactoren voor. Wanneer dat aantal tot drie of vier oploopt, wordt het al moeilijker. Maar in verschillende grote en middelgrote steden zijn buurten waar gezinnen aan vijf tot zes stressfactoren blootstaan. Zij hebben een lager inkomen, het ontbreekt er aan sociale netwerken, er is meer echtscheiding, de levensverwachting ligt beneden het gemiddelde, men heeft vaak last van criminaliteit enzovoort. Het gevaar van sociale marginalisering is voor die gezinnen heel reëel. Het is duidelijk dat de lasten in die situaties zwaarder zijn dan gemiddeld. Om normaal te blijven functioneren moet het gezin een extra grote draagkracht aan de dag leggen. Daar ontbreekt het veelal aan, juist omdat men telkens met een nieuw probleem te kampen heeft. De reserves raken uitgeput, het gezin komt terecht in een neerwaartse spiraal.

In de wijk van jeugdarts Rensen doet zo'n opeenstapeling zich regelmatig voor. Hij geeft twee voorbeelden uit zijn praktijk.[15] 'Wij kregen onlangs te maken met een geval van seksueel misbruik van een meisje. Ze had aanvankelijk allerlei klachten zoals bedplassen, maar uiteindelijk bleek dat opa zich tijdens het oppassen aan haar vergreep. Het gevolg was dat opa de bak indraaide en dat de moeder haar baan moest opzeggen, want zij had geen oppas meer. Doordat ze geen baan meer had daalden ook de inkomsten en moest het gezin naar een goedkopere woning verhuizen. Daardoor moesten de kinderen naar een andere school, in een andere buurt waar het een stuk minder veilig was. Zo bracht het ene probleem het andere teweeg. Een tweede gezin had het altijd goed gehad. Vader heeft een eigen bedrijf en op een bepaald moment gaat hij door zijn rug. Wordt afgekeurd. Met zijn bedrijf gaat het steeds slechter, want hij is niet goed in leidinggeven en ten slotte gaat hij failliet. De inkomsten verminderen en ze moeten verhuizen. Zo komen ze in deze buurt terecht. Nou is dit een hele rauwe buurt, er wordt geschoten en gevochten, terwijl dat een gezin van hele nette mensen is. Die voelen zich hier absoluut niet thuis. Vader is in hoge mate gefrustreerd, hij raakt aan de alcohol, de sfeer in huis gaat achteruit. Dat heeft weer effect op de kinderen. Zij krijgen slaapproblemen met als gevolg dat het op school veel slechter gaat. Zo komt er een stortvloed aan moeilijkheden over dat gezin, terwijl er eigenlijk maar één ding is gebeurd: die man gaat door zijn rug!'

Men kan zich afvragen of de causaliteit altijd zo eenduidig is als Rensen met deze voorbeelden suggereert. Maar een feit is wel dat vormen van stress op een ongelijke manier over de gezinnen zijn verdeeld en bepaalde moeilijkheden vaak samengaan. Rensen is er dan ook van overtuigd dat er een soort van tweedeling ontstaat. 'Aan de ene kant heb je veel gezinnen waar het goed mee gaat, die van alles hebben, waar de kinderen goed worden opgevoed. Aan de andere kant is er ook een groep waar het juist heel slecht mee gaat. Als ik de gezinnen in deze wijk bekijk, word ik daar bijzonder pessimistisch van. Wij Nederlanders geloven graag in het filosofische idee dat alle mensen gelijk zijn, maar in de praktijk komt daar helemaal niets van terecht. Het is ook een verkeerd idee. De natuur brengt allerlei verschillen aan en dat is op zichzelf geen probleem. Maar al die ongelijkheden en achterstanden worden in de gezinssfeer doorgaans sterk aangezet en dát lijkt mij wel degelijk een probleem. Er zijn tal van kleine afwijkingen die je bij kinderen al in een heel vroeg stadium kunt vaststellen. Als je daar niets aan doet, worden die afwijkingen steeds ernstiger. Dat is niet alleen onrechtvaardig tegenover die kinderen, het kost de samenleving ook gigantisch veel. Denk maar aan het vandalisme, of aan de mensen die in de gevangenis belanden, of in een psychiatrische inrichting. Twee derde van die laatste groep heeft te maken gehad met verwaarlozing, seksueel misbruik, leerproblemen, mishandeling, enzovoort. Zij komen voor een aanzienlijk deel uit gezinnen als in deze buurt. Hier doet zich een opeenstapeling van negatieve omstandigheden voor. Er dreigt een onderklasse te ontstaan die niets meer te verliezen heeft. Als we daar niets aan doen, neemt het probleem straks een onbeheersbare vorm aan.'

Uit de woorden van de heer Malmberg van het ministerie van VWS blijkt dat ook de beleidsmakers bezorgd zijn over het gevaar van een sociale tweedeling.[16] Als voorbeeld noemt hij de achterstand die allochtone groepen oplopen. 'De kloof tussen de meerderheid van gewone Nederlandse gezinnen enerzijds en grote groepen allochtonen in een aantal steden anderzijds is in korte tijd veel dieper geworden. Dat heeft alles te maken met de snelheid van de maatschappelijke ontwikkeling, verschil in morele opvattingen, een andere pedagogische stijl. Wat moet overwegen: een tik uitdelen of knuffelen? Dat zijn stijlverschillen die evengoed sterk doorwerken in het bedrijfsleven, het onderwijs of het bestuur.' Een vergelijkbare vraag dient zich aan bij marginale gezinnen. 'Naar omvang hebben we in Nederland maar een kleine groep van gezinnen die zich in de marge van het sociale verkeer bevinden. Maar welke maatregelen moet je nemen om ook die laatste 5 of 10 procent erbij te houden? De grootte van die groep zal vermoedelijk niet toenemen, maar de ernst van hun problemen wel. En dus ook de kosten of maatschappelijke risico's die ermee verbonden zijn. De afstand van deze groep tot de gewone middenlaag neemt toe en daar moeten we als de donder iets aan doen.'

* * *

Het moment is gekomen om dit deel over gezinsproblemen respectievelijk probleemgezinnen van een conclusie te voorzien. Daarbij zullen we de drie zojuist besproken factoren nóg een keer behandelen, maar nu in zodanige volgorde dat we iets kunnen zeggen over hun wisselwerking.

De eerste factor heeft betrekking op de mate van stress waaraan een gezin onderhevig is. De aard van die stress kan zeer verschillend zijn: werkloosheid of een laag inkomen, ziekte of overlijden van een gezinslid, wonen in een onveilige of ongezonde buurt, kinderen met een handicap of moeilijk temperament, aanwezigheid van psychiatrische problemen of criminaliteit enzovoort. Belangrijker dan de aard van de problemen is evenwel de opeenstapeling van stress die een gezin moet verwerken. Over het algemeen geldt dat gezinnen eerder problemen krijgen naarmate het aantal stressfactoren groter is. Een dergelijke cumulatie treedt vooral in de oudere buurten van (middel)grote steden op. Daar leven relatief veel huishoudens van een uitkering, komen echtscheiding en werkloosheid vaker voor, zijn meer kinderen die van huis weglopen, spijbelen of hun school niet afmaken, is meer verslaving aan alcohol en drugs of leidt onenigheid eerder tot geweldpleging. Behalve in een bepaalde buurt kan de cumulatie zich ook in een sociale groep voordoen. Zo moeten allochtonen in Nederland een relatief groot aantal moeilijkheden het hoofd bieden. Hun sociaaleconomische positie is in de regel laag, de kinderen hebben vaak een achterstand op school, het oude familieverband functioneert niet meer, ouderlijk gezag is slecht te handhaven, er zijn culturele spanningen en er komen vormen van discriminatie voor. Dergelijke situaties, waarin men een reeks van tegenslagen moet verwerken, vormen een potentiële bedreiging voor het gezinsleven ongeacht de economische, sociale of culturele groep waarvan men deel uitmaakt.

De ondermijning van het gezinsleven gaat echter zelden op dit soort tegenslagen alléén terug. Er speelt een tweede factor mee. De vraag of gezinsleden respectievelijk het hele gezin in ernstige problemen komt, hangt niet alleen af van de last die men te dragen heeft, maar ook van de draagkracht die men kan opbrengen. Juist in moeilijke situaties komt het aan op de mentale en sociale reserves van de ouders en hun kinderen. Individuele verschillen hebben in dezen soms verstrekkende gevolgen. De ene persoon heeft nu eenmaal een groter incasseringsvermogen dan de andere. Maar dat betekent niet dat deze verschillen volkomen willekeurig zijn verdeeld. Op dit punt werken de ervaringen in het gezin van herkomst sterk door – zowel in positieve als in negatieve zin. Kinderen bij wie het proces van hechting goed verlopen is, die voldoende liefde kregen en de ervaring hebben opgedaan dat zij iets voor een ander kunnen betekenen, bezitten over het algemeen genoeg affectief en persoonlijk kapitaal om tegenslagen te verwerken. Dat geldt niet voor degenen die als kind het nodige tekortkwamen. Hun draagkracht is vaak minder groot waardoor ze als ouder ook minder goed tegen een opeenstapeling van problemen zijn opgewassen. In de meest ernstige gevallen kan dit zelfs tot gevolg hebben dat ze tekorten uit hun eigen jeugd aan de volgende generatie doorgeven. Deze vorm van sociale erfelijkheid is bij kindermishandeling, verwaarlozing en seksueel misbruik niet ongewoon. Ze eist eveneens haar tol bij de 'multi-problem-gezinnen' met hun ingewikkelde en vaak chronische problematiek. Het zou echter onjuist zijn om zich tot deze dramatische voorbeelden te beperken. In feite kan men de invloed van het familiale erfgoed ook bij gewone gezinnen zien.

Het ontstaan van min of meer ernstige problemen hangt ook nog van een derde factor af. De balans tussen draaglast en draagkracht is in bijna alle gezinnen wel eens verstoord. Het gaat erom dat die verstoring niet té lang duurt en vooral om de vraag in hoeverre men kan beschikken over steun van buitenaf. Bijstand door familieleden, vrienden die het gezin met raad en daad ter zijde staan, buren die een handje helpen, vrijwilligers die tijdig inspringen, werkgevers die zich soepel opstellen of professionele hulpverleners die zo nodig optreden – zij dragen er allemaal toe bij dat de gezinsleden zich door een moeilijke periode heenslaan. Maar het wordt veel ernstiger als een gezin in een sociaal isolement verkeert of slecht met (semi-)professionele instanties weet om te gaan. Dan raakt men snel door de eigen reserves heen en dreigt een neerwaartse spiraal. Hetzelfde effect heeft de desintegratie van het sociale leven die zich in een wijk als de Bijlmer voltrekt. Daar hebben de hoge mutatiegraad, het grote aantal eenoudergezinnen, het gebrek aan culturele homogeniteit en het wegvallen van oude netwerken tot gevolg dat vele gezinnen er helemaal alleen voor staan. Het ontbreken van voorzieningen voor jongeren en de afbraak van het vroegere maatschappelijk werk maakt de situatie alleen maar erger.

Nu bestaat er tussen deze drie factoren geen noodzakelijk verband. Het kan voorkomen dat ouders een ongunstige voorgeschiedenis hebben terwijl ze de problemen niettemin de baas kunnen, bijvoorbeeld doordat ze in een stevig sociaal netwerk opgenomen zijn of doordat ze over voldoende financiële reserves beschikken. Omgekeerd bestaan er ook gezinnen die dergelijke financiële of sociale mogelijkheden niet hebben maar op grond van hun persoonlijke of familiale geschiedenis toch veel problemen aankunnen. En ten slotte is de stress niet altijd even ernstig zodat een gezin ook zonder al te veel sociale of familiale reserves het hoofd wel boven water houdt. Er zijn evengoed omstandigheden waarin de drie factoren elkaar versterken. Dan komt het gezin gemakkelijk in een vicieuze cirkel terecht waarbij het een stressvolle situatie niet kan verwerken omdat het aan sociale steun ontbreekt terwijl bovendien de familiale voorgeschiedenis ongunstig is. In dat geval hangt veel – zo niet alles – van de houding van de ouders af. Slagen zij er op een of andere manier in die cirkel te doorbreken, dan behoeven de gevolgen voor het gezin niet al te ernstig te zijn. Maar als ze dat nalaten of de problemen op een verkeerde manier tegemoet treden, kunnen zowel de kinderen als het gezin in grote moeilijkheden belanden. Het ontstaan van jeugdcriminaliteit is daar een voorbeeld van. Het begint meestal met een vorm van onaangepast gedrag die zich al op jonge leeftijd manifesteert. Als dat door de ouders niet wordt gecorrigeerd, zal het kind zich ook buiten het gezin onaangepast gedragen, waardoor het steeds vaker afgewezen wordt. Het afwijkende gedrag neemt zodoende toe en het kind kan tijdens de adolescentie – wanneer de invloed van leeftijdgenoten sterk wordt – met een beetje pech de criminele kant opgaan. Tegen die tijd zullen de meeste ouders wel merken wat er gaande is, maar dan blijkt het in de regel al te laat te zijn.

Het optreden van de ouders en de kwaliteit van hun relatie met de kinderen blijkt dus van cruciaal belang. De interactie die maakt dat bepaalde gezinnen juist heel goed functioneren – ook als er problemen zijn – heeft in andere gevallen juist negatieve gevolgen. Volgens Gerris wordt dit sterk onderschat. Naar zijn overtuiging tekenen zich momenteel twee vormen van socialisatie af. 'Aan de ene kant een socialisatieproces dat positief verloopt: ouders die hun kinderen iets voor het leven meegeven, óók als de maatschappelijke omstandigheden minder gunstig zijn. Zij kennen een grote persoonlijke inzet, geven tijd en aandacht aan hun kinderen, hebben er geld voor over, enzovoort. Aan de andere kant zijn er eveneens ouders voor wie dat allemaal veel minder telt. Het socialisatieproces verloopt bij hen op een negatieve manier. Hun kinderen komen eerder op de straat terecht, ze moeten zich daar al vroeg handhaven en zijn eerder seksueel rijp. De relaties die ze later als volwassene aangaan zullen vaker vluchtig van karakter zijn. Ze missen de ervaring van warme betrekkingen en kunnen die op hun beurt niet aan hun eigen kinderen doorgeven. Zo komt er een neerwaartse spiraal tot stand die op de langere termijn een fundamentele splitsing van de samenleving tot gevolg heeft. Enerzijds degenen die dankzij de positieve socialisatie van verschillende generaties het vermogen hebben om hechte relaties aan te gaan, anderzijds degenen die als gevolg van een negatieve socialisatie dat vermogen niet hebben. Uiteindelijk leidt dat tot de risicomaatschappij in de zin van Ulrich Beck, een maatschappij waar elk moreel, economisch of relationeel risico op de individuen afgewenteld wordt.'

DEEL V

SLOT

Dit laatste deel is gewijd aan de conclusies die we uit het voorgaande kunnen trekken. Deze vallen in twee soorten uiteen. Hoofdstuk 5.1 gaat vooral op praktische mogelijkheden in, terwijl hoofdstuk 5.2 een samenvatting van de voornaamste onderzoeksresultaten biedt. Maar eerst willen wij nog iets zeggen over de manier waarop dit onderzoek is opgezet.

Wat we namelijk van meet af aan wilden vermijden was een *mechanische* benadering waarbij men het gezinsleven vanuit de sfeer van het maakbare beziet. We beschouwen het gezin nu eenmaal niet als een machine of systeem waarvan de causaliteit of functionaliteit eenduidig te bepalen is. Ook een *statistische* benadering heeft – hoewel ze vaak onmisbaar is bij het onderzoek in de sociale wetenschap – belangrijke beperkingen. Ze leidt tot abstracte grootheden als een gemiddelde, een correlatie of een trend en doet de complexiteit van het gezinsleven gemakkelijk tekort. In plaats daarvan hebben wij getracht om het gezin veeleer op een *organische* manier te zien.[1] Dat wil zeggen: als geheel dat niet alleen door levende individuen gevormd wordt maar ook zelf als een levend organisme functioneert. Het is immers een levensvorm die op een bepaald moment ontstaat, een zekere ontwikkeling doormaakt en na verloop van tijd weer ophoudt te bestaan. Deze cyclus kent talrijke variaties – afhankelijk van de cultuur, de sociale klasse of het historisch tijdvak waarin het gezin verschijnt – maar is niet zomaar te veranderen. Daarvoor hoort het te zeer thuis in het overgangsgebied tussen natuur en cultuur. Vandaar dat we er ook weinig voor voelen om het gezin uitsluitend als een zaak van culturele conventies, laat staan als een sociale constructie te beschouwen.

5.1 WAT TE DOEN?

De thema's die we in dit hoofdstuk behandelen, liggen vooral op praktisch vlak. Ze raken aan uiteenlopende zaken zoals de noodzaak van meer kinderopvang in Nederland, de wijze waarop de hulpverlening geregeld is of de houding van ouders en leerkrachten tegenover kinderen. Daarbij gaat het met name om de vraag hoe de verantwoordelijkheden zijn verdeeld. Wat zijn taken van de overheid en waar zijn politieke interventies noodzakelijk? Wat is de rol van professionals in het geheel? En welke taken komen primair op de ouders neer? Het zou echter onjuist zijn te suggereren dat er over deze thema's eenstemmigheid bestaat. Juist op dit punt blijken er in Nederland diverse meningen te zijn. Dat geldt om te beginnen voor de vraag hoe men de organisatorische problemen van het moderne gezinsleven moet oplossen (paragraaf 1). Vervolgens verschilt men van mening als het over de aanpak van (groeiende?) gezinsproblemen gaat. Sommigen staan een strategie van preventie en vroege signalering voor (paragraaf 2). Anderen zien de toenemende bemoeienis van professionals met het gezinsleven juist als een nadelige ontwikkeling (paragraaf 3). De een vindt dat er meer aandacht voor sociale vaardigheden nodig is (paragraaf 4). De ander pleit voor een meer actieve opvoeding (paragraaf 5). Het onderstaande vormt daarom eerder een inventarisatie van bestaande vraagstukken dan een coherent betoog.

1 Betere voorzieningen

Over één ding zijn vrijwel alle deskundigen het inmiddels eens. Namelijk dat moderne gezinnen voor een aantal praktische en organisatorische problemen staan die zo spoedig mogelijk moeten worden opgelost. Met name als het gaat om de combinatie van zorg en werken dreigt er in Nederland langzamerhand een bespottelijke situatie te ontstaan. Enerzijds wordt iedereen gestimuleerd of zelfs gedwongen om de arbeidsmarkt op te gaan, een grote mobiliteit en flexibiliteit te ontwikkelen, op forse afstand van de eigen woning te werken, op tijden die door de werkgever bepaald worden of op voorwaarden die op gespannen voet staan met een gezinsleven. Anderzijds wordt men geacht een gewetensvol en zorgzaam ouderpaar te zijn. Hoe dat binnen één werkweek te combineren is, gaat de overheid of het bedrijfsleven kennelijk niets aan. Dat mogen de ouders zelf uitzoeken. Hetzelfde geldt voor de kosten die met het grootbrengen van kinderen verband houden. Dat was toch ook een keuze die ouders zelf gemaakt hebben? Het denken in termen van individuele emancipatie biedt op dit punt geen soelaas. Het gaat hier immers om problemen die voortvloeien uit het feit dat men bewust voor een duurzame relatie en kinderen gekozen heeft. Daarmee geeft men ook de eigen individualiteit ten dele prijs.

Om die problemen te begrijpen moet men inzien dat het moderne gezin bij een bepaalde fase van de levensloop hoort. Met name tussen het 25e en het 45e levensjaar van ouders doet zich een sterke 'piekbelasting' voor. Het is de fase waarin men alle belangrijke zaken moet zien te regelen. Men krijgt een vaste relatie, moet aan de carrière werken en heeft ook de zorg voor jonge kinderen. Terwijl het leven in de 'stressmaatschappij' toch al onder spanning staat, loopt die spanning in de gezinsfase extra op. Tegelijkertijd nemen de financiële middelen om problemen op te lossen juist in deze fase af. Dat blijkt onder meer uit de berekeningen die Cuyvers met betrekking tot het modale inkomen in verschillende levensfases heeft gemaakt. Dat inkomen stijgt aanvankelijk en bereikt een hoogtepunt wanneer men een jaar of dertig wordt. Vervolgens maakt het een scherpe daling door. Dat is niet alleen een gevolg van het feit dat de kosten toenemen (door de komst van jonge kinderen) maar ook van het feit dat het inkomen gemiddeld daalt (doordat de moeder haar baan geheel of gedeeltelijk opgeeft). In latere jaren neemt het modale gezinskomen weer toe om een tweede maximum te bereiken wanneer men een jaar of vijftig is.[2] Al met al is de levensfase met jonge kinderen niet alleen een zeer drukke maar ook een relatief dure periode. Meer concreet spitsen de zorgen zich op het volgende toe.

Ten eerste roept de kinderopvang allerlei problemen op. Uit recent onderzoek blijkt dat het gebruik van dit soort voorzieningen de afgelopen jaren enorm toegenomen is. Zo maakte twee derde van alle gezinnen in het midden van de jaren negentig van een peuterspeelzaal gebruik. Er doen zich echter regelmatig moeilijkheden voor, bijvoorbeeld rond de openingstijden, de kosten of het veelvuldig wisselen van personeel.[3] De instellingen voor kinderopvang zijn schaars en hanteren vaak bureaucratische regels die de toegankelijkheid beperken.[4] Op de vraag of de overheid meer geld ter beschikking zou moeten stellen voor kinderopvang, antwoordt bijna twee derde van de ondervraagden (61 procent) positief. Opvallend is dat vooral degenen die gebruikmaken van een bedrijfsopvang of kinderdagverblijf een grotere bijdrage van de overheid gewenst achten. Hetzelfde gaat voor tweeverdieners op en voor mensen met een relatief hoge opleiding. Daaruit valt af te leiden dat het met name de hoger opgeleide tweeverdieners met jonge kinderen zijn die om meer opvang verlegen zitten.[5] Momenteel maken deze nog maar een gedeelte van alle gezinnen uit maar als de hierboven uitgesproken verwachtingen uitkomen, zal dat aandeel in de nabije toekomst sterk toenemen. Als gevolg daarvan is een forse uitbreiding van de kinderopvang noodzakelijk – al kan men twisten over de manier waarop dat het beste te realiseren is.[6]

Ten tweede sluit de organisatie van het bedrijfsleven niet aan bij die van het gezinsleven. Hierbij gaat het niet alleen om de feitelijke voorzieningen zoals zorg- of ouderschapsverlof. Soms kan ook de houding van een werkgever of de sfeer op het werk voor problemen zorgen.[7] Nochtans zou er al veel gewonnen zijn wanneer de combinatie van betaald werk en zorgtaken op een fatsoenlijke manier geregeld was. De verantwoordelijkheid daarvoor is voor een goed deel in handen van de sociale partners gelegd. Volgens CNV-voorzitter Westerlaken maken zaken als verlofregelingen inderdaad steeds vaker een onderdeel van de CAO-onderhandelingen uit. Maar het is twijfelachtig of ze daarbij een hoge prioriteit hebben. Uit een onderzoek in opdracht van de Emancipatieraad uit 1995 bleek in elk geval dat slechts 19 van 89 betrokken CAO's geëmancipeerd te noemen zijn. Toch bestaan er ook voorbeelden van bedrijven waar een en ander goed geregeld is. Deze laten een grote variatie aan werktijden toe, combineren werk in het bedrijf met telewerken thuis of bieden ouders een mogelijkheid om samen met hun kinderen de middagpauze door te brengen. Opmerkelijk genoeg zijn het in Nederland vooral bedrijven uit de zakelijke dienstverlening en overheidsinstellingen die op dit punt een modern beleid voeren.[8]

Het derde vraagstuk heeft te maken met het fiscale en sociale stelsel van ons land. Vergeleken met andere landen van de Europese Unie werkt in Nederland – net als in Duitsland overigens – de corporatistische traditie sterk door. Dat betekent dat de overheid zich alleen in uiterste noodzaak met het gezinsleven bemoeit. Het gevolg daarvan is onder meer dat publieke voorzieningen voor kinderopvang nauwelijks ontwikkeld zijn. Een ander gevolg is dat het fiscale systeem en het stelsel van sociale zekerheid de kostwinner bevoordelen. Door de wijze waarop het moderne gezinsleven de afgelopen decennia veranderd is, pakken deze stelsels momenteel nadelig uit. Binnen de Europese Unie voert een land als Frankrijk op fiscaal gebied een gezinsvriendelijk beleid. Nederland is samen met Ierland een van de achterblijvers.[9] Vanuit de Nederlandse Gezinsraad zijn dan ook voorstellen gedaan om de betrekkingen tussen ouders en overheid op een nieuwe manier te regelen. De invoering van een Algemene Kinderwet (bedoeld als een volksverzekering tegen de onkosten van het opvoeden) en een opvoederscontract (een nieuwe juridische vorm waarin de rechten en plichten van ouders vastgelegd worden) zouden onderdelen daarvan kunnen zijn.[10]

2 Eerder signaleren

Afgezien van moeilijkheden op logistiek of organisatorisch vlak, kan men zich de vraag stellen of het opvoeden als zodanig moeilijker geworden is. Brengt het gezinsleven tegenwoordig méér problemen met zich mee? Is het waar dat kinderen de afgelopen decennia lastiger geworden zijn? En als dat inderdaad zo is, zou een strategie van vroege signalering dan niet zinvol zijn?

De vraag of er thans méér gezinsproblemen respectievelijk probleemgezinnen dan vroeger zijn, kwam hierboven al aan de orde. Toen rees het vermoeden – meer was het niet – dat die groei op bepaalde punten inderdaad bestaat. Dat zou met name gelden voor zaken als incest en ernstige jeugdcriminaliteit. Iemand die er regelmatig mee te maken heeft is mevrouw Quick-Schuyt.[11] Als kinderrechter stuit zij vrijwel dagelijks op problemen rond de opvoeding. Bij ernstige gevallen leidt dat tot een verzoek tot Onder Toezicht Stelling (OTS). Een maatregel als 'ontzetting uit de ouderlijke macht', waar men vroeger snel toe overging, komt tegenwoordig nog maar zelden voor. 'Bij OTS kan het kind thuisblijven maar komt er een gezinsvoogd die hulp biedt en toezicht houdt. Deze maatregel is vooral bedoeld ter bescherming van het kind. Ze wordt toegepast indien het verleden van de ouders zeer belastend is, bijvoorbeeld als ze aan harddrugs zijn verslaafd of wanneer ze psychiatrische klachten hebben. Voordat men tot OTS kan overgaan is altijd een onderzoek door de Raad voor de Kinderbescherming vereist. De mensen bij wie het tot OTS komt, hebben vaak al heel wat meegemaakt. Ze komen gaandeweg zelf tot het besef dat het zo niet langer gaat. Maar voor de kinderen is dat dan soms al te laat', aldus mevrouw Quick.

Van de andere kant stelt mevrouw Quick vast dat de signalering door instellingen de afgelopen twintig jaar aanmerkelijk verbeterd is. 'Vroeger waren het buren of familieleden die aan de bel trokken als het in een gezin misliep. Het is tekenend dat dit momenteel nauwelijks gebeurt. De mensen bemoeien zich niet graag met elkaars privé-leven. Daar staat tegenover dat allerlei instanties nu beter opletten.' Dit laatste wordt bevestigd door de gesprekken die we met een aantal deskundigen uit de praktijk gevoerd hebben. Zij kijken tegenwoordig anders dan voorheen tegen allerlei symptomen aan. Neem bijvoorbeeld de heer Komduur, die als politieman regelmatig te maken heeft met kinderen die weglopen van huis.[12] 'Het kost in de regel weinig moeite om te achterhalen waar zo'n kind zit. Vervolgens proberen we een dialoog met de ouders op gang te brengen en meestal wordt dan wel duidelijk waaròm zo'n kind nu weggelopen is...' Ook een schoolhoofd als de heer Niamut is voortdurend op mogelijke problemen thuis bedacht.[13] 'Bij ernstige misstanden zoals mishandeling komen de signalen wel door. Kinderen zijn nu eenmaal een open boek. Als je daar enige professionele feeling voor hebt, kun je daadwerkelijk iets doen.'

Toch zijn sommigen van mening dat er nog niet genoeg gebeurt. Zij pleiten voor méér oplettendheid bij het onderwijzend personeel en een meer actieve opstelling onder medici. Rensen zegt hierover bijvoorbeeld: 'Ik heb in deze wijk zo'n twintig scholen onder mijn beheer. Dat zijn ongeveer 3500 leerlingen. Die zie ik in groep 2, groep 5 en in groep 8. We proberen zo veel mogelijk aan primaire preventie te doen, maar in de praktijk blijven we door gebrek aan tijd of geld meestal in de secundaire preventie hangen. Dat wil zeggen: het vroegtijdig signaleren van moeilijkheden. Zelf vind ik dat de leerkrachten de zaak nog te veel op zijn beloop laten, dat ze veel signalen weinig serieus nemen.'[14] Overigens slaagt Rensen erin veel méér probleemgevallen boven water te halen dan de meeste van zijn collega's. Dat komt doordat hij zich niet aan een routine houdt en zich extra inspanningen getroost. 'Bij 10 tot 20 procent van de kinderen moet ik op huisbezoek omdat ze niet uit eigen beweging bij de vaccinatie verschijnen. Dat is vaak de groep die het het hardste nodig heeft. Toen ik pas bezig was met deze problematiek, vroegen ze altijd hoe ik aan al die mishandelde kinderen kwam. Maar dat was omdat ik juist achter die 15 procent aanging die men doorgaans laat zitten. Als een kind twee of drie keer niet verschenen is op het consultatiebureau, dan houdt het voor die artsen op. Die merken dus niets. Het is daarom niet vreemd dat slechts één procent van alle meldingen bij het Bureau Vertrouwens Artsen van een consultatiebureau afkomt, terwijl die toch 65 procent van alle kinderen onder ogen krijgen! Daar zit duidelijk iets fout.'

Zoals gezegd staat de toegenomen aandacht van instanties en deskundigen niet helemaal op zich. Er zijn aanwijzingen dat de algehele gevoeligheid – niet alleen bij de professionals maar ook bij het publiek en bij de media – de afgelopen decennia vergroot is. Dat verklaart mede waarom een thema als 'kindermishandeling' in korte tijd zo populair kon worden. Volgens professor Herman Baartman, een specialist op dit gebied, is het bijzonder moeilijk om vast te stellen of het verschijnsel werkelijk toeneemt en wel om twee redenen. 'Ten eerste hebben we geen cijfers over de situatie van circa vijftig jaar terug. Ten tweede hebben we een conceptueel probleem. Bepaalde zaken die vroeger vrij normaal waren, bijvoorbeeld lichamelijke straffen, zouden we nu zien als een vorm van mishandeling. Niettemin is de sensibiliteit voor dit soort kwesties binnen een of twee generaties duidelijk vergroot. Hetzelfde geldt voor de positie van vrouwen in het geheel. We zien een nieuwe, sterk ethische gevoeligheid voor de rol die geweld binnen relaties speelt. Nu de opvoedingsidealen opschuiven in de richting van meer autonomie, wordt er negatiever over de oude opvoedingsmethoden gedacht.'[15]

3 Professionalisering als gevaar

Nu zijn er ook waarnemers die aandacht vragen voor de nadelen van de zojuist omschreven strategie. Dat geldt onder meer voor professor Jo Hermanns die behalve hoogleraar tevens directeur is van een Medisch Kinder Dagverblijf.[16] Deze instelling biedt opvang voor kinderen met psychische problemen, aangeboren afwijkingen, gedrags- of opvoedingsproblemen of voor kinderen die lijden onder een acute crisissituatie thuis. De doelgroep van deze instelling maakt ongeveer drie promille van het totale aantal kinderen uit en dat verandert in de loop der jaren nauwelijks. Ook bij onderzoek naar grote populaties lijkt het percentage kinderen dat intensieve opvoedingsondersteuning nodig heeft nagenoeg constant. Hermanns acht een werkelijke groei van het aantal probleemgevallen daarom niet aannemelijk. 'Als je beschrijvingen van het internaatsleven rond 1900 raadpleegt, lees je dat er steeds meer moeilijke kinderen komen. In de 25 jaar dat ik mijn vak uitoefen hoor je ook voortdurend dat de problemen toenemen. Maar het is hoogst onwaarschijnlijk dat deze groei al een eeuw lang zou aanhouden.'

In plaats daarvan signaleert Hermanns een professionalisering van het opvoeden in die zin dat medische, psychologische en orthopedagogische inzichten steeds meer gewicht krijgen. 'Hulpverleners, psychiaters en bedrijfsartsen krijgen (of nemen) steeds meer verantwoordelijkheden in de sfeer van het definiëren van problemen. De eigen opvattingen van ouders doen er vaak niet toe. Zelfs als het gaat om ernstige stoornissen als autisme of een verstandelijke handicap, blijken deskundigen minder signaalgevoelig dan ouders. In de praktijk blijkt bijvoorbeeld dat ouders van kinderen met een ontwikkelingsstoornis al in het eerste levensjaar heel goed in de gaten hebben dat er met hun kind iets is. Ze weten niet om welk syndroom het gaat maar ze kunnen precies aangeven wat er schort: praat niet goed, is onhanteerbaar, beweegt zich vreemd, enzovoort. De experts kunnen in dat vroege stadium meestal niets zien. Die zeggen dat het vanzelf over gaat. Als die ouders twee jaar later op de zaak terugkomen, zien de experts het ook. Het kind is onrustig of agressief, het wijkt op school af in negatieve zin. Maar intussen is er twee jaar lang met het signaal van de ouders niets gedaan.'

De moeilijkheid is dat vele deskundigen vanuit een louter professioneel kader naar het gezin kijken. Men vertrouwt bij voorkeur op de eigen disciplinaire benadering en wil het liefste aan een vorm van screening doen. 'Dat is volkomen overbodig want in de praktijk blijkt dat ouders het bijna altijd bij het rechte eind hebben. De meest betrouwbare methode is daarom gewoon naar die ouders luisteren. Maar dat past slecht in de traditie van de jeugdhulpverlening in Nederland. Instanties als de jeugdbescherming of de voogdij hebben in ons land altijd sterk de neiging gehad om het opvoeden van de ouders over te nemen. De gedachte is dat men de ouders moet laten zien wat ze goed en wat ze verkeerd doen, om ze vervolgens te ondersteunen bij het opvoeden. De belangstelling van de ouders voor dit soort ondersteuning is doorgaans gering. Het is zeker zo dat ouders allerlei boekjes en adviesrubrieken raadplegen. Maar ze zien de deskundige toch vooral als een informatiebron. Die grote behoefte aan informatie zegt dus niets over eventuele problemen. Als je een hobby hebt, wil je er ook alles over weten. Dat wijst niet op problemen of onzekerheid, het is gewoon een gefundeerde nieuwsgierigheid. Wél kun je zeggen dat ouders zich soms zeer gesteund voelen door een deskundige. Als er op het consultatiebureau gewoon naar hen geluisterd wordt, vinden ze dat heel positief. Vaak verdwijnen de problemen dan vanzelf. Aan het uitvoeren van een specifiek advies komen ze vaak niet toe.'

Zoals gezegd verzet Hermanns zich tegen de idee dat veel ouders bij het opvoeden door een grote onzekerheid geplaagd worden. 'Opvoeding is een van de weinige zaken waar ouders juist heel zeker over zijn. Ze weten in de regel precies wat ze met hun kinderen willen en wat niet. Zelf noem ik dat een post-modern ouderschap. Ze kiezen niet langer op grond van een specifieke denkrichting en zeker niet op grond van een bepaalde wetenschap maar uitgaande van hun eigen intuïties. Daarbij kunnen die intuïties best wat rommelig zijn. Ouders zeggen: "Ik wil dat mijn kinderen gehoorzamen en desnoods geef ik ze een tik" maar tegelijkertijd willen ze niet dat hun kinderen gewelddadig opgroeien. Ik geloof wel dat Nederlanders tegenwoordig veel meer met het ouderschap bezig zijn voordat ze eraan beginnen. De meesten wachten geruime tijd voordat het zover is. Daar wordt goed over nagedacht, men leest er veel over, doet heel wat investeringen. Over de opvoeding heeft men doorgaans heel expliciete ideeën, al is men evengoed bereid om die bij te stellen als blijkt dat iets niet gaat. Maar het komt zelden voor dat men niet zou weten wat men wil of bij het opvoeden in grote onzekerheid verkeert.'

Kort samengevat komt Hermanns' standpunt hierop neer: 'Ik zie het proces van opvoeden als iets wat in de meeste gevallen vanzelf loopt. Het gaat pas mis wanneer dat min of meer natuurlijke proces wordt verstoord, bijvoorbeeld doordat er een kind met een afwijking geboren wordt, doordat de ouders een trauma hebben of omdat de maatschappelijke positie van het gezin beroerd is. Maar op zichzelf is het vermogen tot zelfregulatie van gewone gezinnen erg groot.' Gezinsondersteuning kan Hermanns billijken zolang de hulpverleners maar uitgaan van de problemen die de ouders zelf aangeven en zolang zij gebruikmaken van de mechanismen die ook in de normale situatie ondersteunend werken. Het consultatiebureau biedt daartoe goede mogelijkheden omdat 90 procent van de ouders daar met hun kinderen op bezoek komt. Maar een al te voortvarend programma van metingen, het stellen van diagnoses en het plegen van interventies acht hij verkeerd.

Professor Baartman sluit zich bij deze mening aan. In bepaalde situaties en voor een bepaalde categorie ouders zou een meer gericht aanbod van hulp of ondersteuning nuttig kunnen zijn. Maar ook dan op basis van vrijwilligheid en zonder een sterk normatief accent. Baartman ziet derhalve niets in een gezinsbeleid dat zich op een versteviging van het morele fundament in de samenleving richt. Dat is vanuit Den Haag nu eenmaal niet te realiseren. Het enige wat de overheid kan doen is hulp bieden aan bepaalde groepen die te weinig armslag hebben. 'Je zou bijvoorbeeld een systematisch aanbod kunnen doen van steun en begeleiding voor jonge gezinnen. Ouders die aan een opvoeding beginnen en er belabberd voor staan. Ook het combineren van pedagogische en prenatale zorg zou belangrijk kunnen zijn. De eerste zwangerschap is gewoonlijk de periode waarin mensen zich voor het eerst afvragen hoe ze het later met de kinderen gaan doen. Op dat moment is er geen systematisch aanbod van begeleiding. Daarmee bedoel ik helemaal niet dat de deskundigen die jonge ouders gaan vertellen hoe het moet. Maar op dit moment is er bij grote groepen wel degelijk sprake van een behoefte aan ondersteuning en daar laten wij ons niet mee in. Wij zien opvoeding nog altijd als privé, daar bemoeien we ons pas mee wanneer de boel uit de hand gelopen is, als er een melding ligt bij de Raad voor de Kinderbescherming of als de ouders ten einde raad zijn. We doen eigenlijk een hele tijd niets maar als het misloopt komt meteen het zwaarste geschut van stal: uithuisplaatsing of langdurige behandeling. Het is veel beter om in een vroeger stadium bij die gezinnen langs te gaan en te zorgen dat ze maatschappelijk een eigen plek krijgen, dat hun sociale isolement doorbroken wordt. Screenen heeft helemaal geen zin. We moeten in het kader van de perinatale zorg een standaardpakket voor steun en begeleiding aanbieden met behulp waarvan die gezinnen op eigen kracht weer verder kunnen gaan.'[17]

4 Sociale vaardigheden

Een en ander neemt niet weg dat het opvoeden in een bepaald opzicht ingewikkelder geworden is. De grote openheid van het gezin en de intensieve deelname van de gezinsleden aan diverse netwerken hebben twee belangrijke gevolgen. Ten eerste zijn de invloeden van buiten vaak met elkaar in strijd. De leeftijdgenoten en de school, de mode en de media, de gezondheidszorg en de arbeidsmarkt – het zijn allemaal invloedssferen die onmiskenbaar hun effect hebben op de gezinsleden, maar zonder dat ze een coherent stelsel van waarden of normen vormen. Ten tweede verlopen veel ontwikkelingen momenteel zo snel dat niemand weet of de normen die wij tegenwoordig essentieel vinden, over twee generaties nog bruikbaar zijn. Hoe gaan opvoeders met deze onzekerheden om? Wat is onder deze omstandigheden een juiste strategie? Welke waarden zijn met het oog op de toekomst van belang? We hebben deze kwestie voorgelegd aan Christine Brinkgreve, hoogleraar sociale wetenschappen te Utrecht.[18] Zij heeft onlangs een boeiend boek over dit onderwerp gepubliceerd (Brinkgreve en Van Stolk, 1997) en zegt daarover het volgende.

'In Nederland zijn ambities bij het opvoeden al gauw verdacht, maar diep in hun hart zijn veel ouders erg ambitieus. Die nadruk op zelfontplooiing of het vrijlaten van kinderen is meer een kwestie van ideologie. Onderhuids heerst er grote rivaliteit en worden kinderen door hun ouders wel degelijk gepusht. De moeilijkheid is alleen dat ze niet precies weten welke waarden later belangrijk zullen zijn. In een weinig mobiele maatschappij kunnen de opvoeders zich op hun eigen groep richten, op de codes van hun eigen buurt. Maar in de moderne samenleving verliezen dat soort codes hun betekenis. Die samenleving lijkt meer op een jungle, waar sterke concurrentie heerst, waar de arbeidsmarkt krapper wordt en waar grote onzekerheden zijn. Dank zij de verzorgingsstaat is het in Nederland nog niet zo erg als in Amerika, maar het gaat wel die richting uit. Ik geloof niet dat het direct tot de mensen doordringt. Van de toegenomen concurrentie op wereldschaal beseffen ze meestal weinig. Maar ze merken wel het algemene klimaat van grotere onrust en afnemende sociale zekerheid. Ze voelen zich onveiliger. De ouders die ik gesproken heb, verwezen vaak naar problemen als werkloosheid, geweld op straat, aids en andere enge ziektes. Op een elementair niveau groeit de onzekerheid van ouders over de toekomst van hun kinderen. Dat is aan de onderkant van de samenleving het sterkst merkbaar. Daar heeft men het gevoel dat de wereld vol gevaren is. Wanneer de kinderen keurig trouwen en van de drugs afblijven, is men al heel blij.'

Een probleem is dat er op het vlak van waarden veel diversiteit bestaat. Vroeger waren er eveneens verschillen – men denke aan de verzuiling – maar dat had geen fragmentatie tot gevolg. Voor het onderwijs bijvoorbeeld golden toch bepaalde standaarden. Als nu de standaard op een bepaalde school verandert doordat er meer Turkse kinderen komen, dan zullen de Nederlandse ouders hun kind eerder naar een andere school sturen. 'Dat multiculturele is natuurlijk wel leuk, maar blijkbaar niet op elk gebied. De Albert Cuyp zou zonder die mengeling niet kunnen bestaan maar in andere domeinen houdt men liever aan de eigen norm vast. Bijvoorbeeld als het gaat om de school van je kinderen. Of om de keuze van een ziekenhuis. Dan is er een scherpe grens tussen het wel of niet tolereren van afwijkende gedragingen.' Dat ligt vooral gevoelig bij het opvoeden. 'Je brengt je kinderen nu eenmaal de dingen bij die je zelf belangrijk vindt. Tegelijkertijd moeten we ons afvragen of die dingen ook in de toekomst van waarde zullen zijn. Ze kunnen belemmerend gaan werken. Voor kinderen die nu opgroeien is het bijvoorbeeld essentieel dat ze Engels verstaan en weten hoe een computer werkt. In mijn boek noem ik dat de "overlevingswaarde" van wat je kinderen mee wilt geven tijdens het opvoeden. Dat brengt wel eens dilemma's met zich mee. Van de ene kant moet je als opvoeder vrij pragmatisch optreden, rekening houden met veranderingen op korte termijn. Van de andere kant zijn er allerlei zaken waarvan de betekenis pas veel later blijkt. Dit laatste geldt bijvoorbeeld voor familiebanden en alles wat daar traditioneel bij hoort.'

Volgens Brinkgreve tekent zich op dit vlak wel een zekere verschuiving af. 'Velen van ons zijn groot geworden in het besef dat scholing heel belangrijk is. Maar het wordt langzaam duidelijk dat een diploma alleen niet meer voldoet. Sociale vaardigheden hebben waarschijnlijk veel meer betekenis gekregen dan voorheen. Op school praten de leerkrachten in de eerste plaats over de houding van een kind in de groep, de omgang met andere kinderen en pas daarna over de prestaties in engere zin. Dat wil niet zeggen dat de eisen lager zijn. Het kan best dat de kinderen tegenwoordig méér vaardigheden moeten ontwikkelen dan wij vroeger. Ze moeten niet alleen kunnen lezen, schrijven, rekenen maar ook kunnen netwerken en conflicten hanteren. Dat kan voor de kinderen zelf knap ingewikkeld zijn. Er is minder discipline in de klas, er wordt hun meer bewegingsvrijheid toegestaan, er is meer rusteloosheid dan bij ons. Maar er bestaat ook meer aandacht voor de sociale processen die zich daar afspelen. Je hoort bijvoorbeeld altijd klagen over het kopen van merkkleding. Zelf moet ik daar weinig van hebben maar je zou het evengoed als een vorm van verfijning kunnen zien. Die kinderen leren al heel vroeg om zichzelf te onderscheiden van anderen. Misschien is dat vermogen in de toekomst wel van groot belang, net als vaardigheden op sociaal gebied.'

De heer Malmberg denkt eveneens dat het belang van sociale vaardigheden in de toekomst groot zal zijn.[19] Hij baseert dat onder meer op de vérstrekkende gevolgen die de informatietechnologie voor het onderwijs en andere sectoren heeft. 'Het verwerven van kennis zal straks overal gebeuren, daarvoor hoef je niet meer naar school. Belangrijker zal worden dat we iets van sociale relaties en sociale vaardigheden instandhouden. Ik denk dat het functioneren van de school steeds meer in die richting gaat. Dat verklaart mede waarom het gezin momenteel zo sterk in de belangstelling staat. Er is de laatste jaren meer aandacht gekomen voor het belang van sociale relaties op microniveau. Als pa en ma beiden werken en pas 's avonds laat thuiskomen, kan dat grote maatschappelijke gevolgen hebben. In een aantal Scandinavische landen riep dat vijftien jaar geleden al discussie op. Daar kwamen situaties voor dat beide ouders werkten terwijl het kind de hele dag werd opgevangen. Op een gegeven moment kwamen er cursussen waar de ouders weer konden leren hoe ze met hun kinderen om moesten gaan. Zo ver kan het blijkbaar doorschuiven.

'Men beseft meer en meer dat het gezin in dít opzicht eigenlijk onmisbaar is', aldus Malmberg. 'Allerlei functies die vroeger door het gezin vervuld werden, lopen nu via een collectief arrangement. Als het gezin zich specialiseert, dan ligt dat in de sfeer van hechting, relatievorming, opvoeding. Dát kunnen we niet zo gemakkelijk op een andere institutie overdragen. Dat moeten we koesteren. Biologische processen

spelen daarbij ongetwijfeld een grote rol. Niet in de zin van voortplanting – daar heb je helemaal geen gezinnen voor nodig – maar wel
in de zin van elementaire socialisatie. Op dat punt kunnen mensen ook
wel degelijk iets leren. Uit ervaringen met video-hometrainingen blijkt
dat kinderen al heel vroeg de lichaamstaal van hun ouders overnemen,
de oogopslag, de manier van reageren. Daar kun je dus op ingrijpen.
Wanneer je die kleintjes al meteen slechte gedragingen aanleert, weet je
welke gevolgen dat later heeft. Door een verbetering van de communicatieve vaardigheden van de ouders kun je misschien bepaalde zaken
bijsturen.' Malmberg signaleert op dit punt een omslag in het maatschappelijk klimaat. De tijd waarin men van alles op zijn beloop liet, is
volgens hem voorbij. Er zal de komende jaren meer behoefte aan duidelijke normen ontstaan. Zo is de houding tegenover jongeren die zich
misdragen de laatste jaren een stuk harder geworden. Er zijn zeer veel
cellen bijgebouwd, men voert een lik-op-stuk-beleid. Kortom: er
tekent zich weer een zekere waardering voor duidelijke normen af,
voor het stellen van grenzen, het serieus nemen van eigen verantwoordelijkheid.

5 Actiever opvoeden

Als Malmberg – zoals we deze in de vorige paragraaf citeerden – gelijk
heeft, dan is de tijd van het vrije opvoeden wel definitief voorbij. Deze
mening komt eveneens naar voren in het gesprek dat we met professor
Gerris gehad hebben.[20] Naar zijn mening stelt de toegenomen variatie
geen lagere maar juist hogere eisen aan het ouderschap. 'Vroeger kende
de levensloop vaker een vast patroon. Door de toegenomen pluriformiteit is dat doorbroken. De voorspelbaarheid is geringer, vooral in de
fase vóór het moment dat men zelf aan kinderen begint. Op zichzelf is
die verandering niet goed of slecht. Maar het vraagt van de ouders wel
meer opvoedingsbekwaamheid, het vermogen om hun kinderen op
een verstandige manier door die periode heen te loodsen. Van de ene
kant moeten ze met de kinderen een volwassen relatie opbouwen. Van
de andere kant moeten ze een zekere sturing blijven geven of een voor-
beeldfunctie vervullen. Door het wegvallen van min of meer vaste
patronen wordt het hanteren van die dubbelzinnigheid voor veel mensen een probleem. Op zich is een vrijere opvoeding niet slecht, maar
het vraagt van de ouders wel een hogere inzet, meer fantasie ook om

die opvoeding tot een goed einde te brengen. Daarvoor zou best wat meer aandacht mogen zijn. Momenteel richt iedereen zich op kinder-opvang en zaken die in de eerste vier levensjaren aan de orde zijn. Daar is niets mis mee, maar het getuigt van een zekere eenzijdigheid. De aandacht gaat vooral uit naar het combineren van werk en opvoeding. Er wordt te weinig gekeken naar de effecten op langere termijn.'

Voor een moderne opvoeding zijn dus heel wat persoonlijke competenties nodig. 'Ouders die hoger opgeleid zijn, een betrouwbare relatie hebben ontwikkeld, communicatief vaardig zijn, die de proble-men van hun vrouw, hun man, hun baas of henzelf kunnen hanteren – die slagen daar wel in. Maar er bestaat ook een groep van ouders voor wie het allemaal niet zo eenvoudig is. Met die eerste groep kan het trouwens net zo goed misgaan. Bij tweeverdieners is het vaak zo dat hij 60 uur per week of meer naar het werk gaat terwijl zij een halve week werkt. De opvoeding wordt ten dele uitbesteed en de kinderen zijn vroeg op zichzelf aangewezen. Dat loopt een tijdje goed tot het moment dat de kinderen hogere eisen gaan stellen. Daar hebben de ouders dan onvoldoende tijd en aandacht voor. Of de stress loopt op. In sommige gevallen worden kinderen veel te vroeg buiten de deur gezet, in andere komt het tot een echtscheiding. Maar in beide gevallen missen de kinderen stabiliteit, een patroon waarop ze kunnen rekenen. Ik zeg helemaal niet dat kinderen per se een kerkelijk ingezegend huwelijk nodig hebben. Maar een zekere voorspelbaarheid, het ver-trouwen dat er altijd iemand voor hen is, die ze ook op hun falie geeft als ze te laat thuiskomen of dat in elk geval niet zomaar accepteert... dát is wel essentieel. Wanneer de ouders dat niet kunnen opbrengen, dan stijgt het risico dat zo'n kind aan de verkeerde kant van de streep terechtkomt.'

In het algemeen is de huidige opvoeding volgens Gerris te passief. 'Er zijn gezinnen waar de televisie de hele dag aanstaat, zelfs onder het eten. Daar wordt cultureel en materieel voornamelijk geconsumeerd. Daar ontbreekt het aan een eigen vormgeving. Toch komt opvoeden nu juist daarop neer. Uiteraard niet in een bewuste zin. Er is geen ouder die zegt: "Zo, vandaag gaan we eens opvoeden..." Waar het om gaat, is dat je als kind dagelijks aan een bepaalde levensvorm partici-peert, een cultuur die vanzelfsprekend is. Het zijn de ouders die zo'n vorm voorleven. Zij hoeven dat niet in te vullen voor hun kinderen, maar ze moeten hun kinderen wel de middelen aanreiken om later zelf voor een invulling te zorgen. Daar heeft men nog altijd onvoldoende aandacht voor. En toch is het inoefenen van die vormen noodzakelijk om productief te kunnen te zijn. Bewust of onbewust beloont onze maatschappij zo'n levensvorm ook. Zij wordt overal verondersteld. Men gaat er in het bedrijfsleven eenvoudigweg vanuit dat je op tijd op je werk komt, dat je bepaalde omgangsvormen in acht weet te nemen, zekere normen hebt verinnerlijkt. Wie dat niet geoefend heeft, zal het moeilijk krijgen.'

Gerris vindt dat zowel de ouders als de leerkrachten het zich op dat punt te gemakkelijk maken. 'Tegenwoordig zijn opvoeders er te veel op uit om het leuk te houden voor de kinderen. Men zou meer oog moeten hebben voor de potenties van een kind en het uitdagen om die potenties te ontwikkelen. Ik vind het huidige onderwijs te kindvriendelijk in de zin van: te zeer volgend, te weinig uitdagend. Maar kinderen die vanuit hun omgeving te weinig eisen of discipline ontvangen, dat worden op den duur tirannen. Dan krijg je tweejarigen die het slaappatroon van een heel gezin naar hun hand zetten. Dat is geen verzinsel hoor! Er zijn echt ouders die bij de RIAGG lopen om de zaak weer op orde te krijgen.' Voor scholen geldt hetzelfde. Veel van die verhalen over zelfontplooiing zijn een soort van ideologie, een legitimering om zelf niets te doen. 'Het is natuurlijk heel mooi als kinderen zelf hun vakkenpakket mogen samenstellen, maar wat weet een kind van twaalf daar nu eigenlijk van? In feite houdt die "volgende" houding tegenover leerlingen een risico voor later in. Want als het kind een verkeerde keuze maakt, heeft dat wél grote gevolgen voor het soort werk dat je kunt gaan doen, het inkomen dat je verdient et cetera. Maar omdat je zogenaamd "zelf" gekozen hebt, treft niemand blaam. Voor mij is heel die ideologie van eigen keuzen, autonomie, individualisering en dergelijke een verhulling van het feit dat de risico's worden afgewenteld op het individu en dan vooral op het zwakkere individu. Wat dat betreft zou men de spanning die inherent is aan elke pedagogische relatie minder uit de weg dienen te gaan.'

Zoals gezegd heeft ons voornemen om de lotgevallen van het gezinsleven als een organische ontwikkeling te beschouwen, van meet af aan methodische gevolgen gehad. Om enige orde te scheppen in de veelheid van historische gegevens en gezinsvormen, actuele problemen en toekomstige verwachtingen hebben wij gebruikgemaakt van een aan de evolutieleer ontleende systematiek. Wij hebben derhalve getracht om de veranderingen in het gezinsleven te onderzoeken op een manier die *analoog is aan* de manier waarin men in de hedendaagse biologie over het ontstaan en verdwijnen van diverse levensvormen nadenkt. We zullen de postulaten van deze systematiek nog eenmaal opsommen. Ten eerste gaan we uit van de *historische verandering* als relevant kader voor een beschouwing van het Nederlandse gezinsleven. Ten tweede stellen we dat de *variatie* kenmerkend is voor het verschijnsel 'gezin' en daarom een zinvol uitgangspunt voor studie biedt. Ten derde is er het postulaat van de *omgeving*. Hoe ontwikkelt de omgeving van de gezinnen zich nu en in de toekomst? De gedachte is dat bepaalde vormen van gezinsleven in die omgeving dominant worden terwijl andere marginaal of zelfs geëlimineerd worden. Ten vierde nemen wij aan dat er een proces van *overerving* bestaat waarbij de economische, sociale en culturele reserves van de ene generatie op de volgende overgaan.

Op grond van deze systematiek komen wij tot de gedachtegang die hierna uiteengezet wordt. Wij doen dat aan de hand van een aantal stellingen. Deze zijn in de eerste plaats als een samenvatting van de voornaamste resultaten uit ons onderzoek bedoeld. Daarbij zal hopelijk blijken dat verschillende elementen die in het voorgaande op diverse plaatsen aan de orde zijn geweest, als stukken van een puzzel in elkaar passen. In de tweede plaats zijn deze stellingen bedoeld als bijdrage aan het debat over het moderne gezinsleven. Zij gaan voor een deel boven een beknopte weergave van de onderzoeksresultaten uit en zijn doelbewust op een meer speculatieve toon geformuleerd. De nadruk ligt hier dus niet op alle noodzakelijke nuanceringen maar op de globale strekking van ons betoog. In de derde plaats speelden tijdens het onderzoek een aantal – niet uitdrukkelijk verwoorde – ervaringen en intuïties een rol, die in dit hoofdstuk expliciet gemaakt zullen worden. Juist bij een onderwerp als het gezin blijkt het vrijwel onmogelijk om het onderzoek volledig los te maken van de verwachtingen en ervaringen die men als onderzoeker zelf heeft. Het is een kwestie van open kaart spelen door aan het einde van deze studie aan de lezer te verhelderen waar de schrijver zelf staat.

1 Belang van het gezin

Onze eerste stelling luidt: *de betekenis van het gezin is niet afgenomen, maar juist toegenomen.* Daarmee keren we ons tegen degenen die geloven dat het gezinsleven een periode van crisis of verval doormaakt. Het is niet moeilijk om verschijnselen te noemen die de stelling van het verval lijken te bevestigen. Zo zagen we dat het huwelijk door velen als een overbodige formaliteit ervaren wordt terwijl het aantal echtscheidingen sterk is gegroeid. De seksualiteit heeft zich ontwikkeld tot een eigen domein dat niet langer wordt begrensd door de voorwaarden van samenwoning of voortplanting. Zelfs de liefde is voor velen geen vereiste meer om aan seks te mogen doen. Binnen het gezin heersen sterk egalitaire verhoudingen waarbij niet alleen de positie van de vrouw ten opzichte van de man maar ook die van de kinderen tegenover hun ouders zich versterkt heeft. Daarbij spreken we niet eens over ernstige problemen zoals kindermishandeling, incest of verwaarlozing. Dat alles lijkt erop te wijzen dat het gezinsleven de afgelopen decennia aan een diepe crisis onderhevig is.

Hoewel wij de ernst van genoemde problemen niet bagatelliseren, menen we dat ze deels gerelativeerd, deels op een andere manier geïnterpreteerd moeten worden. Om met het eerste te beginnen: in kwantitatief opzicht kan men niet beweren dat de gezinnen aan het verdwijnen zijn. Hun aandeel op het totale aantal huishoudens neemt weliswaar af maar dat is vooral een gevolg van het feit dat steeds meer mensen gedurende een beperkte fase van hun leven alleen wonen. Niettemin leeft drie kwart van de bevolking nog altijd in gezinsverband. Verreweg de meeste mensen streven naar een duurzame relatie met iemand van het andere geslacht. Hoewel het beëindigen van een relatie vaker voorkomt dan voorheen, kan men niet zeggen dat er maar op los geleefd wordt. De meeste mensen hechten nog altijd aan seksuele monogamie, zij het dat deze nu de 'seriële' vormt krijgt. Als een relatie duurzaam blijkt, gaat men graag over tot het vormen van een gezin. Binnen het gezin houdt men – zeker in Nederland – aan de klassieke taakverdeling vast. Zolang er nog geen kinderen zijn, werken veel vrouwen buitenshuis en worden huishoudelijke taken min of meer gelijk verdeeld. Maar veel moeders van jonge kinderen geven hun werk op om zich te concentreren op taken rond huishouden en opvoeding. Als hun kinderen ouder worden nemen ze het liefst een parttime baan. Echte tweeverdieners vormen nog een minderheid, het model van de 'anderhalf-verdieners' is in Nederland het meest gebruikelijk. Hoewel dit maar simpele kwantitatieve gegevens zijn, kan men daaruit niet afleiden dat het traditionele gezin aan verval ten prooi zou zijn.

Deze relativering wordt nog sterker wanneer we de zaak kwalitatief bezien. Er zijn diverse aanwijzingen dat men tegenwoordig bij de gezinsvorming zeer weloverwogen te werk gaat. Om te beginnen is het stichten van een gezin niet langer een vanzelfsprekendheid. Vroeger vormden volwassen worden, trouwen en kinderen krijgen een nauw samenhangend pakket waarvan men nauwelijks kon afwijken. Momenteel hebben de mensen wezenlijk meer keuzevrijheid op dit punt. Wie nog niet aan een vaste partner toe is, kan naar eigen goeddunken zijn of haar gang gaan. Wie wel een vaste relatie heeft, kan in goed overleg beslissen geen kinderen te nemen. Door anticonceptie én de daarbij behorende cultuur van afgewogen besluitvorming hebben tegenwoordig vooral diegenen een gezin die daar bewust voor kiezen. Als gevolg daarvan maken gezinnen slechts eenderde deel van alle huishoudens uit. Van de andere kant bedenke men dat het – méér dan vroeger – bewust gevormde gezinnen zijn. Een kleiner aandeel wijst dus niet per se op minder kwaliteit. Dat heeft ook gevolgen voor de betekenis van kinderen. Hun gemiddeld aantal per gezin nam sterk af, maar daar staat tegenover dat vrijwel elk kind als zeer gewenst ter wereld komt. Doordat de ouders zowel het kindertal als het meest geschikte moment voor het krijgen van nageslacht kunnen vaststellen, is er veel minder kans dat het kind in ongunstige omstandigheden geboren wordt. Vaker dan vroeger zijn de ouders financieel, sociaal en mentaal op het jonge leven voorbereid terwijl ze in de regel ook wat ouder en meer ervaren zijn. Het streven naar perfectie gaat zelfs zover dat men reeds vóór de geboorte allerlei vormen van onderzoek laat doen ter uitsluiting van risico's inzake de gezondheid of anderszins. Ingrijpende vernieuwingen op het vlak van DNA-diagnostiek brengen het kind-op-maat steeds dichterbij. Dat alles maakt het stichten van een gezin tot een zaak waaraan hoge eisen gesteld worden.

Ook in de daarop volgende fase koestert men hogere verwachtingen. Ouders investeren vandaag de dag grote hoeveelheden tijd en energie in hun kinderen, ook wanneer daar geen merkbare 'winsten' tegenover staan. Hoewel het moeilijk aantoonbaar is, vermoeden wij dat de investeringen *per kind* sterk toegenomen zijn. Alleen al het geringer aantal kinderen per gezin maakt dat aannemelijk. Kwantificering zegt in dezen niet zo veel, maar de paar indicatoren die men kan opstellen wijzen op hetzelfde. Zo stegen de uitgaven per kind de afgelopen dertig jaar, waarbij opvalt dat vooral meer geld werd besteed aan hun sociale en culturele ontwikkeling. Verder steeg de hoeveelheid tijd die met het verzorgen en opvoeden van kinderen heengaat. Ouders met kinderen in de schoolgaande leeftijd hebben het daardoor zeer druk, vooral als ze een (parttime) baan hebben. Maar het voornaamste – de liefde en aandacht, de zorg en bezorgdheid van ouders voor hun kinderen – laat zich nauwelijks becijferen. We menen dat kinderen vandaag voor hun ouders méér betekenen dan bijvoorbeeld honderd jaar terug. Toen waren zowel het aantal nakomelingen als de risico's groter, waardoor wellicht ook de hechting met meer reserves verliep. Dat is natuurlijk moeilijk na te gaan. Inmiddels staat echter wel vast dat de zorgen die men zich over zijn gezin maakt de afgelopen tijd (weer) sterk toenamen. Wij zien dit als een uiting van de grote betekenis van het gezinsleven voor de betrokkenen. Kortom: er zijn minder volwassen die een gezin stichten maar voor degenen díe eraan beginnen, is het belang groter dan voorheen.

Deze grotere betekenis geldt niet alleen de subjectieve kant van het gezinsleven maar ook de objectieve kant ervan, dat wil zeggen de functie(s) van het gezinsleven voor de maatschappij in haar geheel. Zoals we zagen meent Popenoe dat de functionaliteit van het gezin wordt aangetast. Op de langere termijn moet men vaststellen dat vele functies van gezin en huishouden inderdaad verloren zijn gegaan. Dat geldt zeker voor de productieve functies die het vóór de industrialisatie had. Bij boeren en kleine ambachtslieden vormde het huishouden tot ver in de negentiende eeuw een productie-eenheid, gebaseerd op een arbeidsdeling naar leeftijd en geslacht. Het ontstaan van grootschalige en gespecialiseerde bedrijven bracht een grondige verandering: de arbeid werd niet langer in en rond het eigen huis verricht maar in een fabriek en het gezin ontwikkelde zich gaandeweg tot consumptie-eenheid. Daarbij werd het inkomen veelal door een buitenshuis werkende man verdiend terwijl de vrouw primair voor het huis en de kinderen te zorgen had.[1] Vervolgens moest het gezin diverse taken op het gebied van de opvoeding afstaan. Aan het begin van onze eeuw werd de leerplicht ingevoerd en sindsdien verblijven kinderen een steeds groter deel van hun jeugd op school waar hun opvoeding in handen is van gespecialiseerd personeel. De derde grote verandering hangt samen met de opkomst van de verzorgingsstaat na de Tweede Wereldoorlog. Deze trok vele taken op het gebied van opvang en verzorging naar zich toe, taken die van oudsher een zaak van de familie waren. Door dit alles ontstaat de indruk dat de grondslag van huishouden of gezin steeds smaller wordt en dat zijn oorspronkelijke takenpakket over een steeds groter aantal afzonderlijke instituties wordt verspreid.

Sommige auteurs zien dit proces als een verzwakking van het gezinsleven. Zij vrezen bovendien dat deze ontwikkeling zich zal doorzetten en dat ook domeinen die tot voor kort aan het gezin waren voorbehouden – zoals seksualiteit of verzorging van jonge kinderen – meer en meer daarbuiten georganiseerd worden. Maar in tegenstelling tot deze 'pessimistische' opvatting, zou men dit proces ook als een vorm van specialisatie kunnen zien. Het is waar dat allerlei taken die voorheen in het kader van huishouden of gezin werden verricht, steeds meer bij gespecialiseerde instanties terecht komen (bedrijf, school, ziekenhuis, bijstand enzovoort). Maar juist deze ontwikkeling heeft het gezin in staat gesteld zich op zijn beurt te specialiseren en wel op een gebied dat van oudsher tot het zijne had behoord: het voortbrengen, koesteren en opvoeden van kleine kinderen. Een soortgelijke ontwikkeling doet zich met betrekking tot de lichamelijke en gevoelsmatige behoeften van beide ouders voor. Men zou dan ook de hypothese kunnen opstellen dat de 'biologische' dimensie van het gezinsleven voornamer wordt. Allerlei 'dierlijke' aspecten van het menselijk bestaan spelen in het gezinsleven een prominente rol. Dat geldt niet alleen voor liefde en seksualiteit, maar ook voor het dagelijks voeden en koesteren, het uitrusten en de gezelligheid, het troosten en beschermen. Anders gezegd: het hele domein waarop de mens net als de overige zoogdieren is aangewezen om te blijven bestaan, komt in de loop van de twintigste eeuw meer expliciet tot uitdrukking. Het wegvallen van allerlei oude functies maakt dat dit domein wordt geïsoleerd, onderzocht en tot ontwikkeling gebracht.

Vooralsnog lijkt ons deze these over de specialisatie van het gezin interessanter dan het overbekende verhaal over de crisis of teloorgang van dit instituut. Onze these past bij een evolutionistische kijk op de geschiedenis waarin zich min of meer spontaan processen van variatie en differentiatie afspelen die – afhankelijk van de maatschappelijke context – de opkomst (of ondergang) van nieuwe vormen en instituties tot gevolg hebben. In die zin hoeft er geen tegenspraak te zijn tussen de bloei van gespecialiseerde instellingen als de school, het ziekenhuis of de bejaardenzorg aan de ene kant en de toenemende concentratie van het gezinsleven op de biologische dimensie van het leven aan de andere. Overigens mag een dergelijke differentiatie niet eenduidig als vooruitgang worden beschouwd. Het is bijvoorbeeld duidelijk dat grotere nadruk op het biologische behalve een toegenomen behoefte aan liefde, koestering en lichamelijke warmte evengoed de mogelijkheden voor incest of lichamelijk geweld verruimt.

2 Winnaars en verliezers

Het feit dat de betekenis van het gezinsleven niet zozeer verminderd als wel veranderd is, heeft ook gevolgen voor de vraag wat de verdeling van de verschillende gezinstypen zal zijn. Welnu, onze tweede stelling luidt: *het gezin van de komende decennia zal door het communautaire model gedomineerd worden, terwijl de overige gezinstypen zich in de richting van het laissez-faire-model zullen ontwikkelen.*

We hebben in het voorgaande gezien dat er onderscheid tussen vier typen van gezinscultuur te maken is, afhankelijk van de manier waarop men de twee essentiële dimensies van het gezinsleven vormgeeft. Wij hebben die twee dimensies omschreven als discipline en betrokkenheid en namen aan dat de score van een gezin voor elk van beide zowel hoog als laag kan zijn. Bijgevolg maakten we onderscheid tussen een *autoritaire* gezinscultuur (gekenmerkt door een strakke discipline en een weinig persoonlijke betrokkenheid), een *egalitaire* cultuur (sterk persoonlijke betrokkenheid en geringe discipline), een *communautaire* cultuur (nadruk op discipline in combinatie met betrokkenheid) en een cultuur van *laissez faire* (geringe betrokkenheid én weinig discipline). De vraag is welk gezinstype in de nabije toekomst overleeft, respectievelijk marginaal wordt of verdwijnt gegeven de ontwikkelingen die er in de omgeving te verwachten zijn. Daarmee sluiten we aan bij het derde postulaat van onze evolutionistische systematiek: de gedachte dat de maatschappelijke omgeving de groei van bepaalde soorten stimuleert, terwijl ze die van andere belemmert of zelfs elimineert. De vraag is derhalve welk gezinstype als winnaar en welk als verliezer uit het proces van modernisering tevoorschijn komt.

Nu gaan er achter een term als 'modernisering' zeer uiteenlopende processen schuil. Laten we daarom onderscheid maken tussen de interne en de externe eisen die in de nabije toekomst aan een modern gezinsleven worden gesteld. Daarbij werken een aantal langetermijnontwikkelingen door zoals de stijgende welvaart, het proces van secularisatie en de toename van het gemiddelde niveau van opleiding. Deze ontwikkelingen hebben tot gevolg dat men ook in de nabije toekomst hoge eisen aan zichzelf, de gezinsleden en meer algemeen aan het leven stelt. De ambities omvatten een lang leven in goede gezondheid, seksuele ontplooiing, een hoge sociale en geografische mobiliteit, goede schoolprestaties, succes en carrière op het werk, sociale vaardigheden, affectieve reserves, een sterke persoonlijkheid, het vermogen om problemen uit te praten, gelijkwaardigheid van man en vrouw, sociaal en moreel besef, affectieve en financiële autonomie, et cetera. Dit soort ambities zal vermoedelijk nog toenemen en wel des te meer naarmate men tot een hogere sociale klasse behoort en/of een hogere opleiding genoten heeft. De eisen gelden ook de partner met wie men door het leven gaat. Men houdt weliswaar aan een paar klassieke deugden vast (echtelijke trouw, goed moederschap) maar koestert ook hoge verwachtingen op sociaal, affectief en psychologisch vlak. Niets wijst erop dat deze ambities zullen afnemen, zeker niet omdat het opleidingsniveau voorlopig alleen maar stijgt. Men zou de gestegen echtscheiding mede in dit licht kunnen bezien.

Bij de externe eisen denken we vooral aan groeiende invloed van de arbeidsmarkt op het gezinsleven. Zo zal de druk op vrouwen om buitenshuis te gaan werken in de toekomst ongetwijfeld toenemen, ook als ze nog jonge kinderen hebben. Alleen al de noodzaak van een tweede aanvullend inkomen dwingt daartoe. Scherpere maatregelen in geval van uitkering hebben eenzelfde effect. Van degenen die een baan hebben, zal een volledige inzet gevraagd worden, mede gezien de hoge productiviteit in Nederland. Verder groeit de noodzaak tot voortdurende flexibiliteit en bijscholing, is het niet vanwege de globalisering die de bedrijven tot wereldwijde concurrentie dwingt dan wel door het feit dat hooggeschoolden de lagergeschoolden uit hun functies dreigen te verdringen. Kwalitatief zal met name de sector dienstverlening aan belang winnen, wat tevens een nieuw soort van discipline en sociabiliteit vereist. Over de gehele linie zullen de effecten van de marktwerking voelbaar zijn.

Overigens beperken de externe krachten zich niet tot die van de economie in strikte zin. Ook in andere opzichten vertoont de omgeving van het gezin een meer commerciële dynamiek. Als voorbeeld noemden we het ontstaan van een echte huwelijksmarkt, gekenmerkt door een verruiming van het aanbod (op nationale schaal), een doelmatige koppeling van vraag en aanbod (relatiebemiddeling) en een differentiatie van de vraag. Op vergelijkbare wijze neemt de medische sector commerciële trekken aan. In dit geval gaat het vooral om een groter aanbod van specialistische ingrepen rond voortplanting en zwangerschap, waardoor vroegtijdig risico's geëlimineerd worden en kwaliteitseisen verder omhooggaan. Meer algemeen treedt er een verruiming van het aanbod op. Men kan daarbij denken aan de groeiende markt van en voor kinderspullen en (kinder)vermaak of aan de rol van commerciële televisie in het gezin. Er is een algemene tendens om zich sterker op de wensen van bepaalde categorieën te richten, teneinde een meer doelmatige verkoop van producten te verwezenlijken. Ook in het lager en middelbaar onderwijs is een dergelijke ontwikkeling te bespeuren.

Als men zich afvraagt welk type gezinsleven het beste tegen deze ontwikkelingen is opgewassen, dan dient men te beseffen dat het gezin allang niet meer de gesloten eenheid is van dertig jaar terug. Het vormt een open netwerk waarvan de leden enerzijds sterk aan elkaar gebonden zijn en zich anderzijds intensief met hun eigen omgeving moeten verstaan. Bijgevolg werken externe krachten sterk in de gezinnen zelf door, zoals omgekeerd kwaliteiten en ambities van de gezinsleden vergaande gevolgen voor hun opereren in de buitenwereld hebben. Het gezinsleven van de toekomst zal dus zowel open als flexibel moeten zijn maar van de andere kant weer niet zozeer dat het uit elkaar valt wanneer de pressie groter wordt. Naar onze mening voldoet het communautaire type het beste aan dit doel. Daar vindt men een hoog niveau van individuele betrokkenheid dat maakt dat er affectieve, sociale en persoonlijke vormen van uitwisseling blijven bestaan, ook als de druk van buiten groter wordt. En daar vindt men eveneens een krachtige discipline die maakt dat er huisregels, organisatie, leiding en structuren blijven bestaan, ook als de druk van binnen groter wordt. Het zijn kortom de gezinnen met een communautaire cultuur die het meest geschikt lijken om de combinatie van externe dwang en interne normering te verenigen, die een optimum belichamen tussen noodzakelijke flexibiliteit en even noodzakelijke geborgenheid.

Men kan ook de omgekeerde gedachtegang volgen door te bedenken wat er gebeurt wanneer het gezinsleven *niet* aan deze voorwaarden voldoet. Wat is – gegeven de wijze waarop de maatschappelijke omgeving van het gezinsleven verandert – het lot van gezinnen die juist weinig discipline en/of weinig betrokkenheid aan de dag leggen? Hun kansen op maatschappelijke participatie nemen vermoedelijk in hoog tempo af. Het gezin waar een tekort aan discipline heerst, waar men slordig met de tijd omgaat, geen toezicht houdt op kinderen, toegeeflijk is inzake agressief of asociaal gedrag, niet op schoolprestaties let – kortom: een huishouden van Jan Steen – maakt het de gezinsleden bijzonder moeilijk om zich te handhaven in een omgeving waar arbeidsdiscipline, productiviteit en zakelijke omgangsvormen geëist worden. Gezinnen met een sterk egalitaire cultuur komen daarmee voor een groot probleem te staan. Maar hetzelfde geldt voor een tekort aan persoonlijke betrokkenheid. Het gezin waarin men vasthoudt aan rigide vormen van gezag, niet gewend is aan affectieve uitwisseling, moeilijk over elkaars problemen praat of een afstandelijke atmosfeer creëert, maakt het zijn leden erg moeilijk om zich te handhaven in een omgeving waar flexibiliteit, openheid en sociale vaardigheden gevraagd worden. Gezinnen met een autoritaire cultuur zullen daarom eveneens in de problemen komen.

Wij vermoeden derhalve dat de maatschappelijke omgeving van het gezinsleven zich de komende jaren in die zin zal ontwikkelen dat zowel autoritaire als egalitaire gezinstypen in een relatief nadelige positie terechtkomen, terwijl het communautaire gezinstype over het geheel genomen van alle vier de beste kansen op maatschappelijke participatie heeft. In dit verband ligt het voor de hand dat het minst gunstige uitgangspunt wordt ingenomen door gezinnen die wij als 'laissez faire' getypeerd hebben. Degenen die uit een dergelijk gezin komen, schieten in beide opzichten gemakkelijk te kort. Enerzijds missen zij het realisme, de discipline en organisatorische kracht die nodig is om te kunnen functioneren in een maatschappelijk bestel dat meer en meer in het teken van het marktmechanisme staat. Anderzijds missen zij de warmte, de communicatieve vaardigheden en affectieve reserves die nodig zijn om te voldoen aan de hoge normen en ambities die het sociale leven van de toekomst kent. Personen met een dergelijke gezinsachtergrond zullen de boot in beide opzichten missen, zeker wanneer de rivaliteit om deel te nemen aan het maatschappelijk verkeer nog verder groeit. Overigens geldt het omgekeerde ook: naarmate een gezin minder deelneemt aan dit maatschappelijk verkeer – bijvoorbeeld doordat men geen betaald werk verricht, niet is opgenomen in het buurtleven, zich niet inlaat met vereniging of politiek – geeft men de eigen betrokkenheid en discipline eerder prijs om te overleven via een strategie die letterlijk op 'laissez faire' neerkomt. Desintegratie en isolement liggen dan echter op de loer.

3 Familiaal kapitaal

Onze derde stelling luidt: *het gewicht van de familiale achtergrond zal in de nabije toekomst weer toenemen.* Om dat uit te leggen moet eerst gewezen worden op de verregaande liberalisering van het gezinsklimaat, die de afgelopen dertig jaar gestalte kreeg. Het is zeer onwaarschijnlijk dat de grote mate van tolerantie in Nederland met betrekking tot de gezinsvormen zal verminderen. Ook op seksueel gebied zijn vrijwel alle levensstijlen door een brede kring aanvaard. Daarbij past wel de aantekening dat deze tolerantie gemakkelijk overgaat in onverschilligheid. Men accepteert in Nederland de meest uiteenlopende voorkeuren en levensvormen, zolang het tenminste gaat om de *anderen.*

Ook het streven naar flexibiliteit zal zich handhaven. Tussen het moment dat kinderen het ouderlijk huis verlaten en het moment dat zij zelf een gezin beginnen ligt een periode van gemiddeld tien jaar. In die tijd experimenteren jongeren met levensvormen en verhoudingen zonder zich vast te leggen door onomkeerbare beslissingen. Men kan tijdelijk samenwonen, maar houdt in wezen vele opties open. Pas met de geboorte van het eerste kind legt men zich vast voor een langere termijn. Ook daarna vertoont de levensloop een veel gevarieerder en flexibeler patroon dan enkele decennia terug. Dit vloeit niet alleen uit economische veranderingen voort – een vaste baan is steeds vaker uitzonderlijk – maar evengoed uit de eigen behoefte om van tijd tot tijd van omgeving te veranderen of zijn talenten op diverse gebieden te ontwikkelen. Het verlangen van vrouwen om naast het eventuele moederschap buitenshuis te werken, staat allerminst op zich; omgekeerd zijn er steeds meer vaders die een actief aandeel in de opvoeding van hun kinderen nastreven. Dit alles wijst op een toegenomen flexibiliteit of – negatief geformuleerd – een afkeer van levenslange en institutioneel vastgelegde bindingen. De keerzijde van deze ontwikkeling is evenwel dat het gezin niet langer deel uitmaakt van een collectief verband. Flexibel en mobiel zal het moderne gezin meer dan ooit op zichzelf zijn aangewezen, wat vooral bij eventuele tegenslag het nodige incasseringsvermogen vooronderstelt.

Door deze nadruk op flexibiliteit in combinatie met de externe druk vanuit andere instanties als bedrijfsleven, arbeidsmarkt, onderwijs, gezondheidszorg en dergelijke, zullen de gezinsleden vaker geconfronteerd worden met stress. Enerzijds komen de gezinnen steeds meer onder druk te staan, anderzijds zal de drukte in die gezinnen zelf toenemen. De hoge mate van openheid maakt het immers onmogelijk zich af te sluiten voor de pressie die van buitenaf op de gezinnen uitgeoefend wordt. Vooral ouders die beide werken en voor jonge kinderen moeten zorgen, krijgen een druk bestaan. De omvang van hun vrije tijd zal verder inkrimpen terwijl het combineren van huishoudelijke taken en betaalde arbeid buitenshuis veel moeite kost. De overheid komt deze ouders – althans in Nederland – maar zeer beperkt tegemoet. Vele gezinnen waar beide ouders werken, kampen met moeilijkheden op logistiek gebied. Van hen wordt grote sociale en tijd-ruimtelijke flexibiliteit geëist. De meer welgestelde huishoudens kunnen tot uitbesteding van huishoudelijke of opvoedingstaken overgaan, maar in vele gevallen is dat niet mogelijk. Dat leidt tot een forse toename van stress. We hebben al een paar maal gewezen op het feit dat stress op zich niet ongezond behoeft te zijn. Maar het wordt moeilijk wanneer het aantal stressfactoren té omvangrijk wordt. Dan bestaat het risico dat de draaglast van een gezin zijn draagkracht overschrijdt. Op dit punt blijken er aanzienlijke verschillen te bestaan. Bij sommige gezinnen is het draagvermogen zo gering dat zelfs een kleine toename van stress al tot problemen leidt. Omgekeerd zijn er ook gezinnen die onder extreem moeilijke omstandigheden heel behoorlijk functioneren. Het gaat derhalve niet om de stress in absolute zin, maar om de stress in verhouding tot de reserves van de gezinsleden.

Deze reserves hangen van een tweetal zaken af: enerzijds de steun die men van buitenaf ontvangt en anderzijds de sociale, affectieve en cognitieve reserves waarover men op grond van de eigen familie- of levensgeschiedenis beschikt. De aanwezigheid van de eerste factor zal in de toekomst echter niet voor zich spreken. Juist als gevolg van de toegenomen sociale en geografische mobiliteit, de toegenomen marktwerking en meer algemeen het verdwijnen van traditionele collectiviteiten als klasse, buurt en kerkgenootschap komen de gezinnen meer alleen te staan. De welgestelden en/of hoger opgeleiden kunnen dat bij voorkomende problemen compenseren doordat zij gemakkelijk de weg naar professionele hulpverleners vinden. De weinig welvarende en laagopgeleide gezinnen slagen daar veel minder in. Met name in de oude buurten van (middel)grote steden doet zich een erosie van het sociale netwerk voor en komen gezinnen eerder in een isolement terecht. Als zich problemen voordoen – en zij doen zich daar niet toevallig juist in grote getale voor – zijn deze gezinnen er slecht tegen bestand. Ze belanden gemakkelijk in een neerwaartse spiraal. Een en ander wordt verergerd door de afbraak van buurtvoorzieningen als gevolg van een jarenlange bezuinigingspolitiek. In een dergelijke situatie van toegenomen mobiliteit en afbrokkelende collectiviteit wordt het vermogen om problemen aan te kunnen dus in hoge mate door de eigen reserves bepaald.

De aard en omvang van deze reserves hangen echter sterk af van de ervaringen die de ouders in hun eigen jeugd hebben opgedaan. Dat geldt zowel in positieve als in negatieve zin. Ouders die in hun eerste levensfase zelf een tekort aan aandacht, liefde, verzorging of structuur gekend hebben, bezwijken eerder onder tegenslag of stress. Extreme vormen als mishandeling, incest of verwaarlozing hebben levenslang effect. Deze ouders lopen – als er geen compenserende factoren aanwezig zijn die hen in staat stellen om de negatieve jeugdervaringen te verwerken – ook een verhoogd risico om de eigen problemen door te geven aan hun kinderen. Zo ontstaat een vorm van quasi-erfelijkheid waarbij problemen binnen eenzelfde familie van generatie op generatie worden overgedragen. De al vaker genoemde multi-problem-gezinnen zijn daarvan een duidelijke illustratie. Dit risico doet zich echter ook bij minder ernstige situaties voor. Algemeen kan men zeggen dat het vermogen om problemen te verwerken geringer is naarmate men in de eigen jeugd met sociale, affectieve of intellectuele achterstanden te kampen heeft gehad.

Het omgekeerde geldt evenzeer. Ouders die in hun jeugd juist veel sociaal en affectief kapitaal hebben meegekregen, kunnen daarop terugvallen als zij later met stress of tegenslag geconfronteerd worden. Een goede afronding van het proces van hechting bijvoorbeeld draagt over de gehele linie tot een grote draagkracht bij. Hetzelfde is gedocumenteerd voor de reserves op cultureel en intellectueel gebied. Het onderwijssysteem neigt tot meer effectiviteit en past meer selectie toe. Leerlingen worden voortdurend onderworpen aan screening en toetsing, teneinde hun loopbaan optimaal te laten zijn. Daardoor stijgt niet alleen de selectieve werking van het onderwijs, maar verplaatst de selectie zich ook naar een vroeger stadium van de ontwikkeling. Op dat punt blijkt het gezin van herkomst van doorslaggevende betekenis. In feite wordt het succes op school in hoge mate bepaald door het culturele erfgoed in het gezin. Hoe groter de intellectuele en affectieve investeringen van de ouders in het kind, des te groter worden zijn of haar kansen op maatschappelijk succes. Een speciaal beleid ter vermindering van achterstanden heeft in dat opzicht snel een averechtse werking. Hoogopgeleide ouders blijken systematisch in staat om hun kinderen een voorsprong te geven die de rest van hun leven haast niet meer ongedaan te maken is. Omgekeerd geldt dat kinderen van laagopgeleide ouders al vroeg een achterstand oplopen die zich moeilijk laat inhalen. Zo speelt het sociale, affectieve en culturele kapitaal dat men in de eigen jeugd meekrijgt een cruciale rol bij de vraag in hoeverre men al dan niet in staat zal zijn de hindernisloop van het latere leven tot een goed einde te brengen. Het gezin doet dienst als een sorteermachine die reeds in een zeer vroeg stadium over kansen in het latere leven beslist. Naarmate de kennissamenleving zich verder ontwikkelt, zal het belang van deze sorteermachine groter worden.

Als de druk verder zou toenemen – wat ons, gezien het voorgaande, niet vreemd lijkt – wordt het proces van sorteren een onomkeerbaar proces van schifting. Reeds nu is de tendens waarneembaar dat er twee soorten van gezinnen zijn: die waarin het doorgaans prima gaat en die waarin alle problemen op een hoop komen. Er lijken voor de kinderen maar twee mogelijkheden te bestaan: óf het gaat goed óf het gaat beroerd. Op termijn zou dat een splitsing van de samenleving tot gevolg hebben. Er is in dat verband gewezen op het feit dat er twee soorten van socialisatie zijn. Een 'opwaartse' spiraal waarin de aanleg van het kind, de reactie van de ouders en de sociale omstandigheden elkaar in een gunstige zin versterken met als gevolg dat het kind een relatief grote sociale en affectieve reserve opbouwt. Maar er kan ook sprake zijn van een 'neerwaartse' spiraal waarbij de aanleg, de reactie van de ouders en de omstandigheden elkaar in ongunstige zin versterken waardoor de reserves zeer bescheiden zijn en reeds een kleine hoeveelheid stress tot grote moeilijkheden leidt. Dit laatste bevordert het ontstaan van een onderklasse die niet alleen door een overmaat aan stressfactoren wordt geplaagd, maar ook door een tekort aan sociale steun. Het hoeft niet te verbazen dat zo'n onderklasse van haar kant weinig loyaliteit kan opbrengen tegenover de maatschappij in haar geheel. Zo zou een nieuw type tweedeling kunnen ontstaan waarbij ditmaal niet zozeer inkomen of arbeid maar de kwaliteit van het gezinsleven een wezenlijke factor is.

4 Het nieuwe ideaal

Dit alles roept een paar vragen in herinnering die wij reeds aan het begin van onze studie gesteld hebben, maar die nog niet beantwoord zijn. Waarom werd – los van politieke toevalligheden – de thematiek van het gezin juist in het midden van de jaren negentig zo populair? En waarom werd al na vrij korte tijd een nieuwe consensus over het gezin bereikt die niet als conservatief maar eerder als modern te beschouwen is? In dat verband formuleren wij onze vierde stelling, namelijk: *onder de huidige generatie ouders ontstaat een nieuw besef van waarden en normen waarvan de gevolgen ook buiten de gezinnen voelbaar zijn.*

In dit verband bedenke men dat degenen die thans schoolgaande kinderen hebben, veelal in de jaren zestig en zeventig groot geworden zijn. Zij vormen de eerste generatie die niet langer volgens het oude autoritaire model is opgevoed en die zich een zekere bewegingsvrijheid kon veroorloven. Deze ouders van nu kwamen in de jaren zeventig als kind massaal in aanraking met alternatieve levensvormen, experimenten op relationeel en seksueel gebied, het informeler worden van de betrekkingen, de hernieuwde strijd om emancipatie van vrouwen, de praatcultuur, et cetera. Een en ander heeft ongetwijfeld hun eigen houding tegenover het krijgen en opvoeden van kinderen bepaald. Velen van hen stelden dat moment tot een laat tijdstip in hun leven uit. Maar inmiddels zijn de leden van deze generatie de dertig gepasseerd en hebben zelf kleine kinderen. Ze worden daarmee voor het eerst met de eisen van het ouderschap geconfronteerd. Ze staan met name voor de vraag of de waarden van hun eigen jeugd combineerbaar zijn met de meer praktische eisen van een gezin. De vaak gehoorde klacht van vrouwen die aan een carrière werken terwijl ze ook het huishouden moeten regelen, is op dit punt illustratief. In feite is deze hele generatie gedwongen om als ouders een nieuw evenwicht te vinden tussen de zakelijke en de affectieve kanten van het gezinsleven. Terwijl de vorige generatie – die haar kinderen in de jaren zestig en zeventig grootbracht – zich vooral tegen het traditionele model afzette, is de huidige generatie tot een zekere herwaardering van dat model bereid. Zij zoekt naar een nieuw optimum tussen discipline en betrokkenheid en moet weinig hebben van louter psychologisch of relationeel gedoe.

Het is deze herwaardering die midden jaren negentig een massale en vrij plotselinge belangstelling voor het gezin tot gevolg had. Zij verklaart tevens waarom de huidige generatie ouders vaak een uitgesproken voorkeur heeft: velen van hen beschouwen het communautaire gezinsmodel als ideaal, zeker wanneer ze tot de middenklasse of hoger opgeleiden behoren. Zij vinden dat er veel persoonlijke aandacht voor hun partner en kinderen moet zijn, maar willen evenzeer dat er hard gewerkt wordt. Zij vinden een carrière en hoog inkomen van belang maar willen ook gevoelens en ervaringen uitwisselen. Ze koesteren daarmee – misschien niet in theorie maar wel in de praktijk – vrij hoge verwachtingen. Het is niet vreemd dat ze de opvoeding bij anderen vanuit die verwachtingen beoordelen. Gezinnen met ouderwets autoritaire verhoudingen roepen duidelijk hun afkeer op en hetzelfde gebeurt met ouders die de zaak op zijn beloop laten of hun kinderen onvoldoende omgangsvormen bijbrengen. Deze ouders zijn kortom geen neutrale waarnemers: ze zijn partij in een proces van modernisering dat het stadium van vrijheid-blijheid achter zich gelaten heeft. Ze hebben ook grote belangstelling voor het vraagstuk van waarden en normen. Vandaar dat de formulering van het CDA – liberaliteit qua levensvorm in combinatie met de eis van verantwoordelijkheid en duurzaamheid – op zo'n brede instemming kon rekenen. Deze formule weerspiegelt slechts het feit dat er langzaam maar zeker een nieuw ideaal ontstaat. Zonder dat het met zoveel woorden wordt gezegd, zijn tal van professionals, politici en moderne ouders het in grote lijnen eens over de richting waarin het gezinsleven zich het beste kan ontwikkelen.

Toch houdt dit nieuwe normbesef géén terugkeer tot de idealen van de jaren vijftig in. In die tijd kwam de norm neer op datgene wat we het autoritaire model genoemd hebben. Gezinnen werden toen beoordeeld naar de wijze waarop de ouders hun gezag uitoefenden. Daarbij speelden elementen als communicatie, betrokkenheid en uitingen van affectiviteit nauwelijks een rol. Tegenwoordig zijn die elementen juist essentieel en niemand wil ze prijsgeven. Van de andere kant wordt ook het egalitaire model uit de jaren zeventig in hoog tempo minder aantrekkelijk. Het is met zijn aandacht voor persoonlijke ontplooiing en relationele gelijkwaardigheid nu eenmaal niet opgewassen tegen de harde eisen die in de jaren negentig aan iedereen gesteld worden. Vandaar dat het hedendaagse ideaal in de richting van het communautaire type gaat. (Overigens blijkt hieruit nog eens dat men de veranderingen uit de jaren zestig en zeventig niet op de toekomst projecteren mag. In *die* periode voltrok zich inderdaad een overgang van het autoritaire naar het egalitaire ideaal maar het ligt niet voor de hand dat de ontwikkeling steeds verder de egalitaire kant opgaat. In die zin komt de stelling van een verregaande individualisering uit een onterechte extrapolatie voort).

Het is opmerkelijk dat het ideaal van discipline en betrokkenheid ook buiten de sfeer van het gezin aan invloed wint. Dat lijkt ons bijvoorbeeld het geval in het bedrijfsleven, met name waar het om zakelijke dienstverlening gaat. Deze sector maakt een steeds belangrijker gedeelte van ons economisch stelsel uit en vertoont alle essentiële kenmerken van dat stelsel. Ook hier hangt alles af van winst, concurrentie, rationalisering, productiviteit, et cetera. In zoverre is er helemaal niets nieuws onder de zon. Maar tegelijkertijd kent het proces van dienstverlening óók een aantal facetten die het doen verschillen van de oude industrie. Terwijl het bij de industriële productie in de eerste plaats om *dingen* gaat, spelen bij de dienstverlening *mensen* een centrale rol. Bij de eerste ligt een nadruk op technologie, terwijl de tweede meer om sociaal-psychologische processen draait. Industrie veronderstelt diverse vormen van handarbeid, terwijl dienstverlening primair op hoofdarbeid berust. Met andere woorden: de sector dienstverlening vereist een geheel eigen mentaliteit, cultuur of habitus waarin twee deugden gecombineerd worden. De ene deugd heeft betrekking op de zakelijke kant van het maatschappelijk verkeer en verwijst naar kwaliteiten als discipline, productiviteit, zorgvuldigheid, doelmatigheid en rationaliteit. De andere deugd betreft het persoonlijke en affectieve element en verwijst naar sociale vaardigheden, het vermogen tot communiceren, emotionele intelligentie en het inzetten van de eigen persoonlijkheid. In dat opzicht bestaat er een duidelijke parallel met de idealen van het moderne gezin.

Maar wellicht gaat het om méér dan slechts een parallel en is de invloed van het gezinsleven verstrekkender. We hebben reeds gewezen op het feit dat belangrijke wijzigingen in de privé-sfeer gestalte kregen in de jaren zestig en zeventig. Het streven naar meer egalitaire verhoudingen tussen man en vrouw of de meer informele omgang van ouders en kinderen behelsden in de eerste plaats een morele en niet een economische verandering. Deze veranderingen in de privé-sfeer kwamen voort uit sociaal-culturele processen zoals het streven naar democratisering op politiek gebied, de groeiende secularisatie en – last but not least – de toegenomen deelname aan het onderwijs door mannen én vrouwen. Deze processen grepen in elkaar en brachten nieuwe normen of idealen voort. De articulatie daarvan was vooral een zaak van emancipatoire bewegingen en actiegroepen die opkwamen voor mensenrechten of milieu. Hoewel deze ontwikkeling succesvol werd, heeft het geruime tijd geduurd voordat het bedrijfsleven in de gaten had hoe men ermee moest omgaan. Pas tegen het einde van de jaren tachtig slaagde men erin om meer actief in te spelen op de normen en idealen die inmiddels waren ontstaan. Thans is het antagonisme tussen sociaal-culturele voorhoedes en bedrijfsleven voorbij. Met verbazing stellen wij soms vast dat idealen en verwachtingen die in de jaren zestig geformuleerd waren, tegenwoordig in de commerciële dienstverlening opgenomen zijn. Het is misschien wat overdreven om te zeggen dat de revolutie die dertig jaar geleden in de sfeer van het gezin begon, nu eindelijk tot de kern van ons economisch stelsel doorgedrongen is. Niettemin is duidelijk dat de idealen van het moderne gezinsleven veel verder reiken dat de omgang tussen ouders en kinderen alleen.

5 Een beschavingsoffensief?

Als we in deze lijn doordenken, komen we vanzelf bij onze vijfde en laatste stelling uit. Deze is ontegenzeggelijk speculatief, maar past geheel bij de strekking van ons boek. Onze laatste stelling luidt: *de toekomst zal in het teken van een nieuw beschavingsoffensief staan en het gezinsleven zal daarbij een cruciale rol vervullen.*

Nu verwijst de term beschavingsoffensief naar de negentiende eeuw, in het bijzonder naar de tijd waarin zich de moderne industrie ontwikkelde. Dat bracht niet alleen een nieuwe infrastructuur en productiewijze met zich mee maar evengoed een nieuwe vorm van gedrag. Industriële productie is immers slechts mogelijk wanneer er arbeidsdiscipline heerst, de mensen zorgvuldig met grondstoffen en geld omgaan, een besef hebben van tijd, over een zekere scholing beschikken, et cetera. Om te zorgen dat de werkende bevolking aan die eisen kon voldoen, kwam in de loop van de negentiende eeuw een beschavingsoffensief op gang. Daarbij trachtten ondernemers, onderwijzers, kerkelijke overheden en verlichte burgers hun normen op te leggen aan een arme en veelal slecht opgeleide bevolking. Het gezinsleven kreeg aldus strategische betekenis en het is geen toeval dat alle morele, mentale en pedagogische interventies zich primair op het gezin richtten.[2] Men kan zich voorstellen dat iets dergelijks de komende decennia opnieuw gebeurt. Er dienen zich eens te meer nieuwe omgangsvormen aan – dit keer doordat de dienstverlening sterk groeit – en ook nu gaat de aandacht naar de gezinnen uit.

Van de andere kant is het nog wat vroeg om al te spreken van een offensief. Weliswaar neemt het nieuwe ideaal een vaste vorm aan, maar er is (nog?) geen elite die haar normen wil opleggen aan de massa van de bevolking. Weliswaar willen (sommige!) professionals een actiever optreden, maar voor negentiende-eeuwse interventies schrikt men vooralsnog terug. Er zijn – zoals gezegd – onmiskenbaar veranderingen gaande in de gezinscultuur, maar voorlopig voltrekken die zich als een organische ontwikkeling. Zij komen min of meer spontaan tot stand, in de miljoenen interacties die ouders en kinderen, gezinnen en deskundigen dag in dag uit met elkaar aangaan. Het zijn niet de nationale beleidskaders maar de lokale omstandigheden waarin een eventueel offensief vorm krijgt. Het is een proces dat van onderop begint, in de haarvaten van de burgerlijke maatschappij, om pas na geruime tijd (en soms helemaal niet) door te dringen tot het niveau van overheid of politiek. Het gaat om een verandering die zich goeddeels onbewust voltrekt, in de rituelen en routines van het gezinsleven. Zij wordt slechts zelden door onderzoekers, opinieleiders of beleidsmakers expliciet geformuleerd.

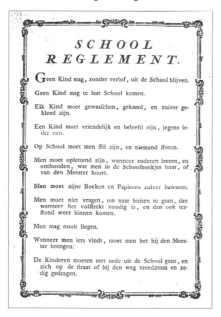

Links een afbeelding van een 'schoolreglement' uit de negentiende eeuw, waarin nadruk op orde en discipline wordt gelegd. Rechts een afbeelding van de regels die momenteel op een basisschool te Leiden worden gehanteerd: nu spelen sociale vaardigheden een centrale rol.

Aan de berichtgeving in de media kan men echter aflezen dat er op partieel of lokaal niveau het nodige gebeurt. De krant maakt vrijwel dagelijks melding van incidenten en initiatieven waaruit blijkt hoezeer het gezinsleven in Nederland aan beroering onderhevig is. Om de proef op de som te nemen, hebben wij de berichten verzameld die in één week tijd in een tweetal kranten verschenen zijn.[3] We kunnen daarbij vaststellen dat er veel aandacht aan allerlei gezinsproblemen wordt besteed. Zo was er een artikel over echtscheiding waarin werd gewezen op het feit dat kinderen uit een mislukt huwelijk relatief méér kans hebben dat hun eigen huwelijk eveneens misloopt. We troffen een beschouwing aan over de hoge en hardnekkige criminaliteit onder Marokkaanse jongeren. Er was ruime aandacht voor het bericht dat ernstig fysiek geweld door mannen tegen hun vrouwelijke (ex-)part-ner de samenleving circa 332 miljoen gulden per jaar kost. In een sport-bijlage sprak men over het probleem dat de ouders van jonge talent-volle tennisspelers vaak veel te hoge eisen stellen aan hun kinderen. En dan was er ook nog het verhaal over een meisje van acht jaar dat door haar moeder om het leven was gebracht. Dit bericht sijpelde pas vele maanden later door. Nederland was begin 1997 door een vijftal kinder-moorden opgeschrikt en daarom had men liever gezien dat dit nieuwe geval uit de pers gebleven was.

Behalve op gezinsproblemen, gaan de kranten ook uitvoerig in op het werk van externe deskundigen. We lazen bijvoorbeeld – nog altijd in dezelfde week – een reportage over de werkzaamheden van een gezinsvoogdes. Zij maakt naar aanleiding van een bepaald geval onder meer de opmerking dat de ouders hun rol als opvoeders serieuzer moeten nemen. Een ander artikel behandelt het gegeven dat kinder-opvang een steeds belangrijker onderdeel van de opvoeding uitmaakt. Ouders en crèches zouden daarom duidelijke afspraken moeten maken over de manier waarop het kind wordt opgevoed. Men doet verder verslag van het afscheidscollege door een vermaarde gynaecoloog. Hij wijst op het gevaar dat de menselijke voortplanting meer en meer in het teken komt te staan van de medische technologie. En ten slotte bericht men over een nieuw verschijnsel in ons land, de zogenaamde 'gezinsorganizer'. Het blijkt dat tweeverdieners uit tijdgebrek niet meer toekomen aan het opruimen van hun huis en het nakomen van hun afspraken. Ze huren daartoe een 'gezinsorganizer' in. De vraag naar deze professional is zó groot dat men een eigen beroepsorganisatie gaat opzetten.

Toch blijkt ook de overheid veel actiever dan men op grond van de nationale politiek zou aannemen. Zo zullen alle scholieren en stu-denten in het voorjaar van 1998 een eigen nummer krijgen. Scholen en instellingen worden verplicht dat nummer aan het ministerie van Onderwijs en Wetenschappen door te geven. Doel van deze maatregel is een betere controle op de besteding van onderwijsgelden. Twee dagen later kondigt de gemeente Amsterdam maatregelen aan tegen het spijbelen. Zodra een leerling niet op school verschijnt, licht men direct de ouders in. Een belangenorganisatie van ouders is warm voorstander van dit beleid, want spijbelen veroorzaakt hoge kosten, doordat het een stijging van de jeugdcriminaliteit in de hand werkt. Een school in Roosendaal gaat het dragen van uitdagende topjes door meisjes in de puberteit ontmoedigen. Zo'n topje is leuk voor in de disco maar niet in de klas. De school trekt een grens en wijst de gedachte dat 'alles moet kunnen tegenwoordig' af. Ook publiceert men een vraaggesprek met twee ambtenaren van het Openbaar Ministerie. Zij vinden dat men bij jeugdige criminelen zo snel mogelijk moet optreden en dat de straf duidelijk voelbaar dient te zijn. Ze hebben kritiek op ouders die menen dat jeugdcriminaliteit een zaak van de justitie is. Procureur-generaal Ficq wijst er echter op dat het strafrecht de criminaliteit niet kan laten verdwijnen. 'Wij kunnen alleen iets doen aan de bestraffing. Ouders moeten opvoeden', stelt hij.[4]

Wie tot zich laat doordringen dat al deze berichten slechts op één week tijd betrekking hebben, kan moeilijk beweren dat er niets gaande is. Zelf zien wij ze als uitingen van een proces waarbij in brede kring, zij het op een zeer plaatselijk niveau, aan een verdere 'beschaving' van het gezinsleven gewerkt wordt. We zijn in feite getuige van een trage en min of meer geïmproviseerde ontwikkeling in de richting van nieuwe regels en normen. Maar vroeg of laat komt het moment dat de opiniemakers beseffen wat er gebeurt. Dat de voorstanders van nieuwe normen hun initiatieven gaan bundelen en steun zoeken bij de overheid. Dat bestuurders en verlichte burgers behoefte krijgen aan een gericht beleid. En dat groepen die zich niet voegen, hardhandig worden aangepakt. Kortom: het is heel goed mogelijk dat de toenemende sensibiliteit die wij tegenwoordig waarnemen, de komende jaren wordt omgezet in een heus beschavingsoffensief. Over de wenselijkheid van deze ontwikkeling laten wij ons hier niet uit. Maar wel over de mechanismen en tendensen die bij dit scenario een rol spelen. Als de lezer daarin meer inzicht gekregen heeft, is een belangrijk doel van deze uitgave bereikt.

NOTEN

Inleiding

1. D. Popenoe, *Disturbing the Nest*, p. 310-313.
2. *Elsevier*, 8 december 1994.
3. Genoemde kranten verschenen op 30 augustus 1995; alleen NRC *Handelsblad* verscheen op 31 augustus 1995.
4. *De Limburger* (10-9-1995), NRC *Handelsblad* (20-9-1995) en *De Gelderlander* (3-10-1995).
5. *Dagblad Tubantia* (2-10-1995) en *Het Parool* (14-10-1995).
6. NRC *Handelsblad* (4-10-1995), *Leids Dagblad* (6-10-1995) en *Leeuwarder Courant* (6-10-1995).
7. *De Telegraaf* (7-10-1995).
8. *De Volkskrant* (13-10-1995) en *Nederlands Dagblad* (10-10-1995).
9. NRC *Handelsblad* (7-10-1995).
10. *De Volkskrant* (17-10-1995).
11. *Deventer Dagblad* (19-10-1995).
12. *Trouw* (3-11-1995).
13. Zie bijvoorbeeld NRC *Handelsblad* (21-10-1995 en 2-12-1995), *De Volkskrant* (28-10-1995), *Intermediair* (3-11-1995) en *Trouw* (18-11-1995 en 25-11-1995).
14. *Dagblad Tubantia* (18-11-1995).
15. *De Gelderlander* (10-10-1995 en 24-10-1995).
16. *Nederlands Dagblad* (20-11-1995).
17. *De Gelderlander* (4-11-1995).
18. *Utrechts Nieuwsblad* (31-1-1996).
19. *De Volkskrant* (27-12-1995).
20. P. van den Akker e.a., *Geborgenheid en zelfontplooiing*, p. 10-12.
21. J. Rispens e.a., *Opvoeden in Nederland*, p. 228-230.
22. Interview gehouden op 8 juli 1996.
23. A. van der Avort e.a., *Het Nederlandse gezinsleven aan het einde van de twintigste eeuw*, p. 20-25.
24. Vergelijk de door mij bepleite 'differentiële' aanpak bij historisch onderzoek in: G. van den Brink, *De grote overgang*, p. 57-65, 71-81.
25. D. Cheal, *Family and the state of theory*, p. 153.
26. S. Gould, *De gok van de evolutie*, p. 12, 24-25, 53, 85, 113.
27. Ibidem, p. 153.
28. Ibidem, p. 152.
29. Op dit punt heb ik ook dankbaar gebruikgemaakt van C. Brinkgreve, *Van huis uit*, p. 12-24.

30. Het grote verschil tussen de evolutie in biologische zin en geschiedenis in sociale of culturele zin ligt in het vermogen informatie op te slaan. In de natuur treedt blinde variatie op en komt de selectie langs een negatieve weg tot stand. Het overgrote deel van de ongunstige afwijkingen sterft eenvoudigweg uit zodat de verandering zeer traag verloopt. De menselijke soort kent echter een uitzonderlijk orgaan om kennis op te slaan en door te geven. Zo komt een cumulatie van inzichten op gang waardoor een latere generatie haar voordeel met de ervaringen van de vorige kan doen. Daardoor beschikken mensen over een leervermogen dat elders in de natuuur ontbreekt (S. Gould, *De gok van de evolutie*, p. 239-242).

31. Het is opmerkelijk dat de kwestie van het overleven in wisselende omstandigheden ook een voorname rol speelt in het moderne onderzoek naar gezinsgeschiedenis (mondelinge mededeling Theo Engelen).

32. S. Gould, *De gok van de evolutie*, p. 153.

Hoofdstuk 1.1

1. Doordat wij de periode 1945-1995 hier als één geheel behandelen, kan er een zekere vertekening ontstaan. De vruchtbaarheidscijfers waren kort na de oorlog namelijk bijzonder hoog zodat hun daling in de jaren zestig en zeventig wel erg sterk oogt. Zou men de ontwikkeling over ongeveer een eeuw bezien, dan neemt de daling een meer geleidelijk karakter aan (mondelinge mededeling Theo Engelen).

2. We gebruiken hier het 'totale leeftijdspecifieke vruchtbaarheidscijfer'. Dit cijfer verwijst naar het gemiddeld aantal kinderen dat een vrouw krijgt indien de in een bepaald jaar waargenomen leeftijdsspecifieke vruchtbaarheidscijfers gedurende haar leven zouden gelden (CBS, *Vijfennegentig jaren statistiek in tijdreeksen*, p. 22 en 34).

3. Deze daling wordt ook wel als de 'tweede demografische transitie' aangeduid. Zij is echter alleen merkbaar wanneer men zich op peiljaren verlaat. Als men uitgaat van de geboortecohorten treedt er geen plotselinge daling op. In feite daalt het vruchtbaarheidscijfer zo sterk omdat vrouwen die rond 1950 zijn getrouwd hun kinderen relatief *vroeg* in het huwelijk krijgen, terwijl vrouwen die vanaf 1965 trouwen de geboorte van hun eerste kind uitstellen (mondelinge mededeling Theo Engelen).

4. Hajnal, *European marriage patterns*, p. 101 e.v.

5. CBS, *Vijfennegentig jaren statistiek in tijdreeksen*, p. 26.

6. G. van den Brink, *De grote overgang*, p. 101-103.

7. CBS, *Vijfennegentig jaren statistiek in tijdreeksen*, p. 27.

8. De hier volgende gedachtegang is mede ontleend aan T. Zwaan, *De verbroken viereenheid*, p. 265-296.

9. P. van den Akker e.a., *Geborgenheid en zelfontplooiing*, p. 11.
10. Ibidem, p. 102-103.
11. K. Bakker e.a., *Opgroeien in Nederland*, p. 22, 24-25, 90, 95; H. Angenent, *Achtergronden van jeugdcriminaliteit*, p. 38-39; M. du Bois e.a., *Keuzeprocessen van jongeren*, p. 2, 5. 40; J. Lenders, *Maatschappelijke ontwikkelingen en jeugdcultuur vanaf 1945*, p. 109-110, 115; D. Popenoe, *Disturbing the Nest*, p. 296-298.
12. M. du Bois e.a., *Keuzeprocessen van jongeren*, p. 4-5.
13. P. Cuyvers, *Het gezin, sociale zekerheid en sociaal-democratische onzekerheid*, p. 209-210.
14. K. Bakker e.a., *Opgroeien in Nederland*, p. 53; P. van den Akker, *Modernisering en gezinswaarden in Europees perspectief*, p. 8-9, 13; P. van den Akker e.a., *Geborgenheid en zelfontplooiing*, p. 11, 102-104.
15. Vergelijk de bijlage, tabel 3.
16. Een kras voorbeeld is C. Weeda, *Ideaalbeelden rond leefvormen*, p. 54 e.v.
17. *Sociaal en Cultureel Rapport 1994*, p. 34-35.
18. Het volgende is ontleend aan J. Latten, *Het verborgen gezin*, p. 8 e.v.
19. Ibidem, p. 9.
20. M. du Bois e.a., *Keuzeprocessen van jongeren*, p. 55, 67-68; K. Bakker e.a., *Opgroeien in Nederland*, p. 91, 94-95.
21. J. Latten, *Het verborgen gezin*, p. 11.
22. P. Cuyvers, *Het gezin, sociale zekerheid en sociaal-democratische onzekerheid*, p. 205, 210-211.
23. P. van den Akker, *Modernisering en gezinswaarden in Europees perspectief*, p. 15-16.
24. H. Langeveld, *Binding in vrijheid*, p. 130-131.
25. P. van den Akker, *Modernisering en gezinswaarden in Europees perspectief*, p. 11, 13-16; J. Peters e.a., *Familialisme*, p. 29-30.
26. Overigens geven de auteurs van het Sociaal en Cultureel Rapport dit zelf toe: 'Het afnemend aandeel van kerngezinnen in het totaal van huishoudensvormen mag niet vertaald worden als een relativering van de betekenis van het gezin in het leven van individuen' (*Sociaal en Cultureel Rapport 1994*, p. 39; zie ook p. 36-38).
27. Onderstaande alinea is goeddeels ontleend aan L. Trimp, *Inkomens 1959-1995*.
28. 'Een huishouden wordt gedefinieerd als een of meer personen die alleen of samen in een woonruimte gehuisvest zijn en zelf in hun dagelijkse levensbehoeften voorzien' (Trimp, p. 5).
29. Wij baseren ons op CBS: *Budgetonderzoek 1978-1981*, p. 12; *Budgetonderzoek 1984-1985* p. 12 en *Budgetonderzoek 1994*, p. 7.
30. De gebruikte bronnen vindt men in de bijlage, tabel 6.
31. H. Pott-Büter e.a., *Kosten van kinderen*, p. 120-121.
32. Ibidem, p. 17-18, 31; CBS, *Kosten van kinderen*, p. 13, 189; J. Schiepers e.a., *Equivalentiefactoren volgens de budgetverdelingsmethode*, p. 13.

33. CBS, *Kosten van kinderen*, p. 13; H. Pott-Büter e.a., *Kosten van kinderen*, p. 27-28, 31, 83.
34. J. Schiepers e.a., *Equivalentiefactoren volgens de budgetverdelingsmethode*, p. 13; H. Pott-Büter, *Kosten van kinderen*, p. 81-82.
35. H. Pott-Büter e.a., *Kosten van kinderen*, p. 102.
36. J. Schiepers e.a., *Equivalentiefactoren volgens de budgetverdelingsmethode*, p. 14.
37. H. Pott-Büter, *Kosten van kinderen*, p. 95.
38. J. Dessens, *Inkomensongelijkheid van huishoudens*, p. 53-54, 56-57.
39. J. de Hart, *Tijdopnamen*, p. 59; zie ook p. 57 en 65.
40. *Sociaal en Cultureel Rapport 1996*, p. 362.
41. J. de Hart, *Tijdopnamen*, p. 91, 177.
42. Ibidem, p. 93.
43. Ibidem, p. 105; zie ook p. 186.
44. Onder 'verplichtingen' verstaat men het verrichten van betaalde arbeid en/of huishoudelijk werk en/of het volgen van onderwijs.
45. Onder 'werkende' personen verstaat men degenen die ten minste 20 uur per week betaalde arbeid verrichten.
46. *Sociaal en Cultureel Rapport 1996*, p. 359.
47. Ibidem, p. 357-358.
48. J. de Hart, *Tijdopnamen*, p. 62; in deze publicatie zijn alleen 'verplichtingen' geteld die meer dan 5 uur per week in beslag nemen.
49. *Sociaal en Cultureel Rapport 1996*, p. 362-363.
50. J. de Hart, *Tijdopnamen*, p. 60-61.
51. Ibidem, p. 117.

Hoofdstuk 1.2

1. L. Pot, *Het overheidsbeleid voor jonge kinderen in de jaren tachtig*, p. 285, 287, 289.
2. K. de Hoog, *Beleidsuitgangspunten bij gezinsontwikkelingen en consequenties voor het gezinsbeleid*, p. 36-37, 43.
3. Niettemin is één verandering vermeldenswaard. Zij heeft betrekking op de juridische status van intermenselijke betrekkingen. In het recht werd traditioneel een onderscheid gemaakt tussen enerzijds het personen- en familierecht en anderzijds het verbintenissenrecht. Rond 1970 is dat ter discussie komen te staan. Verplichtingen van familiale of intieme aard worden meer en meer uit de sfeer van het personenrecht gehaald en ondergebracht in de sfeer van het burgerlijk contract. Liefde en verwantschap worden steeds vaker als een zakelijke verhouding tussen private partijen opgevat. Zo wordt het vraagstuk van de afstamming - dat altijd een kwestie van openbare orde was geweest - tot een private zaak die men bij de notaris kan regelen. De grillen van het lot worden niet langer aanvaard en in die zin zet de individualisering zich waarschijnlijk door. Het gaat hier om de uiterste consequentie van het project dat met de Verlichting aangevangen is (mondelinge mededeling Dorien Pessers).
4. A. de Swaan, *Uitgaansbeperking en uitgaansangst*.
5. M. du Bois e.a., *Keuzeprocessen van jongeren*, p. 81-82; zie ook p. 77.

6. Ibidem, p. 134-135; zie ook M. du Bois, *Jongeren en ouders*, p. 687-688.

7. Een poging daartoe biedt J. Winkels, *Gezag in Nederland*, p. 85-86, 91, 124, 126.

8. Dit laatste wordt overtuigend aangetoond in I. van Lieshout, *Deskundigen en ouders van nu*, p. 68, 91, 93, 106, 114, 176.

9. M. Komen, *Gehoorzaamheid en zelfcontrole*, p. 29-30, 33, 38.

10. Ibidem, p. 31-32, 33-35, 38.

11. Ibidem, p. 39-40.

12. J. Lenders, *Maatschappelijke ontwikkelingen en jeugdcultuur vanaf 1945*, p. 109-110.

13. K. Bakker c.a., *Opgroeien in Nederland*, p. 24.

14. T. Zwaan, *De verbroken viereenheid*, p. 283.

15. K. Bakker e.a., *Opgroeien in Nederland*, p. 40; zie ook p. 54-55.

16. Ibidem, p. 90-91; M. du Bois e.a., *Keuzeprocessen van jongeren*, p. 11, 86, 91-92.

17. G. van den Brink, *Onbehagen in de politiek*, p. 40-45.

18. Voor de gebruikte bronnen verwijzen wij naar de bijlage, tabel 22 en 23.

19. T. Zwaan, *De verbroken viereenheid*, p. 272, 275, 277.

20. *Sociaal en Cultureel Rapport 1996*, p. 360. Vermoedelijk speelt ook de angst voor aids bij het afnemen van de permissiviteit een rol.

21. T. Zwaan, *De verbroken viereenheid*, p. 266, 270-272.

22. Het blijft echter onduidelijk hoe representatief deze gegevens zijn. Als ze alleen betrekking hebben op degenen die een huwelijk aangaan, treedt er in de loop der tijd een selectieve werking op. Degenen die ongehuwd samenwonen, blijven dan immers buiten de steekproef (mondelinge mededeling Frans van Poppel).

23. T. Zwaan, *De verbroken viereenheid*, p. 293-294.

24. Ibidem, p. 286-287.

25. B. Kruithof, *Familie duurt een mensenleven lang*, p. 338.

26. H. van Setten, *In de schoot van het gezin*, p. 133, 147, 158.

27. Ibidem, p. 165-166.

28. Het onderstaande is ontleend aan het *Sociaal en Cultureel Rapport 1996*, p. 467-468.

Hoofdstuk 2.1

1. Verg. A. Blok, *Antropologische perspectieven*, p. 73-91.

2. J. Rispens e.a., *Opvoeden in Nederland*, p. 43, 49, 53, 179.

3. M. Thompson e.a., *Cultural Theory*, p. 1; zie ook G. van den Brink, *De grote overgang*, p. 449 e.v.

4. De term 'gezinscultuur' ontlenen we aan M. du Bois, *Jongeren en ouders*, p. 676 e.v.

5. J. Rispens e.a., *Opvoeden in Nederland*, p. 7-8.

6. Ibidem, p. 8, 43, 231.

7. H. Angenent, *Achtergronden van jeugdcriminaliteit*, p. 106-108.

8. Vergelijk het onderscheid tussen vier stijlen van opvoeden op grond van de vraag of ouders veel of weinig zorg geven

resp. veel of weinig controle uitoefenen (M. Thomeer e.a., *Zonder thuis - zonder toekomst?*, p. 63 e.v.).

9. Op grond van de vraag of er sterke groepsnormen bestaan resp. of individuen onderhevig zijn aan externe beperkingen, stelde Douglas een indeling in vier cultuurpatronen voor. 1. 'Individualisme', dat wil zeggen een levenswijze waarbij het individu weinig externe beperking kent terwijl het ook niet aan sterke groepsnormen onderhevig is. 2. 'Egalitarisme', waarbij het individu wel aan de normen van een groep gebonden blijft, maar zonder dat de externe omstandigheden grote dwang uitoefenen. 3. 'Fatalisme', waarbij het individu niet of weinig aan een groep gebonden wordt, maar wel beperkingen van buitenaf krijgt opgelegd. 4. 'Hiërarchie', dat wil zeggen een levenswijze waarbij zowel de druk van buitenaf als de binding aan een groep zeer sterk zijn. Voor een heldere behandeling hiervan verwijzen wij naar M. Thompson e.a., *Cultural theory*, p. 5-7.

10. M. du Bois e.a., *Die moderne Familie als Verhandlungshaushalt*, p. 150-157.

11. C. Straver e.a., *De huwelijkse logica*, p. 213-227.

12. J. Doornenbal, *Ouderschap als onderneming*, p. 116-117, 153-155, 210-213.

13. M. du Bois e.a., *Die moderne Familie als Verhandlungshaushalt*, p. 150-151, 153-154.

14. H. Angenent, *Achtergronden van jeugdcriminaliteit*, p. 61, 64, 71, 77, 103, 108, 112, 117, 142, 226-227.

15. M. du Bois, *Die moderne Familie als Verhandlungshaushalt*, p. 150-151.

16. R. Bosman, *Je moet lief en streng zijn*, p. 690-704.

17. B. Rensen, *Kindermishandeling*, p. 13, 31-32, 65, 68, 78, 94-96, 103, 116.

Hoofdstuk 2.2

1. R. Vuyk, *Opgroeien onder moeilijke gezinsomstandigheden*, p. 94.; J. Rispens e.a., *Opvoeden in Nederland*, p. 15.

2. J. Rispens e.a., *Opvoeden in Nederland*, p. 35.

3. H. Angenent, *Achtergronden van jeugdcriminaliteit*, p. 180.

4. J. Doornenbal, *Ouderschap als onderneming*, p. 78-79.

5. J. Rispens, *Opvoeden in Nederland*, p. 53, 67, 82, 107, 110-111, 131, 165, 232.

6. Ibidem, p. 91; zie ook p. 178.

7. B. Klem e.a., *Onvrede*, p. 122.

8. M. du Bois e.a., *Keuzeprocessen van jongeren*, p. 26, 41.

9. Ibidem, p. 37, 39.

10. Ibidem, p. 22, 31.

11. H. Angenent, *Achtergronden van jeugdcriminaliteit*, p. 180-181, 201-202, 229.

12. B. Rensen, *Kindermishandeling*, p. 92.

13. H. Angenent, *Achtergronden van jeugdcriminaliteit*, p. 185.

14. H. te Grotenhuis, *Opgroeien aan de rand van de verzorgingsstaat*, p. 707-708, 711, 715-716, 718.

15. C. Straver e.a., *De huwelijkse logica*, p. 62-63, 68.

16. Ibidem, p. 147-148.
17. Ibidem, p. 264.
18. Ibidem, p. 237, 238-239.
19. M. Broese-Van Groenau, *Gescheiden netwerken*, p. 13, 22, 31-32, 86.
20. C. Straver e.a., *De huwelijkse logica*, p. 76-78.
21. G. Bonsel e.a., *Aan de wieg van de toekomst*, p. 195-197, 199, 203; zie ook K. Bakker, *Opgroeien in Nederland*, p. 38.
22. D. Manting, *Dynamics in marriage and cohabitation*, p. 27-28.
23. P. van den Akker e.a., *Geborgenheid en zelfontplooiing*, p. 48, 181.
24. Ibidem, p. 49.
25. Ibidem, p. 50.
26. A. van der Avort, *De gulzige vrij-blijvendheid van expliciete relaties*, p. 137-140, 210-214.
27. P. van den Akker e.a., *Geborgenheid en zelfontplooiing*, p. 52, 54.
28. D. Manting, *Dynamics in marriage and cohabitation*, p. 68, 159-160, 189-190, 191.
29. Ibidem, p. 193; zie ook p. 131-132, 159-160, 161, 164, 185.
30. Ibidem, p. 24-25, 27-28, 106-107, 125, 126-127, 132, 192.
31. P. van den Akker e.a., *Geborgenheid en zelfontplooiing*, p. 3, 19, 70, 88, 107-108, 116-117.
32. Ibidem, p. 69, 70, 72, 88.
33. Ibidem, p. 77, 80, 81, 89.
34. Ibidem, p. 83, 84-85, 90, 105.
35. N. Elias, *Het civilisatieproces*, deel 2, p. 239 e.v.
36. A. van der Avort, *De gulzige vrij-blijvendheid van expliciete relaties*, p. 284; zie ook p. 116-117 en 280.
37. G. van den Brink, *De grote overgang*, p. 369, 451 e.v.
38. A. van der Avort, *De gulzige vrij-blijvendheid van expliciete relaties*, p. 104-105.
39. Ibidem, p. 270.
40. Verg. G. van den Brink, *Onbehagen in de politiek*, p. 88-89.
41. S. Gould, *De duim van de panda*, p. 163-167, 177, 192-193, 205.

Hoofdstuk 3.1

1. Interview met Frans van Poppel en Aart Lieboer, gehouden op 17 juni 1996.
2. Zie ook J. Latten e.a., *Relatie- en gezinsvorming in de jaren negentig*, p. 62, 95.
3. J. de Beer, *Bevolking en huishoudens nu en in de toekomst*, p. 10-11, 27.
4. J. Latten e.a., *Relatie- en gezinsvorming in de jaren negentig*, p. 38-39.
5. A. van der Avort e.a., *Het Nederlandse gezinsleven aan het einde van de twintigste eeuw*, p. 20, 23-25, 29, 32.
6. Hoewel wij geenszins naar volledigheid streven, beseffen we dat onze behandeling een belangrijke omissie kent. We gaan niet op ontwikkelingen in de sector zorg en welzijn in. Toch heeft de marktwerking juist in deze sector haar intrede gedaan. Het is te verwachten dat de druk van een commerciële benadering ook in de toekomst sterk merkbaar zal zijn (mondelinge mededeling Kees Bakker).

7. Interview gehouden op 1 juli 1996.

8. G. Bonsel e.a., *Aan de wieg van de toekomst*, p. 35.

9. Ibidem, p. 82.

10. Ibidem, p, 94, 107-108, 118-119.

11. Ibidem, p. 239.

12. Ibidem, p. 28.

13. Ibidem, p. 80.

14. Ibidem, p. 122.

15. Ibidem, p. 271-273.

16. Interview gehouden op 26 augustus 1996.

17. Interview gehouden op 3 september 1996.

18. Interview gehouden op 8 juli 1996.

19. A. van der Avort e.a., *Het Nederlandse gezinsleven aan het einde van de twintigste eeuw*, p. 42.

20. Ibidem, p. 56.

21. J. Dessens, *Inkomensongelijkheid van huishoudens*, p. 49, 51-54.

22. J. Droogleever Fortuijn, *Een druk bestaan*, p. 80, 112, 114.

23. Ibidem, p. 117.

24. Ibidem, p. 76-77; zie ook p. 80 en 108-109.

25. Ibidem, p. 169, 177; zie ook p. 5.

26. Ibidem, p. 102.

27. A. van der Avort e.a., *Het Nederlandse gezinsleven aan het einde van de twintigste eeuw*, p. 57-58, 60-62, 71.

28. J. Droogleever Fortuijn, *Een druk bestaan*, p. 126-127; zie ook p. 38.

29. J. Dessens, *Inkomensongelijkheid van huishoudens*, p. 58, 65, 67-68.

Hoofdstuk 3.2

1. Interview gehouden op 27 augustus 1996.

2. Interview gehouden op 18 juni 1996.

3. Interview gehouden op 28 juni 1996.

4. J. van der Lans (red.), *Kennis maken met de toekomst*, p. 6-10.

5. W. Ultee, *Trends in de sociale segmentatie van Nederland*, p. 334-335.

6. Ibidem, p. 346-347, 348; zie ook G. van den Brink, *Onbehagen in de politiek*, p. 45-52.

7. F. de Vijlder, *Natiestaat en onderwijs*, p. 2, 137, 247.

8. Ibidem, p. 171, 174.

9. Overigens wijst Ultee eveneens op dit gevaar (*Trends in de sociale segmentatie van Nederland*, p. 339-340).

10. F. de Vijlder, *Natiestaat en onderwijs*, p. 24.

11. Ibidem, p. 220-221.

12. Ibidem, p. 223-224.

13. Ibidem, p. 25, 29, 154-156.

14. C. Brinkgreve, *Van huis uit*, p. 177-184.

15. P. Bourdieu, *Economisch kapitaal, cultureel kapitaal, sociaal kapitaal*, p. 123.

16. Ibidem, p. 123; zie ook p. 125 en 128.

17. Interview gehouden op 8 juli 1996.

18. Interview gehouden op 25 juni 1996.

19. Interview gehouden op 17 september 1996.

20. Interview gehouden op 2 juli 1996

Hoofdstuk 4.1

1. J. Rispens e.a., *Opvoeden in Nederland*, p. 1, 184-185, 196, 203.
2. D. Kohnstamm, *Hoe erg is het met de Nederlandse jeugd gesteld?*, p. 77, 79-81; K. Bakker e.a., *Opgroeien in Nederland*, p. 78-79.
3. K. Bakker e.a., *Opgroeien in Nederland*, p. 118-120, 130.
4. H. Baartman, *Hometraining: doelgroep en indicatiestelling*, p. 353-354, 355.
5. Interview gehouden op 2 juli 1996.
6. Interview gehouden op 9 september 1996.
7. B. Rensen, *Kindermishandeling*, p. 11, 14, 31, 55.
8. Ibidem, p. 13, 44, 47, 65, 80, 95-96.
9. Ibidem, p. 64, 80, 118, 123, 126.
10. Interview gehouden op 8 juli 1996.
11. H. Angenent, *Achtergronden van jeugd-criminaliteit*, p. 7, 8, 11-13, 15, 79.
12. Ibidem, p. 152; zie ook p. 39-40, 41-42, 76, 78, 150, 156.
13. Ibidem, p. 3-6.
14. Interview gehouden op 25 juni 1996.
15. F. Bovenkerk, *Een misdadige tweede gene-ratie immigranten?*, p. 392 e.v.
16. Interview gehouden op 27 augustus 1996.
17. Interview gehouden op 2 juli 1996.
18. Interview gehouden op 17 september 1996.

Hoofdstuk 4.2

1. Interview gehouden op 25 juni 1996.
2. Interview gehouden op 14 september 1996.
3. K. Bakker, *Opgroeien in Nederland*, p. 56.
4. Ibidem. p. 59.
5. R. Vuyk, *Opgroeien onder moeilijke gezinsomstandigheden*, p. 19.
6. Ibidem, p. 186; zie ook p. 45, 50-51, 144-145, 160, 163.
7. Ibidem, p. 33; zie ook p. 33, 35, 54, 56.
8. Ibidem, p. 65; zie ook p. 60-62.
9. Ibidem, p. 78-79.
10. J. Rispens e.a., *Opvoeden in Nederland*, p. 12.
11. Ibidem, p. 13-14.
12. C. Brinkgreve, *Van huis uit*, p. 177-178.
13. Interview gehouden op 2 juli 1996.
14. Interview gehouden op 9 juli 1996.
15. Interview gehouden op 8 juli 1996.
16. Interview gehouden op 9 september 1996.

Hoofdstuk 5.1

1. Voor een aantal fundamentele inzichten in dezen raadplege men I. Prigogine, *Orde uit chaos*, Amsterdam, 1993.
2. P. Cuyvers, *Gezinnen en beleid in de toe-komst*, p. 118, 122-123.
3. A. van der Avort e.a., *Het Nederlandse gezinsleven aan het einde van de twintig-ste eeuw*, p. 71, 74-75.
4. K. de Hoog, *Nederland is geen gidsland voor financieel beleid*, p. 391-392.

5. A. van der Avort, *Het Nederlandse gezins-leven aan het einde van de twintigste eeuw*, p. 75-77.

6. Vergelijk bijv. H. Verbon (*Paars miskent belang gezinnen*, p. 4-5) en A. Schoen-maeckers (*Combinatie arbeid en zorg een kwestie van organisatie*, p. 424).

7. A. van der Avort e.a., *Het Nederlandse gezinsleven aan het einde van de twintig-ste eeuw*, p. 77-78.

8. J. van Doorne, *Vrouwen en mannen behoren van alle markten thuis te zijn*, p. 412-413; A. Westerlaken, *Maatwerk vereist voor werknemers met zorgtaken voor kinderen*, p. 415.

9. K. de Hoog, *Nederland is geen gidsland voor financieel beleid*, p. 393; J. van Doorne, *Vrouwen en mannen behoren van alle markten thuis te zijn*, p. 408-410.

10. P. Cuyvers, *Gezinnen en beleid in de toe-komst*, p. 125-126.

11. Interview gehouden op 25 juni 1996.

12. Interview gehouden op 17 september 1996.

13. Interview gehouden op 9 juli 1996.

14. Interview gehouden op 8 juli 1996.

15. Interview gehouden op 2 juli 1996.

16. Interview gehouden op 24 juni 1996.

17. Interview gehouden op 2 juli 1996.

18. Interview gehouden op 1 juli 1996.

19. Interview gehouden op 9 september 1996.

20. Interview gehouden op 30 augustus 1996.

Hoofdstuk 5.2

1. G. van den Brink, *From father to factory*, p. 197 e.v.

2. Voor een meer gedetailleerde beschrij-ving van dit offensief verwijs ik naar mijn proefschrift (*De grote overgang*, p. 490-500, 509-523.

3. Het gaat om edities van NRC *Handelsblad* en *de Volkskrant* die van 14 juni tot en met 21 juni 1997 verschenen zijn.

4. *DeVolkskrant* van 21 juni 1997.

GERAADPLEEGDE LITERATUUR

Akker, P. van den

Verzorgingsstaat, sociale zekerheid en primaire relaties. Een literatuurstudie naar de werking van de Algemene Bijstandswet als materiële randvoorwaarde tot echtscheiding. Tilburg: IVA, 1984

Akker, P. van den

Modernisering en gezinswaarden in Europees perspectief. Enige resultaten van de European Values Study 1981-1990. J. Gerris (red.), *Gezin: onderzoek en diagnostiek.* Assen: Van Gorcum, p. 6-20, 1995

Akker, P. van den en T. Mandemaker

Geborgenheid en zelfontplooiing. Een verkennend sociologisch en sociaal-psychologisch onderzoek naar de betekenis en de realisatie van twee waardencomplexen in primaire leefvormen. Tilburg: IVA, 1991

Angenent, H.

Achtergronden van jeugdcriminaliteit. Houten/Antwerpen: Bohn Stafleu Van Loghum, 1991

Avort, A. van der, P. Cuyvers en K. de Hoog

Het Nederlandse gezinsleven aan het einde van de twintigste eeuw. Een survey-onderzoek onder Nederlandse ouders in het kader van het Internationale Jaar van het gezin. Den Haag: Nederlandse Gezinsraad, 1996

Avort, A. van der

De gulzige vrij-blijvendheid van expliciete relaties. Tilburg: Tilburg University Press, 1987

Baartman, H.

Hometraining: doelgroep en indicatiestelling. *Jeugd en samenleving*, jrg 20, nr. 5/6, p. 351-359, 1990

Bakker, K., T. ter Bogt en M. de Waal

Opgroeien in Nederland. Amersfoort: Academische Uitgeverij/NIZW, 1993

Baud, M. en Th. Engelen

Samen wonen, samen werken? Vijf essays over de geschiedenis van arbeid en gezin. Hilversum: Verloren, 1994

Beer, J. de (red.)

> *Bevolking en huishoudens nu en in de toekomst.* Voorburg/Heerlen: CBS, 1994

Bekker, M.

> Werk en kinderen: dubbele belasting of een gezonde combinatie? *Tijdschrift voor vrouwenstudies,* jrg 16, nr. 4, p. 397-412, 1995

Blok, A.

> *Antropologische perspectieven.* Muiderberg: Coutinho, 1977

Bois-Reymond, M. du, P. Büchner e.a.

> *Die moderne Familie als Verhandlungshaushalt. Eltern-Kind-Beziehungen in West- und Ostdeutschland und in den Niederlanden.* Opladen: Leske & Badrich, 1994

Bois-Reymond, M. du, E. Peters en J. Ravesloot

> *Keuzeprocessen van jongeren. Een longitudinale studie naar veranderingen in de jeugd- fase en de rol van ouders.* Leiden: VUGA, 1994

Bois-Reymond, M. du

> Jongeren en ouders - hedendaagse gezinsculturen. *Jeugd en samenleving,* jrg 24, nr. 12, p. 676-689, 1994

Bois-Reymond, M. du

> *Gezin en modernisering: een problematische relatie voor jongeren?* (typoscript)

Bonsel, G. en P. van der Maas

> *Aan de wieg van de toekomst. Scenario's voor de zorg rond de menselijke voortplanting 1995-2010.* Houten: Bohn Stafleu Van Loghum, 1994

Bosman, R.

> "Je moet lief en streng zijn". Opvoeden in moedersgezinnen. *Jeugd en samenleving,* jrg 24, nr. 12, p. 690-706, 1994

Bourdieu, P.

> Economisch kapitaal, cultureel kapitaal, sociaal kapitaal. P. Bourdieu, *Opstellen over smaak, habitus en het veldbegrip.* Amsterdam: Van Gennep, p. 120-141, 1989

Bouw, C. e.a. (red.)

> *Macht en onbehagen. Veranderingen in de verhoudingen tussen vrouwen en mannen.* Amsterdam: SUA, 1991

Bovenkerk, F.

> Een misdadige tweede generatie immigranten? Verklaringen voor de omvang, aard en oorzaken van jeugdcriminaliteit in verschillende etnische groepen. *Jeugd en samenleving,* jrg 24, nr. 7/8, p. 387-404, 1994

Brand, D.

> Jeugdproblematiek en de gezinscontext. *Jeugd en samenleving,* jrg 20, nr. 5/6, p. 343- 350, 1990

Brink, G. van den

> *De grote overgang. Een lokaal onderzoek naar de modernisering van het bestaan. Woen- sel 1670-1920.* Nijmegen: SUN, 1996

Brink, G. van den
From father to factory: The changing position of adult domestic workers in Woensel 1700-1900. *Economic and Social History in the Netherlands. Family strategies and changing labour relations.* Amsterdam: NEHA, p. 197-220, 1994

Brink, G. van den
Onbehagen in de politiek. Een verkenning van de tijdgeest tegen het einde van de eeuw. Amsterdam: Instituut voor Publiek en Politiek, 1996

Brinkgreve, C. en A. de Regt
Het verdwijnen van de vanzelfsprekendheid. Over de gevolgen van individualisering voor kinderen. *Jeugd en samenleving*, jrg 20, nr. 5/6, p. 324-333, 1990

Brinkgreve, C.
Onmacht en almacht. Kritische notities bij Diekstra's voorstel voor een nieuw surveillantie-stelsel. *Jeugd en samenleving*, jrg 24, nr. 2, p. 85-90, 1994

Brinkgreve, C. en B. van Stolk
Van huis uit. Wat ouders aan hun kinderen willen meegeven, Amsterdam: Meulenhoff, 1997

Brinkgreve, C.
De macht van het andere geslacht. Over veranderingen in de jaloezieën tussen de seksen. *De Gids*, jrg. 151, nr. 1, p. 29-38, 1988

Brinkgreve, C.
Mannen en vrouwen: verschuivingen in macht en identiteit. T. Zwaan (red.), *Familie, huwelijk en gezin*. Amsterdam/Heerlen: Boom/Open Universiteit, p. 297-311, 1993

Broese van Groenou, M.
Gescheiden netwerken. De relaties met vrienden en verwanten na echtscheiding. Amsterdam: Thesis Publishers, 1991

CBS
Budgetonderzoek 1984-1985. Kerncijfers. Den Haag: Staatsuitgeverij, 1988

CBS
Kosten van kinderen. Herziening rekenkundige methode en toepassing op het werknemersbudgetonderzoek 1974/75. Den Haag: Staatsuitgeverij, 1981

CBS
Budgetonderzoek 1994. Kerncijfers. Voorburg/Heerlen: CBS, 1996

CBS
Budgetonderzoek 1978-1981. Landelijke en regionale kerncijfers. Den Haag: Staatsuitgeverij, 1984

CBS
Vijfennegentig jaren statistiek in tijdreeksen. 1899-1994. 's-Gravenhage: SDU, 1994

CDA
Familie- en gezinsbeleid. Themanummer van Christen-democratische verkenningen. nr. 7/8, 1996

Cheal, D.

Family and the state of theory. New York: Harvester/Wheatsheaf, 1991

Cuyvers, P.

Het gezin, sociale zekerheid en sociaal-democratische onzekerheid. *Socialisme & Democratie,* jrg 57, nr. 4, p. 205-219, 1996

Cuyvers, P.

Gezinnen en beleid in de toekomst. Nederlandse Gezinsraad, *Alleen of samen? Individu en gezin in de toekomst.* Den Haag: Nederlandse Gezinsraad, p. 112-128, 1997

Damsma, D.

De dubbele revolutie en het gezin. T. Zwaan (red.), *Familie, huwelijk en gezin.* p. 165-192, Amsterdam/Heerlen: Boom/Open Universiteit, 1995

Dessens, J.

Inkomensongelijkheid van huishoudens; verwachte ontwikkelingen op basis van gegevens in de periode 1979-1991. H. Ganzenboom en W. Ultee (red.), *De sociale segmentatie van Nederland in 2015,* WRR-publicatie, Den Haag: SDU, p. 49-68, 1996

Diekstra, R.

Wie waakt slaapt niet. Over Oplettendheid, Overheid en Opvoeding; een reactie op Kohnstamm en Brinkgreve. *Jeugd en samenleving,* jrg 24, nr. 2, p.91-97, 1994

Doorne-Huiskes, J. van

Vrouwen en mannen behoren van alle markten thuis te zijn. *Christen-democratische verkenningen,* Den Haag: Wetenschappelijke Instituut voor het CDA, nr. 7/8, p. 408-413, 1996

Doornenbal, J.

Ouderschap als onderneming. Moeders en vaders over opvoeden in de jaren negentig. Utrecht: Jan van Arkel, 1996

Dresen-Coenders, L., J. Hazekamp en J. van Hessen

Het eeuwige rondhangen. *Jeugd en samenleving,* jrg 21, nr. 2/3, p.119-133, 1991

Droogleever Fortuijn, J.

Een druk bestaan. Tijdsbesteding en ruimtegebruik van tweeverdieners met kinderen. Amsterdam: Amsterdam University Press, 1993

Elias, N.

Het civilisatieproces. Sociogenetische en psychogenetische onderzoekingen. (2 delen) Utrecht/Antwerpen: Het Spectrum, 1982

Ewijk, H. van

De Verschuiving. De veranderde status van jongeren in de jaren tachtig. Utrecht: De Tijdstroom, 1994

Faessen, W.

Bevolking, gezin en huishouden in Nederland sinds 1829. *Maandstatistiek van de bevolking,* jrg. 35, nr. 1, p. 17-30, 1987

Fiege, M.

Naar een juridische basis voor sociaal ouderschap. *Jeugd en samenleving*, jrg 22, nr. 4, p. 247-250, 1992

Ganzeboom, H. en W. Ultee.

De sociale segmentatie van Nederland in 2015, WRR-publicatie, Den Haag: SDU, 1996

Gerris, J. (red.)

Gezin: onderzoek en diagnostiek. Assen: Van Gorcum, 1995

Giessen, G. van de

Over trouwen en samenwonen. Onderzoek gezinsvorming 1988. *Maandstatistiek van de bevolking*, jrg. 36, nr. 11, p. 7-8, 1988

Gould, S.

De duim van de panda. Over evolutie en ontwikkeling. Amsterdam/Antwerpen: Contact, 1993

Gould, S.

De gok van de evolutie. Misvattingen over evolutie, vooruitgang en honkbal. Amsterdam: Contact, 1996

Grotenhuis, H. te

Opgroeien aan de rand van de verzorgingsstaat. De invloed van werkloosheid en lage scholing van ouders op de (levens)loopbaan van hun kinderen. *Jeugd en samenleving*, jrg 24, nr. 12, p.707-719, 1994

Hajnal, J.

European marriage patterns in perspective, D. Glas, D. Everleu (ed). *Population in history*. London, 1965, p. 101-143.

Hall, E. van

Gynaecologie en maatschappij. *Nederlands tijdschrift voor obstetrie en gynaecologie*, vol. 101, p. 103-106, 1988

Hantrais, L. en M-T. Letablier

Families and family policies in Europe. London: Longman, 1996

Hart, J. de

Tijdopnamen. Een onderzoek naar verschillen en veranderingen in de dagelijkse bezigheden van Nederlanders op basis van tijdbudgetgegevens. Rijswijk: SCP, 1995

Hochschild, A.

Inzicht in de toekomst van het vaderschap. Voorbij de "daddy-hiërarchie". *Tijdschrift voor vrouwenstudies*, jrg. 15, nr. 4, p. 455-465, 1994

Hoog, K. de

Nederland is geen gidsland voor financieel beleid. *Christen-democratische verkenningen*, Den Haag: Wetenschappelijk Instituut voor het CDA, nr 7/8, p. 389-393, 1996

Hoog, K. de

Beleidsuitgangspunten bij gezinsontwikkelingen en consequenties voor het gezinsbeleid. J. Gerris (red.), *Gezin: onderzoek en diagnostiek*. Assen: Van Gorcum, p. 35-48, 1995

Janssen, J. en J. de Hart

Jeugdcultuur: een kind van haar tijd. *Jeugd en samenleving*, jrg 21, nr. 2/3, p. 68-85, 1991

Joung, I.M.A.

Marital status and health. Descriptive and explanatory studies, Proefschrift Erasmus Universiteit Rotterdam, [S.l. : s.n.], 1996

Klem, B., J. Frenken en P. Vennix

Onvrede in relaties. Een onderzoek onder 650 gehuwden. Zeist: NISSO, 1983

Kohnstamm, D.

Hoe erg is het met de Nederlandse jeugd gesteld? *Jeugd en samenleving*, jrg 24, nr. 2, p. 77-84, 1994

Komen, M.

Gehoorzaamheid en zelfcontrole. Ontwikkelingen op het terrein van de justitiële kinderbescherming, gezinnen en jeugdcriminaliteit. *Tijdschrift voor criminologie*, jrg. 37, nr. 1, p. 22-42, 1995

Komen, M.

Echtscheiding en het belang van het kind. *Jeugd en samenleving*, jrg 22, nr 4, p. 242-246, 1992

Kooy, G. (red.)

Gezinsgeschiedenis. Vier eeuwen gezin in Nederland. Assen/Maastricht: Van Gorcum, 1985

Kruithof, B.

"Familie duurt een mensenleven lang". Ouders en kinderen in historisch perspectief. T. Zwaan (red.), *Familie, huwelijk en gezin.* Amsterdam/Heerlen: Boom/Open Universiteit, p. 312-339, 1993

Kruithof, B., J. Noordman en P. de Rooy (red.)

Geschiedenis van opvoeding en onderwijs. Inleiding, bronnen, onderzoek. Nijmegen: SUN, 1982

Lammeren, P. van en A. Kouwenhoven

Een nieuwe ouder, een ander perspectief. De positie en gevoelens van stiefkinderen. *Jeugd en samenleving*, jrg 22, nr. 4, p. 211-223, 1992

Langeveld, H.

Binding in vrijheid. Een studie naar toekomstige gezinnen, relaties en hulpverlening. Den Haag: SCP, 1985

Lans, J. van der (red.)

Kennis maken met de toekomst. Analyse en aanbevelingen naar aanleiding van het kennisdebat 1996-1997. Zoetermeer: Projectbureau Kennis voor Morgen, 1997

Lasch, C.

Haven in a Heartless World. The Family Besieged. New York: Basic Books, 1979

Latten, J. en P. Cuyvers (red.)

Relatie- en gezinsvorming in de jaren negentig. Voorburg/Heerlen: CBS, 1994

Latten, J.

Het verborgen gezin. *Maandstatistiek bevolking*, jrg 44, nr. 3, p. 8-13, 1996

Lenders, J.

Maatschappelijke ontwikkelingen en jeugdcultuur vanaf 1945. *Jeugd en samenleving*, jrg 22, nr. 2/3, p. 100-118, 1991

Leune, H.

Enige opmerkingen over het onderwijsbeleid in de periode 1980-1990. *Jeugd en samenleving*, jrg 20, nr. 4, p. 241-253, 1990

Lévi-Strauss, C.

Het gezin. Nijmegen: SUN, 1983

Lieshout, C. van

De school: een dominante opvoeder? *Jeugd en samenleving*, jrg 20, nr. 4, p. 230-240, 1990

Lieshout, I. van

Deskundigen en ouders van nu. Binding in een probleemcultuur. Utrecht: De Tijdstroom, 1993

Malmberg, T.

Overheid en gezin: een spannende relatie. *Directie Sociaal Beleid*, Ministerie van VWS, p. 2-9, 1996

Manting, D.

Dynamics in marriage and cohabitation. An inter-temporal, life course analysis of first union formation and dissolution. Amsterdam: Thesis Publishers, 1994

Ministerie van Sociale Zaken en Werkgelegenheid

De andere kant van Nederland. Over preventie en bestrijding van stille armoede en sociale uitsluiting. 's-Gravenhage: Ministerie van SZW, 1995

NIBUD

De kosten van kinderen. Een handleiding om de kosten van kinderen uit te rekenen; gegevens over kinderbijslag, alimentatie en pleegvergoeding. Den Haag: NIBUD, 1985

NIBUD

De kosten van kinderen. Een handleiding voor het berekenen van de kosten van een kind: over kinderbijslag, pleegvergoedingen, belastingen en co-ouderschap. Den Haag: NIBUD, 1996

Nikken, P.

Geweldvideo's voor de jeugd? *Jeugd en samenleving*, jrg 25, nr. 8 p. 468-475, 1995

Osch, M. van

Op zoek naar macht. *Blad/Dossier no 10: Jongeren '95*, Amstelveen: VNU, p. 45-54, 1995

Peeters, H., L. Dresen-Coenders en T. Brandenbarg (red.)

Vijf eeuwen gezinsleven. Liefde, huwelijk en opvoeding in Nederland. Nijmegen: SUN, 1988

Peters, J. en J. Gerris

Familialisme: sociaal-culturele verschuivingen in de jaren tachtig en de samenhang met gezin en opvoeding. J. Gerris (red.), *Gezin: onderzoek en diagnostiek*. Assen: Van Gorcum, p. 21-34, 1995

Popenoe, D.

Disturbing the Nest. Family Change and Decline in Modern Societies. New York: Aldine de Gruyter, 1988

Pot, L.

Het overheidsbeleid voor jonge kinderen in de jaren tachtig. *Jeugd en samenleving*, jrg 20, nr. 4, p. 283-291, 1990

Pott-Büter, H. en W. Groot

Kosten van kinderen. Een overzicht. Den Haag: Nederlandse Gezinsraad, 1987

Prigogine, I. en I. Stengers

Orde uit chaos. De nieuwe dialoog tussen de mens en de natuur. Amsterdam: Bert Bakker, 1993

Regt, A. de

Arbeiders, burgers en boeren: gezinsleven in de negentiende eeuw. T. Zwaan (red.), *Familie, huwelijk en gezin*. Meppel: Boom, p. 193-218, 1984

Regt, A. de

Het ontstaan van het "moderne" gezin, 1900-1950. T. Zwaan (red.), *Familie, huwelijk en gezin*, Amsterdam/Heerlen: Boom/Open Universiteit, p. 219-239, 1993

Rensen, B.

Kindermishandeling: voor het leven beschadigd. Utrecht: Bruna, 1990

Rispens, J., J. Hermanns en W. Meeus (red.)

Opvoeden in Nederland, Assen: Van Gorcum, 1996

Schiepers, J., A. van Gessel-Dabekausen en A. Elking

Equivalentiefactoren volgens de budgetverdelingsmethode. Uitkomsten gebaseerd op de CBS-budgetonderzoeken 1986-1990. Heerlen: VUGA, 1993

Schnabel, P.

Het verlies van de seksuele onschuld. *Amsterdams Sociologisch Tijdschrift*, jrg 17, p. 11-50, 1990

Schoenmaeckers, A.

Combinatie arbeid en zorg een kwestie van organisatie. *Christen-democratische verkenningen*, Den Haag: Wetenschappelijk Instituut voor het CDA, nr. 7/8 p. 420-425, 1996

Schöttelndreier, M.

Monsters van kinderen, draken van ouders. De achterkant van huize weltevree. Amsterdam: De Balie, 1995

SCP

Sociaal en Cultureel Rapport 1994. Rijswijk: VUGA, 1994

SCP

Sociaal en Cultureel Rapport 1996. Rijswijk: VUGA, 1996

Selten, P.

Het derde opvoedingsmilieu. Honderd jaar jeugd in Nederland, 1850-1950. *Jeugd en samenleving,* jrg 21, nr. 2/3, p. 86-99, 1991

Setten, H. van

In de schoot van het gezin. Opvoeding in Nederlandse gezinnen in de twintigste eeuw. Nijmegen: SUN, 1987

Sikkema, P. en T. Rood

Tijd voor onvoorspelbaarheid. *Blad/Dossier no 10: Jongeren '95,* Amstelveen: VNU, p. 33-42, 1995

Sikkema, P.

Een leeftijdsgroep in tijdnood. *Blad/Dossier no 10: Jongeren '95,* Amstelveen: VNU, p. 6-30, 1995

Singer, E. en M. Wegelin (red.)

De familieband verbroken? Opstellen over gezinsgeweld, autonomie en loyaliteit. Utrecht: Jan van Arkel, 1991

Spanjaard, H. en M. Berger

Families First. Hulp aan gezinnen ter voorkoming van uithuisplaatsing van kinderen. *Jeugd en samenleving,* jrg 24, nr. 12, p. 720-729, 1994

Straver, C., A. van der Heiden en R. van der Vliet

De huwelijkse logica. Huwelijksmodel en inrichting van het samenleven bij arbeiders en anderen. Leiden: DSWO Press, 1994

Swaan, A. de

Uitgaansbeperking en uitgaansangst; over de verschuiving van bevelshuishouding naar onderhandelingshuishouding. *De mens is de mens een zorg. Opstellen 1971-1981.* Amsterdam: Meulenhoff, 1982

Thomeer-Bouwens, M., L. Tavecchio en W. Meeus

Zonder thuis - zonder toekomst? Een empirisch onderzoek naar ontwikkelingsantecedenten van thuisloosheid bij jongeren. Utrecht: NIZW, 1996

Thompson, M., R. Ellis en A. Wildavsky

Cultural Theory. Boulder: Westview Press, 1990

Trimp, L.

Inkomens 1959-1995. CBS, *Personele inkomensverdeling.* Heerlen: CBS, 1995

Ultee, W.

Trends in de sociale segmentatie van Nederland. H. Ganzenboom en W. Ultee (red.), *De sociale segmentatie van Nederland in 2015,* WRR-publicatie, Den Haag: Staatsdrukkerij, p. 333-351, 1996

Verbon, H.

Paars miskent belang gezinnen. *Christen-democratische verkenningen,* Den Haag: Wetenschappelijk Instituut voor het CDA, nr. 7/8, p. 399-405, 1996

Verduin, J.

150 Jaar samenspel van sociaal-economische en demografische ontwikkelingen. *Maandstatistiek van de bevolking*, jrg. 37, nr. 10, p. 5-9, 1989

Vijlder, F. de

Natiestaat en onderwijs. Een essay over de erosie van de relatie tussen westerse natie-staten en hun onderwijssystemen. 's-Gravenhage: VUGA, 1996

Vuyk, R.

Opgroeien onder moeilijke gezinsomstandigheden. Amersfoort/Leuven: Acco, 1986

Waal, F. de

Chimpansee-politiek. Macht en seks bij mensapen. Amsterdam: Becht, 1982

Waite, L.

Does marriage matter? *Demography*, vol. 32, nr. 4, p. 483-507, 1995

Weeda, I.

Ideaalbeelden rond leefvormen. Variatie in denken over huwelijk, gezin en andere leef-vormen. Deventer: Van Loghum Slaterus, 1982

Weeda, I. (red.)

Huwelijk, gezin en samenleving. Centrale problemen, alternatieven en overzichten. Assen: Van Gorcum, 1981

Wel, F. van

Gezinnen onder toezicht. De Stichting Volkswoningen te Utrecht 1924-1975. Amsterdam: SUA, 1988

Westerlaken, A.

Maatwerk vereist voor werknemers met zorgtaken voor kinderen. *Christen-democratische verkenningen*, Den Haag: Wetenschappelijk Instituut voor het CDA, nr. 7/8 p. 414-419, 1996

Winkels, J.

Gezag in Nederland. Een sociologisch onderzoek naar gezagsrelaties in het gezin en in het politiek bestel, Proefschrift RU Groningen, [S.l. : s.n.], 1990

Woude, A. van der

Bevolking en gezin in Nederland. F. van Holthoon (red.), *De Nederlandse samenleving sinds 1815. Wording en samenhang.* Assen/Maastricht: Van Gorcum, p. 19-70, 1985

Zijderveld, A.

Overheid en jeugd. Een cultuursociologosche verhandeling. *Jeugd en samenleving*, jrg 20, nr. 4, p. 197-207, 1990

Zwaan, T.

De verbroken viereenheid: een interpretatie van recente transities. T. Zwaan (red.), *Familie, huwelijk en gezin*, Amsterdam/Heerlen: Boom/Open Universiteit, p. 265-269, 1993

Zwaan, T.

Recente transities in huwelijk, gezin en levenscyclus. T. Zwaan (red.), *Familie, huwelijk en gezin*, Amsterdam/Heerlen: Boom/Open Universiteit, p. 240-264, 1993

Zwaan, T.

Familie, huwelijk en gezin in ontwikkelingsperspectief. T. Zwaan (red.), *Familie, huwelijk en gezin*, Amsterdam/Heerlen: Boom/Open Universiteit, p. 340-359, 1993

Zwaan, T. (red.)

Familie, huwelijk en gezin in West-Europa. Van Middeleeuwen tot moderne tijd. Amsterdam/Heerlen: Boom/Open Universiteit, 1993

BIJLAGE

Tabel 1. Ontwikkeling van de vruchtbaarheid 1945-1990.

	A	B	C	D
1945	22,6	97,2	2,96	26,9
1950	22,7	102,8	3,10	26,9
1955	21,3	101,3	3,03	26,3
1960	20,8	102,0	3,12	25,4
1965	19,9	95,6	3,04	24,3
1970	18,3	88,2	2,57	23,7
1975	13,0	60,8	1,66	23,8
1980	12,8	56,8	1,60	24,5
1985	12,3	52,2	1,51	26,3
1990	13,2	56,1	1,62	28,0

A = aantal levendgeboren kinderen per 1000 inwoners (CBS, *Vijfennegentig jaren*, p. 22);
B = aantal levendgeboren kinderen per 1000 vrouwen van 15-44 jaar (ibidem);
C = gemiddeld kindertal per vrouw ('totale leeftijdsspecifieke vruchtbaarheidscijfer', ibidem);
D = gemiddelde huwelijksleeftijd bij vrouwen (idem, p. 26).

Tabel 2. Ontwikkelingen met betrekking tot het huwelijk 1945-1990.

	A	B	C	D
1945	7,8	0,5	2,4	35
1950	8,2	0,6	3,0	15
1955	8,3	0,5	2,3	12
1960	7,8	0,5	2,2	13
1965	8,8	0,5	2,2	18
1970	9,5	0,8	3,3	21
1975	7,3	1,5	6,0	21
1980	6,4	1,8	7,5	41
1985	5,7	2,4	9,9	83
1990	6,4	1,9	8,1	114

A = aantal huwelijkssluitingen per 1000 inwoners (CBS, *Vijfennegentig jaren*, p. 26);

B = aantal echtscheidingen per 1000 inwoners (berekend op basis van idem, p. 26);

C = aantal scheidingen per 1000 echtparen (idem, p. 27);

D = aantal buitenechtelijk geboren kinderen per 1000 inwoners (idem, p. 22).

Tabel 3. Gemiddelde omvang en samenstelling van huishoudens 1947-1993.

	A	B	C	D
1945	3,68	1,90	1,74	11,1
1950	-	-	-	-
1955	-	-	-	-
1960	3,56	1,97	1,58	12,1
1965	3,45	-	-	14,6
1970	3,21	1,91	1,30	17,5
1975	2,95	-	-	19,4
1980	2,78	1,79	0,99	22,3
1985	2,54	1,67	0,87	27,7
1990	2,41	1,66	0,75	29,9
1993	2,37	1,65	0,72	31,1

A = aantal personen per huishouden (CBS, *Vijfennegentig jaren*, p. 20);
B = aantal volwassenen per huishouden (berekend op basis van idem, p. 20);
C = aantal kinderen per huishouden (idem);
D = alleenstaanden als percentage van het totale aantal huishoudens (idem).

Tabel 4. Gemiddeld besteedbaar inkomen (gld/jaar) per inkomenstrekker.

	A	B	C
1959	4.700	21.900	100
1964	7.400	28.800	132
1970	11.600	34.200	156
1975	19.800	38.400	175
1979	26.500	40.700	186
1985	29.300	34.700	158
1990	33.700	38.600	176
1994	36.900	37.600	172

A = gemiddeld besteedbaar inkomen van inkomenstrekkers in guldens per jaar (nominaal);
B = hetzelfde maar gecorrigeerd op basis van de prijsindex (reëel);
C = geïndexeerde ontwikkeling (1959 = 100 procent).   Bron: CBS, *Inkomens 1959-1995*.

Tabel 5. Reëel besteedbaar inkomen (x 1000 gld/jaar) naar huishouden.

	1977	1985	1995
alle huishoudens	46,6	40,5	45,4
gezinnen [a]	51,6	46,9	54,7
echtpaar met kinderen	56,0	51,1	61,5

a) echtparen zonder kinderen telt men ook als een gezin. De tabel geeft het gemiddelde besteedbare jaarinkomen in prijzen van 1995.
Bron: CBS, *Inkomens 1959-1995*.

Tabel 6. Procentuele verdeling van de gezinsuitgaven naar rubriek.

	1960	1975	1984	1994
voeding	39	41	21	18
woning	25	28	34	36
kleding	13	12	8	7
verzorging	3	7	13	8
ontwikkeling	11	7	13	15
vervoer	2	3	10	14
diverse	7	2	1	2
totaal (gulden)	4985	13.928	39.283	52.346

Aandeel per rubriek als percentage van de totale gezinsuitgaven.
Gegevens voor 1960 en 1975 zijn ontleend aan H. Pott-Büter, *Kosten van kinderen*, p. 79 en 86; gegevens voor 1985 aan CBS, *Budgetonderzoek 1984*, p. 24-25; voor 1995 aan CBS, *Budgetonderzoek 1994*, p. 18.

Tabel 7. Kosten per kind voor een gezin met twee schoolgaande kinderen.

	huishouden		per kind	
	inkomen	procent	nominaal bedrag	reëel
1960	5.000	15	750	3.571
1975	29.070	16	4.651	9.120
1985	43.100	16	6.896	8.210
1995	61.500	13	7.995	7.995

Kolom 1 = gemiddeld besteedbare inkomen (gld/jaar) van een gezin met twee schoolgaande
    kinderen;
kolom 2 = geschatte kosten per kind als percentage van de totale gezinsuitgaven;
kolom 3 = geschatte kosten per kind (nominaal);
kolom 4 = geschatte kosten per kind in prijzen van 1995 (reëel).

Gegevens voor 1959/1960 en 1974/1975 zijn ontleend aan H. Pott-Büter, *Kosten van kinderen*,
p. 22-26; voor 1985 aan NIBUD, *Kosten van kinderen 1985* alsmede CBS, *Budgetonderzoek 1984*;
gegevens voor 1995 zijn gebaseerd op J. Schiepers, *Equivalentiefactoren*, p. 23 alsmede CBS,
Budgetonderzoek 1994.

Tabel 8. Procentuele verdeling van de uitgaven voor kinderen per rubriek.

	1960	1975	1985	1995
voeding	58	47	36	11
woning	15	14	19	10
kleding	14	16	14	6
verzorging	2	5	11	13
ontwikkeling	5	14	12	22
vervoer	1	4	5	11
diverse	5	-	3	26
totaal (gulden)	789	4.782	4.584	--

Gegevens voor 1960 zijn gebaseerd op Pott-Büter, *Kosten van kinderen*, p. 79; die voor 1975 op CBS, *Kosten van kinderen*, p. 196 (inkomensklasse 16.000-21.000 gulden/jaar); gegevens voor 1985 zijn gebaseerd op Pott-Büter (idem, p. 88) alsmede NIBUD, *Kosten van kinderen 1985* (diverse rubrieken); cijfers voor 1995 berusten op een eigen schatting alsmede NIBUD, *Kosten van kinderen 1995* (kosten voor kinderopvang werden bij 'diverse' geteld).

Tabel 9. Procentuele verdeling van de uitgaven door echtparen met kinderen naar rubriek.

	1960	1978	1995
voeding	39	23	19
woning	25	28	34
kleding	13	10	9
verzorging	3	11	5
ontwikkeling	11	16	18
vervoer	2	11	13
diverse	7	1	3
totaal (gulden)	4.985	34.837	57.431

Cijfers voor 1960 ontleend aan Pott-Büter, *Kosten van kinderen*, p. 79; cijfers voor 1978 aan CBS, *Budgetonderzoek 1978*, p. 20-21; voor 1995 aan CBS, *Budgetonderzoek 1994*, p. 18-19.

Tabel 10. Beroepsdeelneming (in procenten) van vrouwen in Nederland naar leeftijdscategorie.

	20-24	25-39	40-49	50-64	totaal
1947	50,7	23,6	20,7	16,9	26,5
1960	52,8	17,8	16,5	13,5	22,8
1980	60,8	36,4	30,2	16,1	27,1
1990	67,7	56,3	45,3	18,0	36,4

Bron: CBS, *Vijfennegentig jaren*, p. 47.

Onder 'participatie' wordt een werkweek van ten minste 12 uur verstaan.

Tabel 11. Uren per week besteed aan verplichtingen door personen van 12 jaar of ouder.

	1975	1985	1995
werkende mannen [a]	50,1	51,7	54,8
werkende vrouwen [a]	52,8	54,5	54,6
huisvrouwen	39,4	38,4	37,7
werklozen [b]	15,8	20,9	24,1
totaal	40,7	40,7	42,6

a) personen met minstens 20 uur betaald werk per week;

b) werklozen en arbeidsongeschikten.

Onder 'verplichtingen' verstaat men het verrichten van betaalde arbeid en/of huishoudelijk werk en/of het volgen van onderwijs.

Bron: *Sociaal en cultureel rapport 1996*, p. 359.

Tabel 12. Percentage personen dat twee of meer taken combineert.

	1975	1985	1995
werkende mannen [a]	60,7	67,4	75,9
werkende vrouwen [a]	85,7	96,2	96,2
huisvrouwen	9,1	6,3	7,8
werklozen [b]	4,5	9,8	8,1
totaal	37,1	41,8	49,7

a) en b) zie tabel 11.

Onder 'taken' verstaat men een functie van minstens 5 uur in de week.

Bron: *Sociaal en cultureel rapport 1996*, p. 362.

Tabel 13. Vrije tijd (uren per week) voor personen ouder dan 12 jaar.

	1975	1985	1995
werkende mannen [a]	43,5	42,5	40,6
werkende vrouwen [a]	37,2	38,5	37,3
huisvrouwen	48,2	51,5	51,6
werklozen [b]	68,3	66,1	61,0
totaal	47,9	49,0	47,3

a) en b) zie tabel 11.

Onder 'vrije tijd' verstaat men tijd die overblijft na aftrek van verplichtingen (betaald werk, huishouden, onderwijs) en tijd besteed aan persoonlijke verzorging.

Bron: *Sociaal en cultureel rapport 1996*, p. 366.

Tabel 14. Mobiliteit in verband met huishoudelijke zorg en de verzorging van kinderen.

	1975	1990	verschil
verplaatsingen			
boodschappen	2,9	3,2	+
kinderverzorging	0,6	1,0	++
huishouden	0,2	0,6	++
totaal	3,7	4,8	++
bestede uren			
boodschappen	1,0	1,1	
kinderverzorging	0,2	0,4	++
huishouden	0,1	0,3	++
totaal	1,4	1,8	++

De tabel geeft het aantal verplaatsingen (per week) en daaraan bestede tijd (uren per week) voor huishoudelijk werk en de verzorging van kinderen door personen van 12 jaar of ouder.
Bron: J. de Hart, *Tijdopnamen*, p. 61.

Tabel 15. Gemiddelde tijdsbesteding (uren per week) door personen (ouder dan 12 jaar) per categorie.

	1975	1985	1995
werkende mannen			
arbeid	42,7	42,2	44,0
huishouden	6,3	8,2	9,4
pers. verzorging	72,0	71,5	70,4
onderwijs	1,2	1,3	1,4
totaal	122,2	123,2	125,2
werkende vrouwen			
arbeid	37,5	35,9	35,2
huishouden	13,5	17,1	17,7
pers. verzorging	75,1	72,8	73,8
onderwijs	1,8	1,5	1,8
totaal	127,9	127,3	128,5
huisvrouwen			
arbeid	1,2	0,5	0,7
huishouden	37,4	37,2	36,3
pers. verzorging	77,0	75,4	75,6
onderwijs	0,8	0,7	0,8
totaal	116,4	113,8	113,4
werklozen			
arbeid	0	0	0
huishouden	14,9	19,3	22,7
pers. verzorging	80,4	77,9	79,4
onderwijs	0,9	1,6	1,4
totaal	96,2	98,8	103,5

Bron: *Sociaal en cultureel rapport 1996*, p. 411.

Tabel 16. Tegenstanders van tutoyeren naar opleiding 1965-1994.

	1965	1975	1985	1994
lager onderwijs	55	27	22	23
middelbaar onderwijs	34	15	9	18
hoger onderwijs	14	7	6	5

De voorgelegde vraag luidde: 'Bent u ervoor of ertegen dat kinderen hun ouders met JIJ aanspreken ?' De cijfers geven aan hoeveel procent van de ouders hiertegen is.
Bron: SCP, *Bestand culturele veranderingen*, variabele 522.

Tabel 17. Permissiviteit inzake het lezen door kinderen naar opleiding 1965-1994.

	1965	1975	1985	1994
lager onderwijs	45	76	85	84
middelbaar onderwijs	55	82	89	86
hoger onderwijs	43	93	91	91

De voorgelegde vraag luidde: 'Vindt u dat jongens en meisjes van 18 jaar alles mogen lezen of acht u sommige boeken voor hen ongeschikt?' De cijfers geven aan hoeveel procent van de ouders vindt dat kinderen van 18 jaar alles mogen lezen.
Bron: SCP, *Bestand culturele veranderingen*, variabele 529.

Tabel 18. Permissiviteit inzake het thuiskomen van kinderen naar opleiding 1965-1994.

	1965	1975	1985	1994
lager onderwijs	15	26	36	41
middelbaar onderwijs	24	32	43	49
hoger onderwijs	21	48	60	61

De voorgelegde vraag luidde: 'Vindt u het normaal dat ouders van bijvoorbeeld een twintigjarige dochter haar van tevoren zeggen hoe laat ze 's avonds thuis moet zijn of is het volgens u beter als ze dit aan de dochter overlaten?' De cijfers geven aan hoeveel procent van de ouders dit aan de dochter wil overlaten.

Bron: SCP, *Bestand culturele veranderingen*, variabele 530.

Tabel 19. Tegenstanders van tutoyeren door kinderen naar kerkelijkheid 1965-1994.

	1965	1975	1985	1994
kerkelijk	55	30	21	25
onkerkelijk	44	15	15	13

Betekenis van de gegevens als in tabel 16. 'Kerkelijk' omvat ouders die lid zijn van een kerkgenootschap, 'onkerkelijk' degenen voor wie dat niet geldt.

Bron: SCP, *Bestand culturele veranderingen*, variabele 522.

Tabel 20. Permissiviteit inzake het lezen door kinderen naar kerkelijkheid 1965-1994.

	1965	1975	1985	1994
kerkelijk	40	72	82	81
onkerkelijk	66	86	90	90

Betekenis van de gegevens als in tabel 17.

Bron: SCP, *Bestand culturele veranderingen*, variabele 529.

Tabel 21. Permissiviteit inzake het thuiskomen van kinderen naar kerkelijkheid 1965-1994.

	1965	1975	1985	1994
kerkelijk	14	24	31	38
onkerkelijk	22	34	46	51

Betekenis van de gegevens als in tabel 18.

Bron: SCP, *Bestand culturele veranderingen*, variabele 530.

Tabel 22. Meningen op seksueel gebied 1968-1991.

	1968	1975	1985	1991
A	18	43	-	71
B	2	13	24	24
C	-	12	5	5
D	64	83	93	95

De tabel geeft aan hoeveel procent van de ondervraagden (21-64 jaar) het eens is met de volgende stellingen:

A = 'Een meisje mag volledige geslachtsgemeenschap met een jongen hebben als ze veel voor hem voelt';

B = 'Een meisje mag volledige geslachtsgemeenschap met een jongen hebben, ook al voelt ze weinig voor hem';

C = 'Homoseksuelen moeten eens flink worden aangepakt';

D = 'Men moet mensen die homoseksueel zijn zo veel mogelijk vrijlaten om te leven op hun eigen manier.'

Bron: SCP, *Bestand culturele veranderingen*, variabelen 539, 540, 537 en 545.

Tabel 23. Opvattingen met betrekking tot het huwelijk 1965-1994.

	1965	1975	1986	1994
A	2	71	86	92
B	17	59	71	85
C	11	40	44	51
D	61	35	21	13

De tabel geeft aan hoeveel procent van de ondervraagden (21-64 jaar) het eens is met de volgende stellingen:

A = 'Als een echtpaar bewust geen kinderen wil terwijl er medisch geen enkel bezwaar tegen bestaat, is dat te billijken'; B = Het is niet bezwaarlijk als in een gezin met schoolgaande kinderen de vrouw naast haar huishouding een werkkring heeft'; C = 'Als man en vrouw niet met elkaar kunnen opschieten en er zijn kinderen thuis, is echtscheiding ongewenst maar in bepaalde gevallen wel begrijpelijk'; D = 'Een getrouwd iemand is in het algemeen gelukkiger dan iemand die ongetrouwd blijft.' NB voor B geldt 1986 = 1985 en 1994 = 1995; voor D geldt 1994 = 1991. Bron: SCP, *Bestand culturele veranderingen*, variabelen 517, 519, 515 en 503.

Tabel 24. Opvattingen met betrekking tot het huwelijk 1965-1994 naar kerkelijkheid.

		1965	1975	1986	1994
A	geen	40	81	92	96
	wel	16	65	79	87
B	geen	21	66	80	88
	wel	16	55	62	80
C	geen	19	49	55	60
	wel	9	33	33	41
D	geen	62	27	13	9
	wel	61	40	30	19

Betekenis van de gegevens als in tabel 23. Er is onderscheid gemaakt tussen degenen die 'wel' en 'geen' lid zijn van een kerkgenootschap. NB: voor B geldt 1986 = 1985 en 1994 = 1995; voor D geldt 1994 = 1991. Bron: SCP, *Bestand culturele veranderingen*, variabelen 517, 519, 515 en 503.

Tabel 25. Verwachtingen van mannen met betrekking tot hun aanstaande echtgenote 1965-1987.

	1965	1975	1987
meest belangrijk			
goede moeder zijn	30	33	23
lief zijn	17	20	30
intelligent zijn	10	22	25
goed met geld omgaan	22	9	5
minst belangrijk			
knap uiterlijk	47	37	40
man vrijlaten	15	16	16
temperament hebben	12	13	13
lekker kunnen koken	3	10	12

De tabel geeft aan hoeveel procent van de ondervraagde mannen (21-64 jaar) genoemde kwaliteit het meest resp. het minst belangrijk vindt.

Bron: SCP, *Bestand culturele veranderingen*, variabelen 509 en 511.

Tabel 26. Verwachtingen van vrouwen met betrekking tot hun aanstaande echtgenoot 1965-1987.

	1965	1975	1987
meest belangrijk			
trouw zijn	33	33	44
belangstelling tonen	6	21	22
goed humeur hebben	10	10	11
goed inkomen hebben	13	6	3
minst belangrijk			
groot en sterk zijn	36	37	53
helpen in huishouden	26	19	9
attent zijn voor haar	11	18	13
overwicht hebben	10	7	11

De tabel geeft aan hoeveel procent van de ondervraagde vrouwen (21-64 jaar) genoemde kwaliteit het meest resp. het minst belangrijk vindt.

Bron: SCP, *Bestand culturele veranderingen*, variabelen 512 en 514.

Tabel 27. Constanten in de verwachtingen van man en vrouw met betrekking tot elkaar 1965-1987.

	vrouwen	mannen
meest belangrijk		
1965	goede moeder	trouw zijn
1975	goede moeder	trouw zijn
1987	lief zijn	trouw zijn
minst belangrijk		
1965	knap uiterlijk	sterk zijn
1975	knap uiterlijk	sterk zijn
1987	knap uiterlijk	sterk zijn

Tabel 27 geeft aan welke kwaliteit mannen resp. vrouwen het meest resp. het minst belangrijk vinden in 1965, 1975 en 1987.

Tabel 28. Veranderingen in de voornaamste verwachtingen van man en vrouw met betrekking tot elkaar 1965-1987.

	1965	1975	1987
vrouwen moeten			
intelligent zijn	10	22	25
lief zijn	17	20	30
goed kunnen koken	6	1	0
goed met geld omgaan	22	9	5
mannen moeten			
goed inkomen hebben	13	6	3
huiselijk zijn	16	12	5
overwicht hebben	10	7	11
belangstelling tonen	6	21	22

De tabel geeft aan hoeveel procent van de ondervraagden genoemde kwaliteiten als de voornaamste gewenste eigenschap van hun aanstaande partner beschouwt. We zien af van verwachtingen die in de loop der jaren (bijna) gelijk blijven.

Bron: SCP, *Bestand culturele veranderingen*, variabelen 509, 511, 512 en 514.

Tabel 29. De voornaamste verwachtingen van mannen jegens hun vrouw naar opleiding 1965-1987.

	1965	1975	1987
goede moeder zijn			
lager onderwijs	32	38	33
middelbaar onderwijs	19	22	10
hoger onderwijs	5	11	6
intelligent zijn			
lager onderwijs	7	17	15
middelbaar onderwijs	25	37	37
hoger onderwijs	25	33	42
lief zijn			
lager onderwijs	15	17	27
middelbaar onderwijs	24	27	32
hoger onderwijs	55	33	38

Betekenis van de gegevens als in tabel 25.

Bron: SCP, *Bestand culturele veranderingen*, variabelen 509 en 511.

Tabel 30. De voornaamste verwachtingen van vrouwen jegens mannen naar opleiding 1965-1987.

	1965	1975	1987
trouw zijn			
lager onderwijs	31	34	48
middelbaar onderwijs	42	29	37
hoger onderwijs	55	7	12
belangstelling tonen			
lager onderwijs	6	19	17
middelbaar onderwijs	7	27	33
hoger onderwijs	15	53	45
huiselijk zijn			
lager onderwijs	17	12	6
middelbaar onderwijs	10	9	2
hoger onderwijs	10	7	7

Betekenis van de gegevens als in tabel 26.

Bron: SCP, *Bestand culturele veranderingen*, variabelen 512 en 514.

Tabel 31. De belangrijkste zaken in het leven 1966-1995.

	1966	1975	1985	1995
goede gezondheid	36	43	58	53
goed huwelijk	34	27	15	13
leuk gezin	8	13	12	19
sterk geloof	16	9	5	4

De tabel geeft aan hoeveel procent van de ondervraagden (17-70 jaar) genoemde waarden als het belangrijkste in het leven opvat. Men kon slechts één waarde als de belangrijkste kiezen.

Bron: *Sociaal en cultureel rapport 1996*, p. 466.

Tabel 32. De mate waarin men zich over een aantal zaken zorgen maakt 1958-1995.

	1958	1975	1986	1995
geldzaken	28	30	41	53
politiek	21	44	41	59
eigen gezondheid	20	27	31	46
gezin	33	43	45	62
toekomst	12	34	32	46

De tabel geeft aan hoeveel procent van de ondervraagden (21-64 jaar) zich over genoemde zaken zorgen maakt.

Bron: *Sociaal en cultureel rapport 1996*, p. 469.

Tabel 33. Aanhang kerkgenootschappen 1958-1995.

	1958	1966	1975	1985	1995
RK	42	30	30	26	19
NH	22	17	17	12	9
REF	9	14	10	9	6
OV	3	3	3	3	4
GEEN	22	36	43	53	61

Tabel geeft de aanhang van diverse kerkgenootschappen in procenten van de bevolking.

Bron: *Sociaal en cultureel rapport 1996*, p. 474.

Tabel 34. Deelname aan het onderwijs 1965-1991.

	1965	1975	1985	1991
aandeel				
middelbaar	31,1	45,3	48,5	51,4
wetenschappelijk	4,0	6,7	8,4	9,8
index				
middelbaar	100	146	156	165
wetenschappelijk	100	167	210	245

Regel 1 geeft aan hoeveel procent van de 12-18 jarigen middelbaar onderwijs (mavo, havo of vwo) volgt; regel 2 geeft aan welk percentage van de 18-25 jarigen wetenschappelijk onderwijs volgt; het tweede deel van de tabel geeft de ontwikkeling van deze grootheden door middel van een index weer (1965 = 100 procent). Bron: CBS, *Vijfennegentig jaren*, p. 242).

Tabel 35. Mobiliteit binnen Nederland (x miljard reizigerkilometers).

	1950	1965	1976	1984	1992
particulier	7,7	45,5	110,7	126,5	145,4
w.o. auto	6,5	36,1	99,0	113,3	130,5
collectief	12,8	15,5	18,4	20,1	27,9
w.o. trein	6,4	7,7	8,0	9,0	13,7
totaal	20,5	61,0	129,1	146,6	173,3

Bron: J. de Hart, *Tijdopnamen*, p. 33.

NIZW Jeugd: voor kennis en innovatie in de jeugdsector

NIZW Jeugd is een publiek kennisinstituut dat werkt aan vernieuwing en verbetering van zorg- en welzijnspraktijken voor jeugdigen en hun opvoeders. Het beleid van NIZW Jeugd is erop gericht om professionals en beleidsmakers in de sector jeugd te informeren, te adviseren en samen met hen innovaties in de praktijk door te voeren. In beperkte mate richt NIZW Jeugd zich met zijn producten ook direct tot opvoeders en jeugdigen.

NIZW Jeugd houdt zich primair bezig met de volgende kennisvelden:
* Pedagogische kwaliteit en ontwikkelingsstimulering van het jonge kind in de kinderopvang, in voorzieningen voor voor- en vroegschoolse educatie, de brede school en het jeugdwelzijnswerk.
* Opvoedingsondersteuning in de jeugdgezondheidszorg, het gemeentelijk preventief jeugdbeleid en de (preventieve) jeugdzorg.
* Jeugdzorg: de ontwikkeling van de bureaus jeugdzorg en de geïndiceerde zorg van instellingen voor jeugdhulpverlening, voor licht verstandelijk gehandicapte jeugdigen, jeugd-ggz, jeugdbescherming en justitiële zorg.
* Ketenzorg: de afstemming tussen onder andere onderwijs en jeugdzorg, tussen de jeugdzorg en de sector voor licht verstandelijk gehandicapte jeugdigen, tussen de lokale en regionale zorg en tussen vrijwillige, justitiële en strafrechtelijke zorg.
* Kwaliteit en effectiviteit van (algemene, preventieve en curatieve) interventies.
* Informatievoorziening over vraagstukken op het terrein van jeugdzorg en jeugdwelzijn, bijvoorbeeld met de tijdschriften *0/25*, *Perspectief*, diverse gratis e-zines en de infolijn NIZW Jeugd.

Het werk van NIZW Jeugd resulteert in uiteenlopende producten zoals infolijnen, websites, tijdschriften, e-zines, trendstudies, *factsheets*, databanken, diverse ontwikkelings- en onderzoeksproducten, leertrajecten, congressen en adviezen.

Met vragen over NIZW Jeugd of zijn beleidsterreinen kunt u van maandag tot en met vrijdag van 9.00 tot 13.00 uur terecht bij de Infolijn van NIZW Jeugd, telefoonnummer (030) 230 65 64.

Meer informatie van en over NIZW Jeugd is te vinden op www.nizwjeugd.nl

NIZW Jeugd maakt deel uit van het Nederlands Instituut voor Zorg en Welzijn / NIZW.

Colofon

Hoge eisen, ware liefde
De opkomst van een nieuw gezinsideaal in Nederland
Gabriël van den Brink

ISBN 90 8560 021 9
NUR 740

Vormgeving
Zeno

Uitgever
Paul Roosenstein

Voor informatie over overige uitgaven van Uitgeverij SWP:
Postbus 257, 1000 AG Amsterdam
Telefoon: (020) 330 72 00
Fax: (020) 330 80 40
E-mail: swp@swpbook.com
Internet: www.swpbook.com